二十五史藝文經籍志

考補萃編

王承略　劉心明　主編

第二十一卷

西夏藝文志	〔清〕王仁俊　撰　陳錦春　整理
補遼史經籍志	〔清〕厲鶚　撰　陳錦春　整理
補遼史經籍志	楊復吉　撰　陳錦春　整理
補遼史藝文志	〔清〕王仁俊　撰　陳錦春　整理
遼史藝文志補證	〔清〕黃任恒　撰　陳錦春　整理
補遼史藝文志	〔清〕繆荃孫　撰　陳錦春　整理
遼藝文志	〔清〕龔顯曾　撰　王承略　整理
金藝文志補錄	鄭文焯　撰　張雲　整理
金史補藝文志	孫德謙　撰　張雲　整理
金史藝文略（殘稿本）	孫德謙　撰　張雲　整理
金史藝文略（初稿本）	張德雲　撰　王正一　郭偉宏　整理

清華大學出版社　北京

圖書在版編目(CIP)數據

二十五史藝文經籍志考補萃編. 第 21 卷/王承略，劉心明主編. —北京：清華大學出版社，2013

ISBN 978-7-302-30611-5

Ⅰ.①二… Ⅱ.①王…②劉… Ⅲ.①中國歷史－古代史－紀傳體 ②《二十五史》－研究 Ⅳ.①K204.1

中國版本圖書館 CIP 數據核字(2012)第 272025 號

責任編輯：馬慶洲
封面設計：曲曉華
責任校對：宋玉蓮
責任印製：楊　艷

出版發行：清華大學出版社
　　　　網　　址：http://www.tup.com.cn，http://www.wqbook.com
　　　　地　　址：北京清華大學學研大廈 A 座　　郵　編：100084
　　　　社　總　機：010-62770175　　　　郵　購：010-62786544
　　　　投稿與讀者服務：010-62776969，c-service@tup.tsinghua.edu.cn
　　　　質　量　反　饋：010-62772015，zhiliang@tup.tsinghua.edu.cn
印　刷　者：清華大學印刷廠
裝　訂　者：三河市金元印裝有限公司
經　　　銷：全國新華書店
開　　　本：148mm×210mm　　印　張：10.25　　字　數：250 千字
版　　　次：2013 年 1 月第 1 版　　　　印　次：2013 年 1 月第 1 次印刷
印　　　數：1～2500
定　　　價：38.00 元

產品編號：043549-01

《二十五史藝文經籍志考補萃編》編纂委員會

目　　録

西夏藝文志

〔清〕 王仁俊 撰

陳錦春 整理

經　部

景宗　譯孝經

景宗　譯爾雅

　　《宋史・西夏傳》曰："元昊譯《孝經》、《爾雅》、《四言雜字》爲
　　蕃語。"

幹道沖　周易卜筮斷

幹道沖　論語小義二十卷

　　虞集《西夏相幹公畫象贊》曰："公諱道沖，通五經，爲蕃漢教
　　授，譯《論語注》，別作解義經二十卷，曰《論語小義》。又作
　　《周易卜筮斷》，以其國字書之，行於國中，至今存焉。"見《道
　　園全集》十八。幹，《元文類》十八作幹。案《經義考》四十一
　　曰："《一齋目》有《斷作法》。"《論語小義》佚。《元史》幹道明
　　通古注《論語》、《孟子》。據此知幹氏家世通經矣。

小學類

景宗　蕃書十二卷

　　《宋史》："元昊自制《蕃書》，命野利仁榮演繹之，成十二卷。
　　字形體方整，類八分，而書頗重複，教國人紀事用蕃書。"

史　部

焦景顏、王僉等修　實録

　　《金史》："仁宗立翰林學士院，俾學士焦景顏、王僉等修《實

録》。"

羅世昌　西夏國譜

《金史贊》："夏之立國舊矣，其臣羅世昌譜叙世次，稱元魏衰
微居松州者，因以舊姓爲拓跋氏。"

子　部

回紇僧撰　梵覺經

《續文獻通考》："遼咸雍三年，夏國遣使進。"按在夏拱化
五年。

巨力長者所問大乘經上中下一卷　西夏釋智吉祥譯

佛説大乘智印經二卷　西夏釋智吉祥譯

法乘義決定經上中下一卷　西夏金摠持譯

事師法五十頌　西夏日密等譯

文殊所説最勝名義經上下一卷　金摠持譯

十不善業道經　西夏釋日稱等譯

均見《大藏·大乘經·般若部》。

景宗　太乙金鑑

《宋史·西夏傳》："元昊曉浮圖學，通蕃漢文字，案上置法律，
常攜《野戰歌》、《太乙金鑑訣》。"

集　部

景宗　野戰歌　見前。

崇宗　靈芝歌

王仁宗　靈芝歌

《宋史·西夏傳》："夏人陷府州，靈芝生於後堂高守忠家。乾
順作《靈芝歌》，俾中書相王仁宗和之。"按《靈芝歌》石刻在甘
州孔子廟，元時尚存。見虞集《幹相公畫像贊》。

附

宋人談西夏事書目

西國樞要二卷

《宋史·西夏傳》："今史所載追尊謚諱、廟號、陵名、兼採《夏
國樞要》等書。"孫巽纂。記夏虜兵屯會要、土地肥磽、井泉湧
涸、穀粟窖藏，酋舊鈔訛首。豪姓氏、名位司存，與夫城池之完
闕，風俗之所尚，編爲兩帙，上之於朝。

西夏雜記　見尤《目》。

西戎聚米圖經　見尤《目》。

西夏須知一卷　見尤《目》。宋劉温潤撰，見晁《志》。

補遼史經籍志

［清］ 厲鶚 撰

陳錦春 整理

底本：《二十四史訂補》影印清振綺堂刻
《遼史拾遺》本

　　鶚案：諸簿録家所載遼人撰著，大率多本《遼史》紀傳。間有出於史外者，不多得也。予作《補經籍志》，聊備其目而已。傳於今者，亦寥寥無幾矣。

經　類

耶律庶成、蕭韓家奴　禮書
遼朝雜禮
已上出黃虞稷《金陵黃氏書目》。
龍龕手鑑四卷　晁氏作三卷，非。
《夢溪筆談》曰：“幽州僧行均，集佛書中字爲切韻訓詁，凡十六萬字，分四卷，號《龍龕手鑑》。燕僧智光爲之序，甚有詞辯。契丹重熙二年集。契丹書禁甚嚴，傳入中國者，法皆死。熙寧中，有人自虜中得之，入傅欽之家。蒲傳正帥浙西，取以鏤版。其《序》末舊題‘重熙二年五月序’，蒲公削去之。觀其字音韻次序，皆有理法，後世殆不以其爲燕人也。”○《郡齋讀書志》曰：“契丹僧行均撰，凡二萬六千四百三十字，注十六萬三千一百餘字。僧智光爲之序，後題云‘統和十五年丁酉’。案《紀年通譜》，耶律隆緒嘗改元統和。丁酉，至道三年也。沈存中言‘末題重熙二年五月序，蒲公削去之’，今本乃云統和，非重熙字，存中不見舊題，妄記之耶？”○錢曾《讀書敏求記》曰：“燕僧行均，字廣濟，俗姓于氏。編《龍龕手鑑》，以平、上、去、入爲次隨部，復用四聲列之，計二萬六千四百三十餘字，注一十六萬三千四百餘字。統和十五年丁酉，七月初一日癸亥，燕臺憫忠寺沙門智光，字法炬，爲之序。”○燕臺憫忠寺沙門智光，撰《龍龕手鑑序》，曰：“夫聲明著論，迺印度之宏綱。觀迹成書,實支那之令躅。印度則始標天語,厥號梵文。載彼貫綫之花,綴以多羅之葉,開之以字緣、字界,分之以男聲、女聲。支那則創自軒轅,制於沮誦,代結繩於既往,成進牘以相沿。辯之以會意、象形,審之以指事、轉注。洎乎史籀變古文爲大篆,程邈變大篆爲隸書,蔡邕刊定於石經,束晳推詳於竹簡,九流競騖,若百谷之朝宗;七略遰分,比衆星之拱極。尋源討本,備載於《埤蒼》、《廣蒼》;叶律諧鍾,咸究於《韻英》、《韻譜》。專門則《字統》、《説文》,開牖則《方言》、《國語》,字學於是乎昭矣。矧復釋氏之教,演於印度,譯布支那,轉梵從唐。雖匪差於性相,披教悟理,而必正於名言。名言不正,則性相之義差。性相之義差,則修斷之路阻矣。故祇園高士,探學海洪源準的。先儒導引後進,輝以《寶燭》,啓以《隨函》。《郭迻》但顯於人名,《香嚴》唯標於寺號。流傳歲久,鈔寫時譌,寡聞則莫曉是非,博古則徒懷惋歎。不逢敏達,孰爲編修?有行均上人,字廣濟,俗姓于氏。派演青齊,雲飛燕晉,善於音韻,閒於字書。覯《香嚴》之不精,寓金河而載緝,九伵功績,五變炎涼,具辯宮、商,細分喉、齒,計二萬六千四百三十餘字,注一十六萬三千一百七十餘字,并注總一十八萬九千六百一十餘字。無勞避席,坐奉師資,詎假擔簦,立袪疑滯。沙門智光,利非切玉,分忝斷金,辱彼告成,見命序引,推讓而寧容閣筆,俛仰而强爲抽毫,矧以新音徧於龍龕,猶手持於鸞鏡,形容斯鑒,妍醜是分,故目之曰《龍龕手鑑》,總四卷,以平上去入爲次,隨部復用四聲列之。又撰《五音圖式》附於後,庶力省功倍,垂益於無窮者矣。時統和十五年丁酉,七月一日癸亥序。"

史　類

耶律儼　皇朝實録七十卷

蕭韓家奴、耶律庶成同撰　遙輦可汗至重熙以來事迹二十卷

室昉　統和實録二十卷

蕭永祺　遼紀四十卷志五卷傳四十卷

　　已上出《金陵黄氏書目》。

契丹官儀

契丹事迹

契丹疆宇圖　《宋史・藝文志》“二卷”。

契丹實録

契丹會要

　　已上出尤袤《遂初堂書目》。

大遼登科記一卷

大遼對境圖

契丹地理圖　《宋史・藝文志》“一卷”

　　已上出鄭樵《通志・藝文略》。

遼四京記

　　《直齋書録解題》曰：“亦無名氏。曰東京、中京、上京、燕京。”

王鼎　焚椒録一卷

七賢傳

　　《金陵黄氏書目》曰：“取遼世名流七人爲之傳，耶律吼其
　　一也。”

遼三臣行事　耶律孟簡著。

　　出王圻《續文獻通考》。

鶚案：孟簡大康中所編耶律曷魯、屋質、休哥三人行事，見《文學傳》。

子　類

王白　百中歌

耶律純、耶律學士　星命祕訣五卷。　　已上出《金陵黃氏書目》。

直魯古　鍼灸脈訣書一卷

　　出連江陳第《世善堂書目》。

燕僧利正撰　長慶人事軍律三卷

　　出《通志·藝文略》。

內丹書　聖宗統和八年，于闐張文寶進。

道宗　御製華嚴經贊　咸雍四年二月頒行。

回紇僧撰　金佛梵覺經

高麗佛經　大康十年，命僧善智校讎頒行。

　　已上出《續文獻通考》。

僧非濁撰　往生集二十卷

　　出《奉福寺尊勝陀羅尼石幢記》。

集　類

道宗　御製清寧集　耶律良編

　　出《續文獻通考》。

李氏　應曆小集十卷。

　　《通志·藝文略》曰："李澣，晉末陷契丹，以遼應曆年號名集。"

海蟾子詩一卷

　　出《通志·藝文略》。

李澣　丁年集十卷

楊佶　登瀛集五卷

劉景集四十卷

　　已上出《宋史·藝文志》。

耶律隆先　閬苑集

蕭資忠　西亭集

蕭孝穆　寶老集

蕭柳　歲寒集

蕭韓家奴　六義集十二卷

耶律孟簡　放懷詩一卷

耶律良　慶會集

　　已上出《續文獻通考》。

補遼史經籍志

[清] 楊復吉 撰

陳錦春 整理

底本：《二十四史訂補》影印清振綺堂刻
《遼史拾遺補》本

經　部
小學類

李德明　番書十二卷

史　部
正史類

蕭韓家奴　五代史譯解　重熙十五年奉詔譯。

編年類

蕭韓家奴　通歷譯

起居注類

耶律良　興宗起居注　重熙中修。

雜史類

馬得臣　唐三紀行事　聖宗時，錄唐高祖、太宗、玄宗三紀行事可法者以進。
蕭韓家奴　貞觀政要譯

子　部
醫家類

耶律庶成　方脈書譯

集　部
別集類

耶律庶成集
耶律谷欲集
王棠集
耶律氏　常哥集

策論類

蕭韓家奴　策對一卷

碑　類

蕭韓家奴　太宗功德碑
　　出金門詔《補三史藝文志》。

遼史藝文志補證

[清] 王仁俊 撰

陳錦春 整理

底本：《遼海叢書》本

　　考遼人著述者，如倪燦《補遼金元藝文志》、厲鶚《補經籍志》、錢大昕《元藝文志》附見遼金、金門詔《三史藝文志》，近繆小珊先生輯補志，附遼文以行。俊於諸家所有，悉皆標注，又補三十餘種，統加考證，以見梗概焉。

經　部

經總類

道宗頒　五經傳疏，清寧元年頒定。　_{金有}。按《本紀》：詔頒
《五經傳疏》，置博士助教各一員。

書類

書無逸篇一卷，統和元年室昉進。　_{金有}。按本傳：進《尚書·
無逸篇》以諫，太后聞而嘉獎。

五子之歌一卷，大安四年命燕國王延禧寫。　_{金有}。按見《道宗
紀》五。天祚奉道宗敕寫《五子之歌》，見《書史會要》。

洪範一卷　耶律儼書。　按《道宗紀》：＂命耶律儼書《洪範》。＂

通禮類

禮典三卷　重熙十五年詔蕭韓家奴及耶律庶成撰。　_{倪、厲、錢、}
_{金、繆有}。按《耶律庶成傳》：＂偕蕭韓家奴等撰《實録》及《禮
書》。＂《蕭韓家奴傳》：＂詔與庶成酌古準今，制爲《禮典》。事
或有疑，與北南院同議。既被詔，博考經籍，自天子達於庶
人，情文制度可行於世，不繆於古者，譔成三卷進之。＂據此，
是《禮典》即《禮書》。黃《目》稱《禮書》。金另列《禮書》於儀
注類，誤。

小學類

太祖契丹大字　耶律庶成制　_{金有。}按本傳：幼好學，善遼漢
　文字。

僧行均　龍龕手鏡四卷　_{倪、厲、錢、繆有。}按今存晁《志》作三卷，
　曰："契丹僧行均撰，凡二萬六千四百三十字，注十六萬三千
　一百餘字。僧智光爲之序，_{袁本無'序'字。}後題統和十五年丁
　酉。按《紀年通譜》，耶律隆緒嘗改元統和。丁酉，至道三年
　也。沈存中言契丹書禁甚嚴，傳入中國者法皆死。熙寧中有
　人自虜中得此書，_{袁本虜中作契丹。}入傅欽之家。蒲傳正帥浙
　西，取以刻板。其末舊題云重熙二年序，_{袁本無'舊'字，二作三。}蒲
　公削去之。今本乃云統和，非重熙，豈存中不見舊題，妄記之
　耶？"又見《讀書敏求記》。

譯語類

五代史，重熙十五年蕭韓家奴奉詔譯。　_{錢、金、繆有。}按本傳：欲
　帝知古今成敗，譯《通曆》、《貞觀政要》、《五代史》。

貞觀政要，蕭韓家奴譯。　_{錢、繆有。}見前。

通曆，蕭韓家奴譯。　_{金、繆有。}見前。

陰符經，義宗譯。　按《宗室傳》：工遼漢文章，嘗譯《陰符經》。

白居易諷諫集，聖宗譯。　按《契丹國志》、《古今詩話》，聖宗詩
　云："樂天詩集是吾師。"

史　部
正史類

史記、漢書，咸雍十年頒定。 _{金有。}按《道宗紀》：詔有司頒行《史記》、《漢書》。

耶律儼　舊史禮志　按《禮志》一："今國史院有金陳大任《遼禮儀志》，皆其國俗之故。又有《遼朝雜禮》，漢儀爲多，別得宣文閣所藏耶律儼《志》，視大任爲加詳，存其略著於篇。"據此，是《遼史·禮志》內有儼書。

耶律儼　舊史曆象志　按《曆象志》中閏考注明"耶律儼本，某年有"。《曆象志》下朔考："耶律儼以大明法追正乙未月朔，又與陳大任紀時或牴牾。"據此，是《曆象志》內有儼書。

耶律儼　舊史儀衛志　按《儀衛志》四："耶律儼、陳大任舊《志》有未備者，兼考之《遼朝雜禮》云。"據此，是《儀衛志》內有儼書。

耶律儼　舊史食貨志　按《食貨志》上曰："大要散見舊史，若農穀、租賦、鹽鐵、貿易、坑冶、泉幣、羣牧，逐類採摭，緝而爲篇，以存一代食貨之略。"據此，是《食貨志》中有儼書。

耶律儼　舊史世表　按《世表》曰："考之宇文周之書，遼本炎帝之後，而耶律儼稱遼爲軒轅後。儼《志》晚出，蓋從周書世表。"又曰："聶哰，儼史書爲涅里，蓋遼太祖之始祖也。"據此，是儼曾著世表。

耶律儼　舊史后妃傳　按《后妃傳》序曰："儼、大任《遼史·后妃傳》大同小異，酌取以著於篇。"據此，是《后妃傳》爲儼書。但儼薨於天慶中，則道宗《惠妃傳》之召封太皇太妃及奔黑頂

山,天祚皇后、元妃二傳之從狩事,皆在其後。蓋托克托等據
陳大任本補之。《天祚紀》及《儼傳》言儼纂《實錄》,而不言編
史,蓋史略之矣。

蕭承祺　遼紀四十卷　志五卷　傳四十卷 屬有。見黃《目》。

實録類

皇朝實録七十卷　耶律儼等撰 倪、錢、金、繆有。見黃《目》。本
傳:大安六年,封越國公,修《皇朝實錄》七十卷,一名《太祖以
下實錄》。《天祚紀》:乾統三年,詔耶律儼纂《太祖以下實錄》
七十卷。

統和實録二十卷　室昉、邢抱朴等撰 倪、錢、金、繆有。按《室昉
傳》:"乾亨初,監修國史。統和八年,表進所撰《實錄》二十
卷,手詔褒之。"《邢抱朴傳》:"遷翰林學士承旨,與室昉同修
《實錄》。"書見黃《目》。疑即尤《目》之《契丹實錄》。

起居注類

興宗起居注　重熙中耶律良修 金、繆有。按本傳:以家貧,詔乘
廄马。遷修《起居注》。

雜史類

先朝事迹二十卷　耶律庶成、蕭韓家奴同撰 倪、錢、金、繆有。按
見黃《目》。《興宗紀》:"重熙十三年六月,詔耶律古雲、耶律
庶成等編輯國朝上世以來事蹟。"《蕭韓家奴傳》:"詔與耶律
庶成錄約尼汗至重熙以來事迹,爲二十卷進之。"據此,是同

撰者尚有耶律古雲也。太宗會同元年，詔有司編始祖奇善可
汗事迹。然《遼史》止載其生於都菴山，徙於潢河之濱，則此
事迹已佚久矣。

大遼事迹　<small>倪、錢、繆有。</small>按金時高麗所進。《曆象志》下曰：“高麗
所進《事蹟》，載諸王册，文頗見月朔，因附入。”《兵衛志》下引
《大遼事迹》載東境戍兵，以備高麗、女真等國，見其守國規
模，布置簡要，舉一可知三反矣。是此書之作，爲文章典制而
設與先朝事。○ 契丹事。碻非一書。

大遼古今録　<small>錢、繆有。</small>按金時高麗所進。《曆象志》上：高麗所志
《大遼古今録》稱統和十二年始頒正朔。

故事類

契丹朝獻禮物例　見尤《目》。

虜廷雜記十卷　按契丹降人趙志忠撰。始於阿保謹，迄耶律宗
真。李清臣云：“志忠仕虜，爲中書舍人，得罪宗真<small>‘得罪’下《通
考》無‘宗真’二字，趙氏《後志》有。</small>來歸，上此書及《契丹地圖》，言契
丹<small>《後志》、《書鈔》二字俱作‘虜中’。</small>事甚詳。”見晁《志》。志忠，《避暑
漫鈔》作玉忠，虜庭作北庭。

匈奴須知一卷　按契丹歸朝人<small>袁本、《通考》、《書録解題》俱作“歸明人”，形
近而誤。瞿鈔本與此同。</small>田緯編次。<small>袁本、《通考》未有“録契丹地理官制”七
字。</small>見晁《志》。疑即尤《目》之《契丹須知》。

北遼遺事二卷　按不題撰人，蓋遼人也。記女真滅遼事，序已
輯，見晁《志》。

契丹法　見尤《目》。

燕北録　見尤《目》。

儀注類

遼朝雜禮　<small>倪、厲、錢、繆有。</small>按見黃《目》。《遼史·樂志》曰:"《遼
朝雜禮》參考史籍,定其可知者,以補一代之闕。"《儀衛志》
四:"耶律儼、陳大任舊《志》有未備者,兼考之《遼朝雜禮》。"
據此,則二篇中可考見《雜禮》矣。《百官志》三曰:"凡東宮官
多見《遼朝雜禮》。"《儀衛志》四曰:"鹵簿、儀仗、人數、馬匹,
得諸本朝太常卿徐世隆家,藏《遼朝雜禮》者如是。"

契丹官儀　<small>厲、繆有。</small>見尤《目》。

曆象類

新曆　賈俊所進。　按《曆象志》上曰:"聖宗以賈俊所進《新
曆》因宋大聖舊號行之。"

地理類

遼四京記　<small>厲、繆有。</small>　按四京者,東京、中京、上京、燕京,見《書
錄解題》。

契丹疆宇圖　<small>厲、繆有。</small>　按《宋志》"二卷",見尤《目》。契丹降人
趙志忠來歸,上《契丹地圖》,見《虜廷雜記》及晁《志》。此下
三種未知即晁氏所指否。

契丹地理圖　<small>厲、繆有。</small>按《宋志》"一卷",見鄭《略》。

《大遼對境圖》　<small>厲、繆有。</small>　見鄭《略》。

政書類

契丹會要 <small>厲、繆有。</small> 　見尤《目》。

燕北會要 　見張鵬《日下舊聞序》。

契丹機宜命要 　見尤《目》。按三書未知即一書否。

刑法類

遼法令　耶律庶成、耶律德修定 　按《庶成傳》："與樞密副使耶律德修定《法令》，庶成參酌古今，刊正訛謬，成書以進，帝覽而善之。"

職官類

大遼登科記一卷 <small>厲、繆有。</small> 　按見鄭《略》。《記》雖不傳，然可考見者，遼時狀元有：高正、鄭雲從、石用中、王熙載、吕德懋、王用極、張儉、陳鼎、楊文立、初錫、南承保、邢祥、<small>《涑水紀聞》祥賜鐵券。</small>李可封、楊佶、史克忠、劉二宜、南<small>一作高。</small>承顏、<small>以上統和年。</small>史簡、鮮于茂昭、張用行、孫傑、張克傑、張仲舉、<small>以上開泰年。</small>張漸、李炯、<small>太平七年，楊又元、刑祚知貢舉，狀元缺。</small>張宥、劉貞、<small>以上太平年。</small>劉師貞、<small>太平十一年，劉貞。重熙元年，劉師貞。並五十七人，恐有誤。</small>邢彭年、王寶、王棠、<small>重熙十九年，殿試進士，狀元缺。以上重熙年。</small>張孝傑、梁援、王鼎、<small>以上清寧年。</small>張臻、趙庭睦、<small>咸雍十年，親出題試進士，狀元缺。以上咸雍年。</small>劉瑾、李君裕、<small>以上太康年。</small>張轂文、充寇尊文、<small>以上大安年。</small>陳衡甫、康秉儉、<small>以上壽隆年。</small>馬恭回、李石、<small>與韓昉並見"金史"。</small>劉正、韓昉、<small>以上乾統年。</small>王翬、<small>天慶年。</small>李寶信、李球，<small>二人耶律淳時</small>

狀元。此見於史者也。又張昱、張人紀、馮立、見後。劉霄、見《元遺山集》及《癸辛雜識》。咸雍十年及第,當即《金史》劉彥宗之父,官中京留守,此可補正史之闕。邊貫道,見《中州集》。豐州人,後遷雲中,狀元,輔臣,年代無考,非太平七年,即重熙十九年矣。不見於史。詳《遼詩話》上。

傳記類

王鼎　焚椒録一卷　倪、厲、錢、繆有。　按今存,疑僞。

七賢傳　倪、厲、錢、繆有。按《耶律吼傳》曰:"時有取當世名流作《七賢傳》,吼與其一。"①

《遼三臣行事》一卷,　耶律孟簡撰。厲、金、繆有。按出《續通考》。《文學傳》:"太康中,上表曰:'本朝之興,幾二百年,宜有國史,以垂後世。'乃編耶律赫嚕、烏哲、休格三人行事以進,上命置局編修。"據此,則今史《三臣傳》皆孟簡所編。

史鈔類

馬得臣　唐三紀行事　金、繆有。按本傳:聖宗閱唐高祖、太宗、玄宗三《紀》,得臣乃録其行事可法者進之。

子　部
釋家類

道宗造經四十七帙,石經大碑一百八十片。

---

①　"吼"字原作"吪",據《二十四史訂補》影印清振綺堂刻《遼史拾遺》本《補遼史經籍志》及中華書局 1974 年 10 月排印本《遼史》改。

通理大師造經四十四帙，石經小碑四千八十片。**按佛經細目見**
　　雲居寺《續祕藏經記》。

聖宗鐫造《大般若經》八十卷，碑二百四十條。

又鐫寫《大寶積經》一部，一百二十卷，碑三百六十條。**按見涿**
　　州雲居寺東峰《續鐫成四大部經記》。《記》云："自太平七年，
　　至清寧三年。"是至道宗時始訖工也。

道宗頌《高麗佛經》，僧善知讐校。_{金、繆有。}**按《本紀》："太康九年**
　　十一月，詔僧善知讐校高麗所進佛經，頒行之。"《續通考》作
　　"十年"，誤。

道宗　御製　華嚴經頌 _{厲、金、繆有。}**見《續通考》。按《本紀》：咸**
　　雍八年七月，以御書《華嚴經五頌》出示羣臣。

釋摩訶衍論通玄鈔四卷　　沙門志福撰 _{繆有。日本刊。}

釋摩訶衍論贊玄疏五卷　　沙門法悟撰 _{繆有。日本刊。}

大契丹國師、中天竺摩竭陁國三藏法師慈賢　譚經四種　共八
　　卷　**見《釋藏目錄》。**

僧无礙大師　妙續一切經　**按見《續一切經音義・序》。无礙**
　　大師曾與王正重修雲居寺碑，命沙門智光爲《記》者。見《房
　　山重修雲居寺碑記》

僧希麟　續一切經音義十卷　**日本刊。**

沙門朗思孝　海山文集　**按引見金王寂《遼東行部志》。**

僧非濁　往生集二十卷 _{厲、錢、繆有。}**出《奉福寺尊勝陀羅尼石**
　　幢記》、《至元法寶勘同總錄》。按僧真延撰《非濁禪師實行
　　記》云："撰《往生集》二十卷，檢校太傅太尉。"

燕僧利正撰　長慶人事軍律三卷 _{厲、繆有。}**見鄭《略》。**

道家類

海蟾子詩一卷　<small>厲、繆有。</small>出鄭《略》。按即劉海也。《碣石剩談》："海蟾,姓劉,名喆,渤海人。十六登科甲,五十至相位。"《金文最·十一戴》:"《劉海蟾堂移石刻記》有云:廷置少時,讀海蟾子詩帙,高風莫能企及。"《遼詩話》止引《神仙通鑑》,尚未及此。

内丹書　聖宗統和八年,于闐張文寶進　<small>厲、繆有。</small>見《續通考》。

五行家類

王白　百中歌　<small>倪、厲、錢、金、繆有。</small>見黃《目》。盧曰:興國軍節度使占卜書。按《方伎傳》:"王白,冀州人,明天文,善卜筮,撰《百中歌》行於世。"

耶律純　星命總括五卷　<small>倪、厲、錢、金、繆有。</small>按《自序》已輯,一名《祕訣》。

醫家類

耶律庶成　方脈書。　<small>錢有。</small>按本傳:初,契丹醫人鮮知切脈審藥,上命庶成譯《方脈書》行之。自是,人皆通習,雖諸部族,亦知醫事。

直魯古　鍼灸書一卷　<small>錢、金、繆有。</small>見《世善堂書目》。

直魯古　脈經　<small>錢、金、繆有。</small>按即珠勒呼。《方伎傳》:吐谷渾人,世善醫,專事鍼灸。太宗時,以太醫給侍。[①] 嘗撰《脈經》、《鍼灸書》行於世。[②]

藝術類

興宗　千角鹿圖　鵝雁圖　按《圖畫見聞志》:"興宗以五幅縑畫《千角鹿圖》獻於宋,旁題年月日御畫。"又畫《鵝雁圖》,見《續通鑑長編》、《契丹國志》。

義宗　射騎圖　獵雪圖　千鹿圖　<small>金有。</small>按《宗室傳》:"善畫本國人物,如《射騎》、《獵雪》、《千鹿圖》,入宋祕府。"《繪事備考》:"道宗清寧中,以義宗《千鹿圖》賜蕭瀜、李廌。"《畫品》:"祕閣有李贊華畫鹿。"

陳升　南征得勝圖　按《聖宗紀》:翰林待詔陳升寫《南征得勝圖》於上京五鸞殿。

胡瓌　射雕圖　唃鷹圖　按《五代名畫補遺》:"胡瓌善畫蕃馬,有《射雕》、《唃鷹》等圖傳於世。子虔畫有父風。"

集　部

別集類

道宗　清寧集　耶律良編　<small>錢、厲、金、繆有。</small>出《續通考》。按本傳:奏請編御製詩文,目曰《清寧集》,詩文已輯。

道宗御製詩賦　耶律伯編　按《本紀》:"清寧六年,耶律伯請編

次御製詩賦,仍命伯爲序。"伯,一作白。

平王隆先　閬苑集　_{錢、屬、金、繆有。}出《續通考》。按宗室本傳:
"聰明博學,能詩,《閬苑集》行世。"金列《閬苑詩》,宜併入。

耶律良　慶會集　_{屬、錢有。}出《續通考》。按本傳:上命良詩爲
《慶會集》,親製其序。

耶律資忠　西亭集　_{屬、錢、金、繆有。}出《續通考》。按本傳:"再使
高麗,留弗遣。資忠每懷君親,輒有著述,號《西亭集》。"金又
列《西亭詩》,宜併入。

耶律庶成集　_{錢、金、繆有。}按本傳:"於詩尤工,有詩文行於世。"
《乞廣本國姓氏表》已輯。金列《四時逸樂賦》入賦類,宜
併入。

耶律孟蘭集　_{金有。}按本傳:"性穎悟,六歲,父晨出獵,俾賦《曉
天星月詩》,應聲而成,父大奇之。"《乞修國史表》已輯。

耶律谷欲集　_{金有。}按本傳又作古雲。工文章,興宗命爲詩友。

蕭韓家奴　六義集十二卷　_{錢、金、繆有。}出《續通考》。按本傳:
"少好學,博覽經史,有《六義集》十二卷行於世。"金於賦類列
《四時逸樂賦》,碑類列《太祖功德碑》,策對類列《策對》一卷,
宜併入。

蕭孝穆　寶老集　_{屬、錢、金、繆有。}出《續通考》。按本傳:"時稱爲
國寶。臣目所著文曰《寶老集》。"《諫南伐疏》、《謀取三關議》
已輯。

蕭柳　歲寒集千篇　_{繆有。}出《續通考》。按本傳:"多知能文,膂
力絕人。耶律觀音努集柳著詩千篇,目曰《歲寒集》。"

劉景集四十卷　_{屬、繆有。}出《宋志》。

楊佶　登瀛集五卷　_{屬、錢、金、繆有。}出《宋志》。按本傳:穎悟異
常,文章號得體。宋梅詢、賀千齡節詔佶,迎送多倡酬,每見
稱貴,有《登瀛集》行於世。

王棠集　金、繆有。按本傳：博古，善屬文。

耶律氏　常哥集　金、繆有。按《列女傳》回文詩已輯。金又列《常哥詩》，宜併入。

李澣　丁年集十卷　屬、繆有。出《宋志》。

李氏　應曆小集十卷　屬、繆有。按鄭《略》，李澣，晉末陷契丹，以遼應曆年號名集。

詩集類

聖宗御製曲五百餘首　見《契丹國志》。按《本紀》：幼喜書翰，十歲能詩。既長，曉音律。

天祚文妃諷諫歌　金有。按見《后妃傳》。

義宗詩　金有。見《宗室傳》。按《海上詩》已輯。

馬得成詩　金有。見本傳。

耶律庶成詩集　錢、金、繆有。見前。

耶律韓留　述懷詩　金有。按本傳：詔進《述懷詩》，上嘉歎。

耶律孟簡　放懷詩一卷　屬、錢、金、繆有。出《續通考》。按本傳作《放懷詩》二十首，《序》已輯。

邢簡妻陳氏詩　金有。見《列女傳》。

王鼎詩　金有。按本傳：時馬唐俊有文名燕薊閒，與同志祓禊水濱，酌酒賦詩，鼎偶造席，俊欲以詩困之，先出所作索賦，鼎援筆立成。

馬唐俊詩　見前。

詩評類

雷溪子鼎新詩話　按遼易縣魏道明著。舉進士，累官安國節度使。《續通考》中州是詩《全金詩》采二首,《中州集》采二首,已輯。繹其詩意,可知論詩之梗概矣。

附宋金人談遼事書目

葉隆禮　契丹國志十七卷　今存。

洪皓　北漠記聞一卷續一卷　今存。

曾公亮　武經總要邊防集五卷　今存。

曹勛　北狩見聞錄一卷　《四庫目》。今存。

王曾　上契丹事一卷　俊從《五代史·附錄》、《遼史·地里志》輯,一名《行程錄》。

富弼　行程記　俊從《遼史·地里志》、《契丹國志》輯,一卷。

富公語錄　見晁《志》。

許亢宗　奉使行程錄　俊從《大金國志》輯,一卷。

李罕　使遼見聞錄二卷　見《書錄解題》。

張舜民　使遼錄二卷　見晁《志》。俊從《契丹國志》輯。

史愿　亡遼錄　見《北盟會編》。

范質　石晉陷蕃卷一卷　見《書錄解題》、晁《志》。

錄嶠　陷北記　俊從《五代史·四夷》附錄、《遼史·地里志》、《營衛志》、《契丹國志》輯,一卷。

薛映　上京記一卷　大中祥符九年事。俊從《遼地志》輯。

程大昌　北邊備對　見《遼史拾遺》。

武珪　北蕃地里志　俊從《契丹國志》、曾慥《類說》輯,一卷。

以下三種疑爲一書:

武珪　燕北雜記

燕北雜錄

北遼通書　洪遵《泉志》引。

王安中　入燕録

　　以下五種引見《北盟會編》：

蔡鞗　北征紀實

馬擴　茆齋自敘

許採　陷燕録

趙子砥　燕雲録

金王寂　遼東行部志一卷　　按今存。

附　本朝孫承澤有《遼金遺事》一卷。

補遼史藝文志

[清] 黃任恒　撰

陳錦春　整理

底本：1925 年聚珍印務局排印《述寠雜纂》本

校本：《二十五史補編》本

小　叙

　　史志經籍，學術攸關。《遼史》闕如，實爲憾事。因搜紀傳，旁及雜書。四部分編，例嚴去取。較視近輯，矜愼倍加。近人倪氏燦、金氏門詔皆補《遼》、《金》、《元》三史《藝文志》，錢氏大昕《補元史志》而附以遼、金，厲氏鶚《遼史拾遺》内亦有補志，然諸家之采録，或略或濫，未臻完善也。但寡見聞，待匡不逮。光緒三十一年二月，南海黄任恆識。

經　部

　　經部五類：曰周易，曰論語，曰孝經，曰爾雅，曰小學。

周易類

斡道沖　周易卜筮斷

　　虞集《西夏相斡公畫像贊》曰：“斡氏，其先靈武人。從夏主遷興州，世掌夏國史。道沖，字宗聖。八歲以《尚書》中童子舉，長通五經，爲蕃漢教授，作《周易卜筮斷》，以其國字書之，行於國中，至今存焉。官至其國之中書宰相而殁。”《道園全集》十七。

　　陳第《世善堂書目》下曰：“《周易卜筮法》三卷，韓道沖撰。”任恆案：陳氏入此書於卜筮類，而“斡”作“韓”、“斷”作“法”，或是傳寫之誤。據其收藏著録，則斡氏此書猶有流傳於世也。

論語類

斡道沖　論語注譯　論語小義二十卷

虞集曰："斡道沖爲蕃漢教授，譯《論語注》別作解義二十卷，曰《論語小義》，以其國字書之，行於國中，至今存焉。"《道園全集》十七。

金仁存　論語新義　仁存，初名緣。

鄭麟趾《高麗史》曰："金仁存，字處厚，少登科，直翰林院。睿宗在東宮講《論語》，仁存撰《新義》進講，移中書舍人。歷開府儀同三司檢校太師、門下侍中。卒諡文成。"朱彝尊《經義考》二百二十引。

孝經類

李元昊　孝經譯

《宋史·高麗傳》曰："夏國元昊自製蕃書，形體方整，類八分。譯《孝經》、《爾雅》、《四言雜字》爲蕃語。"

爾雅類

李元昊　爾雅譯

《宋史·夏國傳》上。任恆案：《宋史·藝文志》有劉温潤《羌爾雅》一卷。又《郡齋讀書志》七有《蕃爾雅》一卷，云不載撰人姓名，以夏人語，依《爾雅》體，譯以華言。《經義考》二百八十引方以智云即《羌爾雅》。然則《蕃爾雅》是宋人所譯，非元昊之書也。

小學類

太祖契丹大字　諸部鄉里名編

《遼史·太祖紀下》曰："神册五年正月，始製《契丹大字》。九月，《大字》成，詔頒行之。” <small>任恆案：以後凡引《遼史》紀、傳、志、表，不復著《遼史》二字。</small>

《耶律庶箴傳》曰：“太祖製《契丹大字》，取諸部鄉里之名，續作一編，著於卷末。”

趙翼《廿二史劄記》二十九曰：“《永樂大典》引《紀異錄》云‘渤海既平，乃製《契丹大字》三千餘言’，則製字應在天顯元年也。” <small>任恆案：耶律鐸臻、耶律魯不古皆有贊成製字之功，見二人本傳。</small>

耶律迭剌　契丹小字

《皇子表》曰：“迭剌，字雲獨昆，性敏給，回鶻使至，相從二旬，能習其言語，因制《契丹小字》，數少而該貫。”

僧行均　龍龕手鑑四卷 <small>任恆案：《日本經籍訪古志》作八卷。</small>

僧智光《序》曰：“行均上人字廣濟，俗姓于氏，善於音韻，閑於字書。計二萬六千四百三十餘字，注一十六萬三千一百七十餘字，目之曰《龍鑑手鑑》，總四卷，以平上去入爲次，隨部復用四聲列之。又撰《五音圖式》附於後。時統和十五年丁酉，七月一日序。” <small>原書卷首。</small>

沈括《夢溪筆談》十五曰：“幽州僧行均集佛書中字爲切韻訓詁，凡十六萬字。契丹書禁甚嚴，熙寧中，有人自虜中得之，入傅欽之家。蒲傳正帥浙西，取以鏤版。其《序》末舊云‘重熙二年五月序’，蒲公削去之。觀其字，音韻次序皆有理法，後世殆不以其爲燕人也。”

晁公武《郡齋讀書志》四曰：“《龍龕手鏡》三卷，沈存中言舊題重熙二年序，蒲公削去之。今本乃云統和，非重熙，豈存中不見舊題，妄記之耶？”

錢曾《讀書敏求記》一曰：“是時契丹國勢強盛，日尋干戈，惟以侵宋爲事，而一時名僧聞士，相與探學古文，鏤版製序，垂此書於永久。豈可以其隔絕中國而易之乎？”

永鎔等《四庫全書提要》四十一曰："此本爲影鈔遼刻，卷首智光原《序》尚存。其紀年實作統和，不作重熙，與晁公武所說相合，知沈括誤記。又《文獻通考》載此書三卷，而此本實作四卷。智光原《序》亦稱四卷，則《通考》所載顯然誤四爲三。殆皆隔越封疆，傳聞紀載，故不免失實歟？其書凡部首之字，以平上去入爲序。各部之字，復用四聲列之。後南宋李燾作《説文五音韻譜》，實用其例而小變之。每字之下，必詳列正俗今古，及或作諸體，則又行均因唐顏元孫《干禄字書》之例而小變之者也。所録字於《説文》、《玉篇》之外，多所搜輯。雖行均尊其本教，每引《中阿含經》、《賢愚經》中諸字，以補六書所未備，然不專以釋典爲主。沈括謂其集佛書中字爲切韻訓詁，殊屬不然。有遼一代之遺編，諸家著録者頗罕。此書雖頗參俗體，亦間有舛謬，然吉光片羽，幸而得存，固小學家所宜寶貴也。"

彭元瑞等《天禄琳琅書目後編》八曰："《龍龕手鑑》四卷，卷一平聲，列金字第一至知字第九十七。卷二上聲，列手字第一至泉字第六十。卷三去聲，列見字第一至句字第二十六。卷四入聲，列木字第一至襪字第五十九。共二百四十一部，每部又分列四聲。是書雖不載刊刻年月，而僧智光《序》稱統和十五年，當即是時所刊本。刻手精整，紙墨古澤。遼代遺編，諸家絶少著録。此編閱世五百餘年，吉光片羽，獲登壁府，不可謂非是書之幸矣。"

謝啓昆《小學考》二十一曰："按是書亦作《龍龕手鏡》，當是宋人翻刻時避廟諱嫌字，於是改鏡爲鑑，後人遂不復有作'手鏡'者矣。考《夢溪筆談》猶作'手鏡'，錢大昕《潛研堂文集》二十七曰：'六書之學，莫善於《説文》始一終亥之部。自《字林》、《玉篇》以至《類篇》，莫之改也。自沙門行均《龍龕手鑑》

出，以意分部，依四聲爲次，平聲九十七部，上聲六十部，去聲
二十六部，入聲五十九部，始金終不，以雜部殿焉。每部又以
四聲次之，計二萬六千四百三十餘字。其中文攴不分，曰臼
莫辨，岜峃入於山部，鬭鬧入於門部，糞弅入於米部，瓢瓟入於
爪部，以几爲部首而讀武平反，以宀爲部首而讀徒侯反，以㐆
爲部首而讀居凌反，滴音商而又音都曆反，則混商於商；鑴音
子泉反而又音户圭反，則漍巂於巂；夅則多辛複出，弓則弓雜
兩收，㚆、歪、甭、孬本里俗之妄談，爾、怘、生、卡悉魚豕之訛字，
而皆繁徵博引，汙我簡編，指事形聲之法，掃地盡矣。’”

錢大昕《十駕齋養新錄》十三曰：“晁氏、馬氏載此書本名《龍
龕手鏡》，今改鏡爲鑑，蓋宋人避廟諱嫌字。注中所引，有舊
藏、新藏、隨文隨函、江西隨函、西川隨函諸名，又引應法師
音、郭迻音、或作郭氏。琳法師説，予考之《宋・藝文志》，有可洪
《藏經音義隨函》三十卷，未知其爲江西與西川也。僧應元有
《一切經音義》十五卷，其即應法師乎？”

黃丕烈《百宋一廛賦》注曰：“《龍龕手鑑》四卷，每半葉十行，
每行大小卅字不等。相傳此書遼刻，元名《手鏡》，宋刻改爲
鑑。今驗此題，是宋而非遼矣。《敏求記》所載與此正同，乃
遵王仍以契丹鏤板説之。豈因首列‘統和十五年智光序’，遂
以爲據耶？《序》云‘猶手持於鸞鏡’，鏡字但缺一筆而不改，
則又何也？”

沈濤《銅熨斗齋隨筆》三曰：“《龍龕手鑑》每引郭迻音，或作郭
氏音，迻不知何許人。《通志・藝文略・釋家類》有郭迻《音
訣》，當即行均所引之書。”

瞿鏞《鐵琴銅劍樓書目》三曰：“《龍龕手鑑》宋刊本，每半葉十
行，每行大小卅字不等。此汲古閣毛氏舊藏本，蓋即《讀書敏
求記》所謂契丹鏤版者也。然考《夢溪筆談》、《郡齋讀書志》，

並稱《龍龕手鏡》。以鏡爲鑑,當是宋人翻刻避嫌諱而改。錢氏所見既作鑑字,此本亦然,安得復爲遼刻耶?智光原《序》稱四卷,而《文獻通考》引《讀書志》則作三卷,衢州本同。今以此書核之,乃知晁氏之非誤。蓋書中本以四聲分四卷,各載部目於卷前,而板心則以去入兩卷統書龍三,實無龍四。殆以去聲僅九葉,不成卷,故合之,所以又有三卷之稱也。”

楊守敬《日本訪書志》四曰:“《龍龕手鑑》八卷,朝鮮古刻本。按智光原《序》稱四卷,此分爲八卷,蓋緣書中每部多有‘今增’字樣,則非僧行均原書也。今行世有二通,一爲張丹鳴刊本,一爲李調元《函海》本。此本雖有後人羼入之字,而其下必題以‘今增’,與原書不混。至其文字精善,足以訂正張刻本、《函海》本不可勝數。”

李元昊　蕃書十二卷

彭百川《太平治迹統類》曰:“元昊自製蕃書十二卷,字畫繁冗曲屈類符篆,教國人紀事悉用蕃書。”《遼史拾遺》二十二。

《夢溪筆談》二十五曰:“景祐中,元昊嗣立。其徒遇乞先創造蕃書,獨居一樓上,累年方成,至是獻之,元昊乃改元,制衣冠禮樂,下令國中悉用蕃書胡禮。” 任恆案:元昊五娶之妻曰野利氏,即遇乞之從女,見李燾《續資治通鑑長編》,而《宋史·夏國傳》作仁榮,即遇乞也。又《遼史·西夏紀》稱此書爲李德明所製,實誤。

《宋史·夏國傳》上曰:“元昊自製蕃書,命野利仁榮演繹之,成十二卷。字形體方整類八分,而書頗重複,教國人紀事用蕃書。”

李元昊　四言雜字

《宋史·夏國傳》上。

羅福萇《西夏國書略説》曰:“西曆一千九百十年,俄大佐柯智洛夫氏,於張掖掘得西夏國書刻本、經册十數箱,中有漢語及

夏國語對譯字書一冊，約五十葉，名《掌中珠》，夏國書旁皆注
漢字音，漢語旁亦注西夏字音，四言駢列，殆即《宋史·夏國
傳》所謂《四言雜字》者歟？又其所得西夏畫像不少，像之下
方多有銘贊，均以其國書書之。並藏於俄都大學附屬人種博
物館。"

史　部

史部十類：曰正史，曰編年，曰起居注，曰載記，曰雜史，曰
故事，曰儀注，曰刑法，曰傳記，曰地理。

正史類

蕭韓家奴　五代史譯

《文學傳》曰："蕭韓家奴，字休堅。重熙間詔譯諸書，韓
家奴欲帝知古今成敗，譯《通曆》、《貞觀政要》、《五代
史》。"

編年類

蕭韓家奴　通曆譯

《文學傳》。

日曆

《聖宗紀》五曰："統和二十一年三月，詔修日曆官毋書細事。
二十九年五月，詔已奏之事送所司，附日曆。"

起居注類

統和實録二十卷

《聖宗紀》四曰："統和九年正月，樞密使監修國史室昉等進《實録》，賜物有差。"

《室昉傳》曰："室昉，字夢奇。統和八年，_{任恆案：此年數與本紀不符。}表進所撰《實録》二十卷。手詔褒之，賜帛六百匹。"

《邢抱朴傳》曰："抱朴，應州人，與室昉同修《實録》。"

蕭韓家奴　興宗起居注

《文學傳》曰："蕭韓家奴，重熙四年，擢翰林都林牙，兼修國史。詔曰：'朕之起居，悉以實録。'會有司奏獵秋山熊虎，傷死數十人，韓家奴書於册，帝見，命去之。

韓家奴既出，復書。他日，帝見之，曰：'史筆當如是。'"

道宗起居注

《道宗紀》三曰："大康二年十一月，上欲觀起居注，修注郎不攧及忽突菫等不進，各杖二百，罷之，流林牙蕭巖壽於烏隈部。"

王鼎《焚椒録叙》曰："鼎於咸大之際方侍禁近，會有懿德皇后之變，鼎婦乳媪之女蒙哥爲耶律乙辛寵婢，知其奸構最詳，而蕭司徒復爲鼎道其始末，乃直書其事，用俟後之良史。若夫少海翻波，變爲險陸，則有司徒公之《實録》在。"　原書卷首。任恆案：道宗時蕭姓之官司徒者有阿魯帶及惟信二人，考《惟信傳》云："乙辛譖太子，中外無敢言者，惟信數争不得，後告老，加守司徒，卒。"據《焚椒録叙》稱蕭司徒知誣陷事甚詳，則《道宗實録》似惟信所修也。

太祖以下七帝實録

《道宗紀》四曰："大安元年十一月，史臣進《太祖以下七帝實録》。"

耶律儼　皇朝實録七十卷

《天祚紀》一曰：“乾統三年十一月，召監修國史耶律儼纂太祖諸帝《實録》。”

《耶律儼傳》曰：“儼，字若思，析津人。壽隆六年，封越國公。修《皇朝實録》七十卷。”

又《傳論》曰：“儼述《遼史》，具一代治亂，亦云勤矣。”

《世善堂書目》上曰：“《遼先朝事蹟抄》四本。蕭韓家奴。《遼實録抄》四本。耶律儼。右實録。内多奇聞異事，正史所未載者，亦有與正史相矛盾者，約而抄之。”　任恆案：元脱脱《進遼史表》稱，耶律儼修史，語多避忌。又《曆象志》下云：“儼以大明法追正乙未月朔，與陳大任紀時或牴牾。”《禮志》一云：“儼《志》視大任爲加詳。”《儀衛志》四云：“儼、大任舊《志》有未備者。”《營衛志》下云：“舊史有《部族志》。”《后妃傳》云：“儼、大任《遼史·后妃傳》大同小異。”又《皇子表》兩引舊史《皇族傳》，此皆實録内之大略也。

載記類

夏國史

虞集《斡公畫像贊》曰：“斡氏，其先靈武人，從夏主遷興州，世掌夏國史。”《道園全集》十七。

王士禎《香祖筆記》二曰：“《見只編》云‘蘭谿魏某嘗客華州王槐野家，見架上有夏國書，凡閲三旬始遍’，則此書較《契丹志》、《金志》，卷裦尤多矣。”

金富軾　新羅史　高句驪史　百濟史

《高麗史》曰：“金富軾，新羅人。兄弟皆以文章功名顯，致位卿相。通古今樂，撰新羅、高句驪、百濟三國史，卒謚文烈。”王士禎《居易録》三。

雜史類

馬得臣　唐三紀行事録

《馬得臣傳》曰："得臣，南京人。乾亨初，拜翰林學士承旨。聖宗即位，兼侍讀學士。上閱《唐高祖》、《太宗》、《玄宗》三紀，得臣乃録其行事可法者進之。"

奇首可汗事迹

《太宗紀》下曰："會同四年二月，詔有司編始祖奇首可汗事迹。"

遥輦可汗至重熙以來事迹二十卷

《興宗紀》二曰："重熙十三年六月，詔前南院大王耶律谷欲、翰林都林牙耶律庶成等，編集國朝上世以來事蹟。"

《文學傳》曰："詔蕭韓家奴與耶律庶成，録遥輦可汗至重熙以來事迹，集爲二十卷，進之。"

又曰："耶律谷欲奉詔與耶律庶成、蕭韓家奴，編遼國上世事迹及諸帝實録，未成而卒。"

王鼎　焚椒録一卷

姚士粦《書焚椒録後》曰：[①]"鼎作此《録》，在謫居鎮州時，時乙辛已囚萊州，孝傑亦死，故敢實録其事。但天祚時，鼎尚在。趙國公主匡救，天祚竟誅乙辛，孝傑剖官戮屍事，並不補録，一快觀者，亦一不了公案。"　原書卷末。

王士禎《居易録》二十六曰："《契丹國志·道宗蕭后傳》云'性恬寡欲，魯王宗元之亂，道宗同獵，未知音耗，后勒兵鎮帖，中外甚有聲稱。崩，葬祖州'云云而已。《焚椒録》所記，絕無一字及之。又《録》稱后爲南院樞密使惠之少女，而《志》云贈同

---

①　"粦"，原作"麟"，據《二十五史補編》本改。

平章事顯然之女。《志》言勒兵，似嫺武略者，而《錄》言幼能
誦詩，旁及經子，所載《射虎應制》諸詩，及《迴心院詞》皆極
工，而無一語及武事。且本紀道宗改元者三：清寧、咸雍、壽
昌。初無大康之號，而《錄》載'乙辛密奏大康元年十月'云
云，皆牴牾不合。按《遼史·宣懿后傳》雖略，而與《焚椒錄》
所紀同，蓋《契丹志》之疏耳。"

周中孚《鄭堂讀書記》十九曰："虛中謂懿德后所以取禍者有
三，曰好音樂與能詩、善書。論雖正，而卻非是。蓋君子論
人，當於有過中求無過，不當於無過中求有過。況婦女不可
好音樂、能詩、善書，此爲臣庶説法則可耳，非所以論帝王之
家也。使虛中取乙辛伏誅，及孝傑剖棺戮屍，以家屬分賜羣
臣事結之，豈不彰國典而快人心乎？惜乎其見不及。此書後
附《國語解》，即從《遼史》采入也。"

張金鏞《書後自記》曰："此書仿王元美僞撰《雜事祕辛》，又祖
世所傳《飛燕外傳》，語多穢褻，實不足據。"

大遼古今錄

《曆象志》上曰："高麗所志《大遼古今錄》，稱統和十二年，始
頒正朔改曆驗矣。"

大遼事蹟

《兵衛志》下曰："得高麗《大遼事迹》，載東境戍兵，以備高麗、
女真等國，見其守國規模，布置簡要。"

《曆象志》下曰："高麗所進《大遼事蹟》，載諸王册，文頗見
月朔。"

黃虞稷《千頃堂書目》五曰："《大遼事蹟》，金時高麗所
進。"　任恆案：高麗進書雖在金時，而稱遼曰大，必撰在遼時，故採錄之。

故事類

蕭韓家奴　貞觀政要譯

見本傳。

貞觀政要注

明朝鮮人《東國史畧》三曰:"睿宗十一年,命金緣朴景仁_{舊名景}_緯。及寶文閣學士,注解《貞觀政要》以進。"

儀注類

禮書三卷

《文學傳》曰:"重熙十五年,詔蕭韓家奴曰:'禮書未作,無以
示後世,卿可與庶成酌古準今,制爲禮典。'韓家奴博考經籍,
自天子達於庶人,情文制度可行於世,不謬於古者,譔成三
卷,進之。"

投壺儀　投壺圖

《高麗史》曰:"睿宗十一年十二月,御清讌閣,命内侍良醖令
池昌洽講《禮記·中庸》、《投壺》二篇,謂寶文閣學士等曰:
'投壺,古禮也,廢已久矣。宋帝所賜,其器極爲精備,將試
之。卿等可纂定《投壺儀》並《圖》以進。'"《經義考》一百四十七。

刑法類

耶律頗德　律文譯

《聖宗紀》一曰:"統和元年四月,樞密院請詔北府司徒頗德譯
南京所進律文。從之。"

太祖初定法律

《太祖紀》下曰："神册六年五月,詔定法律,正班爵。"

聖宗更定法令

《刑法志》上曰："聖宗當時更定法令,凡十數事,多合人心。太平七年,詔中外大臣曰:'制條中有遺闕,及輕重失中者,其條上之議增改焉。'"

《耶律庶成傳》曰："庶成與樞密副使耶律德脩定法令,上詔庶成曰:'方今法令輕重不倫,法令者,爲政所先,人命所繫,不可不慎。卿其審度輕重,從宜修定。'庶成參酌古今,刊正訛謬,成書以進,帝覽而善之。"

《蕭德傳》曰："德,字特末隱。太平中,累遷北院樞密副使,詔與林牙耶律庶成修律令。"　任恆案:據蕭德本傳,曾與耶律庶成修律令,則《庶成傳》作"耶律德"者"耶律"二字必誤。又《遼史》似無"耶律德"之名也。

重熙新定條制

《刑法志》下曰："重熙五年,《新定條制》成,詔頒行諸道。蓋纂修太祖以來法令,參以古制。其刑有死、流、杖及三等之徒而五,凡五百四十七條。"

又曰："咸雍六年,帝以契丹、漢人風俗不同,國法不可異施,於是命惕隱蘇、樞密使乙辛等,即重熙舊制增重編者,至千餘條。以大康間所定,續增三十六條。至大安三年止,又增六十七條。條約既繁,犯法者衆,吏得因緣爲姦,故五年詔'自今復用舊法,餘悉除之。'"

傳記類

耶律孟簡　遼三臣行事

《文學傳》下曰："耶律孟簡編耶律曷魯、屋質、休哥三人行事以進。"

七賢傳

《耶律吼傳》曰：“時有取當世名流作《七賢傳》者，吼與其一。”

地理類

契丹地圖一卷

顧懷三《補五代史藝文志》曰：“長興三年，契丹東丹王突欲進。”

華夷圖

錢大昕《潛研堂金石文跋尾再續》五曰：“《華夷圖》，不著刻人名氏，題云‘阜昌七年十月朔，岐學上石’，蓋劉豫時所刻。唐貞元中，宰相賈耽圖海內華夷，以寸爲百里。斯圖蓋仿其製，京、府、州、軍之名皆用宋制，開封爲東京，歸德爲南京，大名爲北京，惟河南不稱西京，未詳其故也。碑云：‘四方蕃夷之地，賈魏公圖所載，凡數百國，今取其著聞者載之。又參考傳記，以叙其盛衰本末。至如西有沙海諸國，西北有奄蔡，北有骨利幹，東北有流鬼，以其不通名貢，而無事於中國，故略而不載。’此亦見其去取之不苟矣。”

王昶《金石萃編》百五十九曰：“《華夷圖》中所載，多及宋朝通貢之語，有建隆、乾德、寶元年號，其爲宋時所圖，固無可疑。然其稱契丹，云‘即今稱大遼國，其姓耶律氏’，似乎作圖猶及遼盛時。又渤海夫餘之間有女貞國名，女貞，一作女真。避宋仁宗諱，改名女直。然在宋則避之，遼人尚仍其舊稱。以此證之，疑是遼人所繪，故有‘大遼’字。若是宋人，則當避貞字。若金人，則宜加‘大金’之稱説矣。然遼以幽州爲南京，此圖仍作幽字。而宋之四京獨詳其三，又似宋人所作。甚不能臆定也。” _{任恆案：此圖書國號，不曰大宋，不曰大金，不避宋諱，而稱契丹獨曰大遼，其爲遼人所繪無疑。至於京府州軍之名皆用宋制者，或是幽燕人所繪，不忍}

亡宋,故又不稱幽州爲南京,未可知也。宋之四京獨詳其三,河南不稱西京者,或是原圖實稱西京,特以劉豫據立河南,刻此圖時岐學官改之,以避忌諱,亦未可知也。總之,不避宋諱,不稱大宋,則非宋人所宜出。若謂作於金人,則紀國當稱大金,紀年不應但至宋仁宗寶元而止,統此思之,其必遼興宗間人所繪矣,故採而錄之。

高麗地里圖

《聖宗紀》五曰:"統和二十年七月,高麗遣使來貢本國地里圖。"《外紀傳》同。

子　部

子部六類:曰醫家,曰五行,曰天算,曰藝術,曰道家,曰釋家。

醫家類

直魯古　脈訣鍼灸書一卷

《方伎傳》曰:"直魯古,吐谷渾人。世善醫,雖馬上視疾,亦知標本。直魯古長亦能醫,專事鍼灸。太宗時,以太醫給侍。嘗撰《脈訣鍼灸書》,行於世。年九十卒。" 任恆案:《世善堂書目》下著錄一卷,然則此書明時尚存。

耶律庶成　方脈書譯

《耶律庶成傳》曰:"契丹醫人鮮知切脈審藥,上命庶成譯《方脈書》行之,自是人皆通習,雖諸部族亦知醫事。"

五行類

耶律純　星命總括三卷

楊士奇《文淵閣書目》十五曰:"陰陽家:《星命總括》一部,一册闕。"

葉盛《菉竹堂書目》六曰："陰陽卜筮書：《星命總括》五册。"

周春《遼詩話》上曰："純於統和二年使高麗，傳其國禪師星命之學。《自序》云：'源髓老人得之於元齋，元齋得之於海上異人。有高麗國師，賦其步天警句，有云："得富非難得壽難，壽星須把令星看。令星若是逢生旺，壽算巍巍等泰山。且説夫星是尅星，高强必是聘賢人。若居父母并兄弟，端的因親上致親。"'亦詩之流也。"

《四庫全書提要》一百九曰："《星命總括》三卷，舊本題耶律純撰，有純原《序》一篇，末署統和二年八月十三日。自稱爲翰林學士，奉使高麗議地界，因得彼國國師傳授星躔之學云云。案統和爲遼聖宗年號，《遼史》本紀是年無遣使高麗事。其二國《外紀》但稱統和三年，詔東征高麗，以潦澤沮洳罷師，亦無遣使議地界之文。遼代貴仕不出耶律氏、蕭氏二族，而遍檢列傳，獨無純名，殆亦出於依託也。《文淵閣書目》載有是書一部，不著册數。《菉竹堂書目》作五册，又不著卷數。外間別無傳本，惟《永樂大典》所載始末完具，中間議論精到，剖晰義理，往往造微，爲術家所宜參考。惟所稱宮有偏正，則立説甚新，而驗之殊多乖迕，讀者取其所長，而略其繁瑣可也。"

《四庫簡明目録》十一曰："術數之書，凡稱古名人著述者，百無一真。純不知爲何許人，似尚實出其手。原本久佚，今從《永樂大典》録出。其書兼稱星命，而大抵專主子平。"　任恆案：《圖書集成・藝術典・星命部》有《耶律真經》一篇，注云"耶律氏所作"，而不著其名，未知即此書否。其書每條有綱有目，綱用四言，無韻。目爲解此綱之語，長短不一。惟首行書總論二字，則《圖書集成》但採經内《總論》一篇耳，尚有分論未採也。

丁丙《善本書室藏書志》十七曰："前有統和二年八月十三日自識，云以翰林學士，奉使高麗議地界，聞其國師積星躔之學，請於國王命見。師詢學士有何所得，因以得於生尅制化

外十條，各有詳注，未審如何？師曰：'末矣，本之則無。吾有
《偏正垣七政論》并《日月並明説》計八篇，又有《二百字真經》
二十五題，得之海上異人，傳而未泄。今子若不寶重，必招譴
於天。'乃對師焚香設誓，拜而寶之。"

王白　百中歌三卷

《方伎傳》曰："王白，冀州人。明天文，善卜筮，晉司天少監。
太宗入汴，得之。保寧中，歷彰武、興國二軍節度使。撰《百
中歌》，行於世。" 任恆案：《世善堂書目》下著録三卷，名曰《百中經歌》，與《遼
史》略異，然則其書至明尚存。

天算類

乙未元曆

《穆宗紀》一曰："應曆十一年五月，司天王白、李正等進曆。"
《曆象志》上曰："晉天福四年，司天監馬續奏上《乙未元曆》，
號《調元曆》。王白、李正等進曆，蓋《乙未元曆》也。"

賈俊　大明新曆

《聖宗紀》四曰："統和十二年六月，可汗州刺史賈俊進新曆。"
《曆象志》上曰："賈俊進新曆，則《大明曆》是也。《大明曆》本
宋祖冲之法，具見沈約《宋書》。"
吳曾《能改齋漫録》十二曰："神宗元豐元年，歲在戊午，閏正月，時
知定州薛向繳大遼國所印曆日，稱閏月乃在十二月，與本朝
不同。"
葉夢得《石林燕語》九曰："蘇子容元豐中使虜，適會冬至，虜
曆先一日，趣使者入賀。虜人不禁天文、術數之學，往往皆
精，其實虜曆爲正也。"

藝術類

耶律倍　圖畫

《宗室傳》曰:"義宗倍善畫本國人物,如《射騎》、《獵雪騎》、《千鹿圖》皆入宋祕府。"

《宣和畫譜》曰:"李贊華好畫,今御府所藏十有五,《雙騎圖》一、《獵騎圖》一、《雪騎圖》一、《番騎圖》六、《人騎圖》二、《千角鹿圖》一、《吉首並驅圖》一、《射騎圖》一、《女真獵騎圖》一。"《遼史拾遺》十九。

周密《志雅堂雜鈔》下曰:"王介石有東丹王贊華所畫《番部行程圖》,前有道君御題,後復有題云:'世所謂東丹王者也。所畫絶妙,與王子慶《西域圖》相伯仲。'"

黃溍《跋李贊華獵騎圖》曰:"贊華,契丹國主之子。宋宣和内府藏其畫,凡十有五。《畫譜》稱其多寫貴人酋長,袖戈挾彈,牽黃臂蒼,服縵胡之纓,不作中國衣冠,亦安於所習者。然馬尚豐肥,筆乏壯氣。今以其言驗之,此圖爲贊華所作無疑也。"《金華文集》二十一。

招諫圖

《太祖紀》下曰:"神册六年五月,詔畫前代直臣像爲《招諫圖》。"

道家類

耶律倍　陰符經譯

《宗室傳》曰:"義宗倍工遼漢文章,嘗譯《陰符經》。"

内丹書

《聖宗紀》三曰:"統和七年十一月,于闐張文寶進内丹書。"

任恆案:鄭樵《通志》六十七有《内丹書》一卷,不著撰人。

釋家類

金佛　梵覺經

《道宗紀》二曰："咸雍三年十一月，夏國遣使進回鶻僧金佛《梵覺經》。"

道宗　華嚴經贊

《道宗紀》二曰："咸雍四年二月，頒御製《華嚴經贊》。八年七月，以御書《華嚴經》五頌出示羣臣。"

僧志福　釋摩訶衍論通玄鈔四卷　　<small>任恆案：今刻本分作十六卷。</small>

《道宗引文》曰："故馬鳴大士著一百部論，釋百億契經，維《起信論》可得而稱焉。次有菩薩，號曰龍樹，思報師恩，廣宣論意，造《釋論》十卷，行於世。今東山崇仙寺沙門志福，廼謂斯文獨善諸教，囊括妙趣，樞要實乘。繇是尋原討本，博採菁義，勒成《釋摩訶衍論鈔》四卷，虔瀝懇悰願爲標引，勉僉所請，聊筆其由，仍以'通玄'二字爲題云爾。"　<small>繆荃孫《遼文存》五。</small>

僧法悟　釋摩訶衍論贊玄、疏五卷　　<small>任恆案：今刻本分作二十卷。</small>

《耶律孝傑引文》曰："粵有菩薩，名曰馬鳴，張皇正教，破逐邪宗，製《起信》之論，文契如來之言教。次有龍樹大士，仰追師德，嗣作主盟，據五分之精微，裁十軸之奧妙，號曰《釋摩訶衍論》。我天佑皇帝嘗曰：'《釋摩訶衍論》者，包一乘之妙趣，括百部之玄關，安得宗師，繼爲義疏？'守司空詮圓進法大師，精滌慧器，密淬詞鋒，研精甫僅於十旬，析理遂成於五卷，乃賜號曰《贊玄疏》。"<small>原書卷首。</small>

僧道殿　顯密圓通成佛心要集二卷　　供佛利生儀一卷

卷首曰："如來一代教誨，雖文言浩汗，理趣淵沖，而顯之與密，統盡無遺。顯，謂諸乘經律論是也。密，謂諸部陀羅尼是也。暨經年遠，誤見彌多。或習顯教，輕誣密部之宗。或專密言，昧黷顯教之趣。或攻名相，鮮知入道之門。或學字聲，罕識持明之軌。今砸不揆瑣才，雙依顯、密二宗，略示成佛心要，庶望將來悉得圓通，故依教理，略啓四門：一顯教心要，二密教心要，三顯密雙辨，四慶遇述懷。”　任恆案：此文原在集內首段，既非另篇，亦無《序》名。余以其總揭全書，故摘錄之。

陳覺《序》曰：“今顯密圓通法師者，時推英悟，天假辯聰。髫齓禮於名師，十五歷於學肆。參禪訪道，博達多聞。既而厭處都城，肆志巖壑。積累載之勤悴，窮大藏之淵源，謂所閱大小之教，不出顯密兩途，皆證聖之要津，入真之妙道，而學者妄生異議，昧此通方。因是錯綜靈編，纂集心要，文成一卷，理盡萬途。會四教於圓宗，收五密於獨部。覺學愧荒虛，辭非華麗，曾因暇日，得造吾師。素慚舒理之能，聊著冠篇之引。”

僧性嘉《後序》曰：“今我親教和尚，諱道殿，字法幢，俗姓杜氏，雲中人也。始從韶齓之年，習於儒釋之典。恆思至理匿在筌蹄，每念生靈懵於修證。由是尋原討本，採異搜奇，研精甫僅十旬，析理遂成一卷。窮顯密之根源，盡修行之岐路。會萬法以無違，皆歸圓教；融諸呪而不滯，盡是總持。復有供佛供僧之秘法，濟仙濟鬼之玄門，拯幽靈之神方，利含生之聖術。若非鍊智鍊神，精教精理，曷以著斯絕妙之文哉？性嘉叨承宿幸，忝會此生，自得伏膺，親蒙誨道，雖滴露乏添江之力，輕塵無足岳之能，但竭愚衷，聊爲後序。”

僧智旭《閱藏知津》四十二曰：“二卷，宋北遼金河寺沙門釋道殿集。開示修行一真大法界心，及持誦準提呪法。然與《準提三譯》及《尊那經》並不全合。”

張心泰《大明三藏目錄》四曰：“二卷，宋北遼金河寺沙門釋道殷集。" _{任恆案}：道殷此書無《自序》，無紀年，據陳覺《前序》、性嘉《後序》俱云一卷，而今刻本作上下二卷，蓋後人分之耳。其結銜云"五臺山金河寺沙門道殷集"，考《遼史拾遺》十五引《西山通志》，金河十寺在蔚州五臺山下，俱遼統和間建，是金河寺乃遼刹也。道殷何年入寺，已無可考。此書卷下有云"昔遼國天佑皇帝法輪廣運，佛慧流通"，末段又有云"今居末法之中，得值天佑皇帝流通二教"。案均之天佑皇帝也，乃一則稱之曰昔，一則稱之曰今，不應相懸至此，殆"昔"字爲"吾"字之訛歟？考《遼史》天佑爲道宗尊號。著此書時，必道宗未薨，故不以廟號稱之也。至陳覺一《序》，其結銜云"宣政殿學士、金紫榮禄大夫、行給事中、知武定軍節度使事、上護軍潁川郡開國公食邑三千户、同修國史陳覺撰"，案《遼史·道宗紀》二云："咸雍三年，宋主曙殂，遣翰林學士陳覺等弔祭。"陳覺在《遼史》祇此一見，由翰林學士遷至宣政學士，大約須歷十年，則序此書時或在大康中也。其門人性嘉撰《後序》稱道殷曰諱，想道殷成書後不久即示寂矣。觀陳覺結銜，可考遼代官稱，可補《遼史·百官志》之缺。

鏡心録

萬松老人《從容庵録》一曰："一日，東西兩堂爭貓兒，南泉見之，遂提起，云：'道得即不斬。'衆無對，泉斬卻貓兒爲兩段。遼朝殿上人作《鏡心録》，訶南泉輩殺生造罪。文首座作《無盡燈辨悮》云：'古本以手作虛斫勢，豈真一刀兩段，鮮血淋迸哉？'這兩箇批判古人，文公罪重，啟公罪輕。" _{任恆案}：啟上人疑即道殷，蓋殷字或從攴作啟。

僧鮮演　華嚴經談玄决擇六卷

日本中野達慧《續藏經目録》曰："闕初卷，遼鮮演述。"

僧覺苑　大日經義釋演密鈔十卷

《續藏經目録》曰："遼覺苑撰。"

僧非濁　往生集二十卷

朱彝尊《日下舊聞》二十一載《奉福寺尊勝陀羅尼石幢記》曰："僧非濁，號純慧大師。搜訪闕章，聿修睿典，撰《往生集》二十卷進呈，上嘉贊久之， _{任恆案}：上謂道宗。 親爲帙引，尋命龕次入藏。"

三寶感應要略録三卷

《續藏經目録》曰：“非濁集。”

僧慈賢　金剛摧碎陀羅尼經一卷

《大明三藏目録》二曰：“宋契丹國師、中天竺摩竭陀國三藏法師慈賢譯。”

《遼詩話》上曰：“遼人著述既少，復不流傳。其釋、道二家書，見於史者，並佚無考。今釋藏内有大契丹國師、中天竺摩竭陁國三藏法師慈賢譯經四種，共八卷。”　任恆案：慈賢譯經凡五種九卷，此謂四種八卷，實誤。

妙吉祥平等秘密最上觀門大教王經五卷

《大明三藏目録》三曰：“五卷，今作四卷。宋契丹國師、中天竺摩竭陀國三藏法師慈賢譯。”

妙吉祥平等觀門大教王經略出護摩儀一卷

《閲藏知津》十五曰：“宋中印土沙門慈賢譯。一訕底，此言息災。當作圓鑪。二補瑟置，此言增益，或言富貴。鑪如半月，或作八角。三嚩舍，此言敬愛。鑪作四角。四阿尾左囉，此言降伏。鑪作三角，鑪中燒一切物，而作供養，各有呪印，名爲護摩，或翻火祭。”

《大明三藏目録》四曰：“宋大契丹國師、中天竺摩竭陀國三藏法師慈賢譯。”

妙吉祥平等瑜伽祕密觀身成佛儀軌一卷

《大明三藏目録》四曰：“宋大契丹國師、中天竺摩竭陀國三藏法師慈賢譯。”

佛説如意輪蓮華心如來修行觀門儀一卷

《閲藏知津》十五曰：“宋中印土沙門慈賢譯。只根本及心心、中心三呪，後更有數珠身及解界等五真言。”

《大明三藏目録》四曰：“宋大契丹國師、中天竺摩竭陀國三藏法師慈賢譯。”

僧希麟　續一切經音義十卷

《日本經籍訪古志》五曰："《續一切經音義》十卷，遼燕京崇仁寺沙門希麟集。此書高麗藏，所收延享丙寅高野山北室院彫刻行世。" 任恆案：光緒十一年，日本公使徐承祖，用活字版印行《經籍訪古志》，其時著者森立之尚在也。《續一切經音義》各家書目未見著錄，據云高麗釋藏所收，則或非出僞託。蓋遼近高麗，易於流傳故也。廷享是日本王昭仁年號，丙寅卽乾隆十一年，今日本所刻《大藏經》有此書。

黎庶昌《古逸叢書·叙目》曰："日本所存中土逸書古本，如希麟《續一切經音義》十卷，乃小學之匯歸，佚文之淵藪。有白蓮社刻本，最爲完整可據。"

楊守敬《叢書舉要》七十六曰："日本明治間，僧徒以高麗藏本，及宋、元、明藏本，校其異同，又增以其國古鈔本爲諸藏所不載者，用活字板印行，誠彼教中盛業。其音義部中如慧琳之《一切經音義》、希麟之《續一切經音義》，爲中土久佚之本，尤小學之淵藪，藝林之鴻寶也。"

集　部

集部二類：曰別集，曰總集。

別集類

聖宗御製曲

葉隆禮《契丹國志》七曰："聖宗喜吟詩，御製曲百餘首。"

聖宗　白居易諷諫集譯

又曰："聖宗親以契丹字譯白居易《諷諫集》，詔蕃臣等讀之。"

道宗　清寧集

《道宗紀》一曰："清寧六年五月,監修國史耶律白請編次御製詩賦,仍命白爲《序》。"

《耶律良傳》曰："良字習撚,清寧中遷知制誥,兼知部署司事,奏請編御製詩文,目曰《清寧集》。"

錢大昕《廿二史考異》八十三曰："《道宗紀》耶律白請編次御製詩賦。咸雍六年,以惕隱耶律白爲中京留守。八月,耶律白薨,追封遼西郡王。按此三事俱見《耶律良傳》,紀與傳當有一誤,或一人而二名也。"

耶律隆先　閬苑集

《宗室傳》曰："平王隆先,字團隱,爲人聰明,博學能詩,有《閬苑集》行於世。"

蕭柳　歲寒集

《蕭柳傳》曰："柳字徒門,多智能文。耶律觀音奴集柳所著詩千篇,目曰《歲寒集》。"

劉京集四十卷

《遼詩話》上曰："劉經—作京。爲政事舍人,來奉使路中有野韭可食,味絶佳,作詩云:'野韭長猶嫩,沙泉淺更清。'"

《談苑》。《宋史·藝文志》:"《劉京集》四十卷。"　任恆案:《聖宗紀》開泰二年,劉涇由户部侍郎加工部尚書,則涇乃聖宗時人也。《遼史拾遺》十六劉京誤作劉景,《拾遺補》五亦引《談苑》此説,而經則作涇。案作涇者是也,《遼詩話》亦誤。

耶律資忠　西亭集

《耶律資忠傳》曰："資忠,字沃衍,博學,工辭章。開泰四年,再使高麗,留弗遣。資忠每懷君親,輒有著述,號《西亭集》。九年,高麗始送還。"

蕭孝穆　寶老集

《蕭孝穆傳》曰："孝穆，小字胡獨堇，廉謹，有禮法。重熙十一年，復爲北院樞密使，更王齊。薨時，稱爲國寶臣，目所著文曰《寶老集》。"

耶律庶成詩文集

《耶律庶成傳》曰："庶成，字喜隱，善遼、漢文字，於詩尤工，有詩文行於世。"

楊佶　登瀛集十卷

宋《秘書省續編四庫闕書目》一。任恆案："楊"字下原無"佶"字，而注以"徽宗廟諱"四字，又書目下注一"闕"字，是紹興初年已有錄無書矣。《宋史·藝文志》"佶"作"吉"，蓋亦避諱。惟著錄五卷，則佚其半也。

《楊佶傳》曰："佶字正叔，幼穎悟異常，讀書自能成句。官翰林學士，文章號得體。卒，有《登瀛集》行於世。"

楊佶　重熙小集十卷

宋《秘書省續編四庫闕書目》一。任恆案：此書不注"闕"字，是尚存也。亦不書名，而填注"徽宗廟諱"四字。

耶律良　慶會集

《耶律良傳》曰："良請編御製詩文，目曰《清寧集》。上命良詩爲《慶會集》，親製其《序》。"

蕭韓家奴　六義集十二卷

《文學傳》曰："蕭韓家奴，字休堅，通遼、漢文字，有《六義集》十二卷行於世。"

李澣　應曆小集十卷

鄭樵《通志》七十曰："李澣，晉末人。晉陷契丹，以僞遼應曆年號名集。"

陶岳《五代史補》三曰："李澣有逸才，每作文，則筆不停輟。卒於蕃中，後人有得其文集者，號曰《丁年集》，蓋取蘇武丁年奉使之義。"

耶律孟簡　放懷詩一卷

《文學傳》曰："耶律孟簡，字復易。大康初，爲乙辛所衘，流保州。及聞皇太子被害，不勝哀痛，作《放懷詩》二十首。大康中，始得歸里。"　任恆案：錢大昕《補元史藝文志》作一卷，茲據以著錄。

北朝馬氏集二十卷

宋《秘書省續編四庫闕書目》一。　任恆案：《秘省書目》係紹興初年續編，其時金源立國不過十餘年，未必有文集之刻。然則所云北朝者，必指遼也。

僧了洙文集

楊丘文《柳谿玄心寺洙公壁記》曰："佛之徒曰洙公者，吾友人也。字渙之，姓高氏，世籍燕爲名家。生而被《詩》、《書》禮樂之教，固充飫乎耳目矣。然性介絜，嗜浮圖所謂禪者之説，不數歲盡得其術。乃卜居豐陽玄心寺，研探六藝子史之學，掇其微眇，隨所意得，作爲文辭，而輙輯之。積十數歲，不舍鉛素，寖然聲聞，流於京師。"　《遼文存》四。任恆案：此碑乾統三年立。

總集類

大蘇小集

王闢之《澠水燕談録》八曰："聞范陽書肆刻子瞻詩數十篇，謂《大蘇小集》。子瞻才名重當代，外至夷虜，亦愛服如此。"

高麗小華集

《東國史略》三曰："朴寅亮文詞雅麗，宋熙寧中，與金覲使宋。其所著述，宋人稱之，至刊二公詩文，號《小華集》。"　任恆案：《宋史·藝文志》有《高麗表章》一卷，想亦宋人所輯。

西上雜詠三卷

《郡齋讀書志》二十曰："元豐中，高麗遣崔思齊、李子威、高琥、康壽平、李穗入貢，上元，宴之於東闕下。神宗製詩，賜館伴畢仲行，仲行與五人者及兩府皆和進。其後，使人金梯、朴寅亮、裴某、李絳孫、盧柳金、花珍等途中酬唱七十餘篇，自編之爲《西上雜詠》，絳孫爲《序》。”

附　録

　　倪氏燦、金氏門詔、厲氏鶚三家補志，並有濫登之失，兹取其未當者，及別書所言遼人著述，分爲應删、存疑二類，條説於左焉。

應删類

遼道宗頒定《易傳疏》一部。　　金氏《補志》。

頒定《書經傳疏》一部。

頒定《詩經傳疏》一部。

頒定《春秋傳疏》。並清寧元年頒賜學校。

頒定《史記》、《漢書》，咸雍十年頒定。

　　任恆案：以上皆但頒賜之書，並非撰著之籍，而金氏一一采録，殊昧取裁。

室昉《尚書·無逸篇》一卷，統和元年進。

《五子之歌》一卷，大安四年，命燕國王延禧寫。

御書《華嚴經》五頌，咸雍八年，道宗書。　　並金氏《補志》。

　　任恆案：以上亦寫進者耳，非遼人所著也，宜删。[①]

蕭永祺　遼紀四十卷　志五卷　傳四十卷　厲氏《補志》。

　　任恆案：蕭永祺《金史》有傳，所作《遼史》成於皇統八年，厲氏録之，實失斷限。

_____

　　①　“任恆案”，原誤倒作“任案恆”，據《二十五史補編》本乙正。

契丹官儀

《宋史·藝文志》二曰："宋景文公《筆記》五卷，《契丹官儀》及《碧雲霞》附。" <small>任恆案：《武溪集》十七有《契丹官儀》一編，然則此書乃宋余靖所撰矣，宜刪。①</small>

大遼對境圖

王應麟《玉海》十四曰："元豐五年六月，詔畫《五路都對境圖》。"

張鑑《西夏紀事本末》二十四曰："元豐四年十一月，詔降《五路對境圖》付王中正、种諤，據所分地招討。" <small>任恆案：據此則《對境圖》乃宋人所爲，《大遼對境圖》是《五路對境圖》之一，不宜收入矣。</small>

僧利正　長慶人事軍律三卷 <small>並厲氏《補志》。</small>

《郡齋讀書志》十四曰："《人事軍律》三卷，皇朝符彦卿撰。或以爲唐燕僧利正撰。"

《通志·藝文略》六曰："《長慶人事軍律》三卷，燕僧利正撰。《人事軍律》三卷，符彦卿撰。" <small>任恆案：長慶是唐穆宗年號，則此書必撰於其時矣，宜刪。又《通志》兩書分録，而晁氏以爲同書者，誤。</small>

耶律孟簡集 <small>金氏《補志》。</small>

耶律谷欲集

王棠集

耶律氏　常哥集

<small>任恆案：《遼史》及各書未嘗言四人撰集。金氏以其以爲詩文，遂強以專集名之。夫列史之稱能文者何可悉數，若皆被以集名，則藝文一志，書不勝書，尚復成何史例乎？此濫收之過也。</small>

天祚文妃　諷諫歌

平王隆先　閬苑詩

義宗詩

馬得臣詩

耶律資忠　西亭詩集

耶律庶成詩集

楊晳詩

耶律韓留　述懷詩

王鼎詩

耶律孟簡詩

耶律谷欲詩

邢簡妻陳氏詩

耶律氏　常哥詩　又　迴文詩

蕭魯賦

耶律庶成　四時逸樂賦

蕭韓家奴　四時逸樂賦

蕭韓家奴策對一卷

劉輝上書

耶律昭　答蕭撻凜書

遼太宗功德碑　蕭韓家奴撰　並金氏《補志》。

> 任恆案：平王隆先、耶律資忠、耶律庶成，此三人者，史但統言其有集，未嘗分詩、文而二之。金氏既著其集於別集類中矣，何得復著其詩於詩集類中乎？其餘諸人，或偶存詩文一二篇，或但能爲詩爲文，並無隻字流傳。史又未嘗言其有集，更何得專占藝文一目乎？金氏於諷諫歌、述懷詩、逸樂賦、對策、上書、功德碑等篇悉著無遺，直如文集中之目錄，尤乖史體矣，宜並刪之。

海蟾子詩一卷　厲氏《補志》。

鄭方坤《五代詩話》九曰："劉元英號海蟾子，初名操，燕地廣陵人。以明經擢第，仕燕主劉守光爲相，後易服從道。宋天聖九年，遊歷名山，丹成尸解。"《宋詩紀事》。"海蟾，渤海人。十六登甲科，仕燕五十至相位，後納印入終南山學道。"《堅瓠集》。任恆案：劉守光以後梁乾化元年稱帝，海蟾爲相應在此時，以其年五十上推之，當生於唐懿宗咸通三年。及劉守光敗亡，在乾化三年，其時海蟾已辭相印，徧游終南、泰、華，作宋世化外之民。海蟾始終未嘗稱臣於遼，安得著録其詩集乎？故爲删之。

存疑類

僧行均　四聲等子一卷

顧實《重刻序》曰：“《四聲等子》一書，不著作者姓名，第據原《序》云‘近以《龍龕手鑑》重校，類編於《大藏經》函帙之末。復慮方音之不一，脣齒之不分，旣類隔假借之不明，則歸母協聲何由取準？遂以此附《龍龕手鑑》之後，然則此書殆即遼僧行均所著《龍龕手鏡》後附之《五音圖式》，而此《序》則即行均所自爲者也。燕僧智光《龍龕手鏡序》云‘又撰《五音圖式》附於後’，與此《序》語適相脗合，可爲明證。蓋《龍龕》旣以平上去入四聲爲次，此書亦二十圖，每圖皆四層，層各以平上去入爲次，因而又有《四聲等子》之名也歟？今傳遼、宋本《龍龕手鑑》後不附此書者，蓋本可別行，遂不附合。惟此書之《序》猶可徵驗矣。《序》又云‘《切韻》之作始乎陸氏，關鍵之設肇自智公，致使玄關有異，妙旨不同，其旨玄之論，以三十六字母約三百八十四聲，別爲二十圖’云云，皆等韻學之關鍵。其明云妙旨不同，故平入分配稍異。陸《韻》蓋間採北音矣。僧家之榮號曰智者，故稱智公，或別有其人，要均指古德而言，則行均作此書，亦有所受之也。惜不可詳考。今據智光《龍龕手鏡序》作於遼耶律隆緒統和十五年，宋太宗至道三年也。溯等韻書之作，莫先於是者，則此書當爲等韻之鼻祖。顧或疑《五音圖式》非即韻等之書，不知《序》中明言辨七音之清濁，七音即五音。沈括《夢溪筆談》、晁公武《郡齋讀書志》俱三十六字母分隸脣、齒、喉、舌、牙、半齒、半舌七音，總爲五

音，與智光《序》言《五音圖氏》正足互相證明，誰謂《五音圖
式》非即等韻之書哉？或又謂此《序》非行均作，《通志》、《玉
海》俱以《龍龕手鑑》爲智光書。依託者以後附之《五音圖式》
易名爲《四聲等子》，猶溯源智光，故曰‘關鍵之設，肇自智
公’，而此説未爲允也。世又有謂即僧宗彦之《四聲等第圖》
者，宗彦書名不見《通志》，而見《郡齋讀書志》，是否一書，更
無從證明已。”《國學叢刊》一卷一期。

遼朝雜禮　倪氏、厲氏並著録。

《禮志》一曰：“今國史院有金陳大任《遼禮儀志》，皆其國俗之
故。又有《遼朝雜禮》，漢儀爲多。”

《儀衛志》四曰：“本朝太常卿徐世隆家藏《遼朝雜禮》。”

任恆案：《遼史》稱述此書，次於陳大任之後，則似是金源人所爲。又言書内多叙漢
儀，則似是中原人所爲，疑不能明，姑存其目可也。

契丹事迹　厲氏《補志》。

契丹實録

契丹會要

《宋史·藝文志》二曰：《北燕會要録》一卷，《契丹實録》一卷，
《契丹事迹》一卷，並不知作者。

契丹疆宇圖

陳振孫《直齋書録解題》八曰：“《契丹疆宇圖》一卷。任恆案：《宋志》作
二卷。不著名氏，録契丹諸夷地及中國所失地。”任恆案：此書若是遼人
所著，則但録契丹地及諸夷地足矣，今録及中國所失地，似是宋人之著也。疑。

契丹地理圖

任恆案：《通志·圖譜畧》分記有、記無二編，其記有編中著録《大遼對境圖》、《大金接
境圖》、《契丹地理圖》三種，惟三種連書，而中隔《大金》一種，則《契丹地理圖》似是遼
亡之後，宋人所爲也。又《契丹國志》二十二引《契丹圖志》一條，未知誰人所爲。

遼四京記

《直齋書録解題》八曰：“亦無名氏。曰東京、中京、上京、燕

京。"任恆案：以上諸書皆不知作者姓名，本直刪之可也。但厲氏既著於錄，則亦不
妨姑存其目耳。

大遼登科記一卷　　並厲氏《補志》。

任恆案：《通志》、《宋史志》著錄此書，並無撰名。又"遼"字上《宋史》無"大"字，故附
錄存疑中。

僧智吉祥　佛説大乘智印經五卷

《閱藏知津》八曰："經五卷，今作二卷。宋西夏沙門智吉祥
等譯。"

《大明三藏目録》二曰："五卷，今作二卷。西天三藏寶法大師
賜紫沙門智吉祥等奉詔譯。西天寶輪大師賜紫沙門金總持
等奉詔譯。"

佛説巨力長者所問大乘經一卷

《閱藏知津》九曰："經上中下同卷，宋西夏沙門智吉祥等譯。"

僧金總持　文殊所説最勝名義經一卷

《閱藏知津》十五曰："經上下合卷，宋西夏沙門金總持等譯。
此與經部内《佛説最勝妙吉祥根本智》、《最上祕密一切名義
三摩地分》相同，而最初歸命文殊及金剛手，似即觀彼經以成
行法，故仍從彙目入儀軌中。"

《大明三藏目録》四曰："上下同卷，宋西天三藏明因妙善普濟
法師金總持等奉詔譯。"

佛説法乘義決定經一卷

《閱藏知津》三十一曰："經上中下合卷，宋西夏沙門金總持等譯。"

《大明三藏目録》二曰："上中下同卷，西天三藏明因妙善普濟
法師金總持等奉詔譯。"

僧日稱　事師法五十頌

《閱藏知津》三十四曰："頌二紙餘，宋西夏沙門日稱等譯，馬
鳴菩薩依秘密教略出。"

《大明三藏目録》三曰：“馬鳴菩薩集，宋西天三藏朝散大夫、試鴻臚少卿宣梵大師日稱奉詔譯。”

十不善業道經

《閱藏知津》四十一曰：“經一紙餘，宋西夏沙門日稱等譯。”

《大明三藏目録》四曰：“馬鳴菩薩造，宋西天三藏朝散大夫、試鴻臚卿宣梵大師日稱等奉詔譯。”

六趣輪迴經一卷

《日本訪書志》十五曰：“馬鳴菩薩集，宋日稱等譯。”　任恆案：此經刊於高麗《大藏經》，爲中土宋、元、明藏所不載。下四經同。

尼乾子問無我義經一卷

《日本訪書志》十五曰：“馬鳴菩薩集，宋日稱等譯。”

福蓋正行所集經十二卷

《日本訪書志》十五曰：“龍樹菩薩集，宋日稱等譯。”

諸法集要經十卷

《日本訪書志》十五曰：“觀無畏尊者集，宋日稱等譯。”

父子合集經二十卷

《日本訪書志》十五曰：“宋日稱等譯。”　任恆案：檢閱《大藏經》，凡智吉祥、金總持、日稱三僧所譯諸經，其結銜並無“西夏”等字，而《閱藏知津》則皆書爲“宋西夏沙門”，蓋必有所本。然未詳爲西夏何時人，故不敢採入正編，而但附於存疑中，蓋恐譯在遼亡之後，有失斷限也。即如《密呪圓因往生集》譯於大夏天慶七年，其時爲宋寧宗慶元六年，西遼亦將亡，西夏稱藩於金已久，故雖存疑中，亦不録入，蓋以無所疑，則不必存之耳。後得羅氏《西夏國書略説》，知西夏又有譯本佛經，惟不言譯於何時，故亦附存於左。

廣妙法蓮華經譯

《西夏國書略説》曰：“此經紺紙金書，其首册有漢文籤題‘西夏譯添品妙法蓮華經’。光緒庚子，法人毛理斯氏得其三册於我都下。毛氏既據以作《西夏字考》，並影印其首葉《序》品第一，凡十八行於卷中。法人貝爾多氏亦藏是經後三册，安南河内東洋學院亦藏其第七卷殘本三紙，字迹與毛氏所藏無殊，經題亦同，殆即一帙中佚出者也。按傳世《法華經》譯本凡四：一晉竺法護譯《正法華經》十卷，二晉譯《薩曇分陁利經》一卷，三姚秦鳩摩羅什譯《妙法蓮華經》七卷，四隋闍那崛多笈多等譯《添品妙法蓮華經》七卷。西夏譯本稱《廣妙法蓮華經》，殆是轉譯隋譯本者。然其首但署‘姚秦三藏法師鳩摩羅什漢譯’，而不著崛多等名，且卷第及品目與隋譯異，與秦譯亦殊。考日本西本願寺有唐人寫秦譯《妙法蓮華經卷》七一卷，其起訖適與西夏譯本合，西夏所譯，或即據是本歟？”

西夏文佛經三種

羅振玉《鳴沙山石室秘録》曰：“西夏文佛經刻本殘帙，大小共三種，一種之末有漢文二行，曰‘僧録廣福大師管主大八施《大藏經》於沙州文殊舍利塔寺，永遠流通供養’。又有黑質金書《蓮華經》七册，爲法人伯希和君友所得。石室中藏書至宋而止，無西夏文者，惟他一室有之。”

《西夏國書略説》曰：“西曆一千九百零八年，法大學教授伯希和氏，於敦煌莫高窟得夏國書刻本殘經三册，後有漢文題記二行，曰‘僧録廣福大師管主大八施《大藏經》於沙州文殊舍利塔寺，永遠流通供養’云云，不能知爲何經也。日本大谷伯光瑞亦藏西夏國書殘經四紙，字均艸率。其一爲行書，而行間雜梵字。西夏之有行書，賴此寫本知之。”

遼藝文志

〔清〕 繆荃孫 撰

陳錦春 整理

小學類

龍龕手鑑四卷　僧行均。按此書本名《手鏡》，宋人避嫌名，改鏡
爲鑑。今存。

譯語類

譯五代史　重熙中，翰林都林牙蕭韓家奴譯。出本傳。
譯貞觀政要　同上。出本傳。
譯通曆　同上。出本傳。
譯方脈書　耶律庶成譯。出本傳。

實録類

皇朝實録七十卷　耶律儼。出本傳、《千頃堂書目》。
統和實録二十卷　室昉。出本傳、《千頃堂書目》。按尤袤《遂初
堂書目》載《契丹實録》，即此二種。

起居注类

興宗起居注　重熙中，耶律良修。出《補三史藝文志》。

雜史類

先朝事跡二十卷　蕭韓家奴、耶律庶成撰。紀遥輦可汗至重熙
以來事跡。

大遼古今録

大遼事跡　兩書皆金時高麗所進。出《補元藝文志》。按此書疑即
《先朝事跡》。《遂初堂書目》、《契丹事蹟》亦即此種。

儀注類

禮書三卷　重熙十五年，詔蕭韓家奴等撰。出《蕭韓家奴耶律庶成
傳》、《千頃堂書目》。

契丹官儀　出《遂初堂書目》。

遼朝雜禮　出《遼史禮志序》、《千頃堂書目》。

地理類

遼四京紀　紀東京、中京、上京、燕京。出《直齋書録解題》。

契丹地理圖一卷　出《宋史·藝文志》、《通志·藝文略》。

契丹疆宇圖二卷　出《宋史·藝文志》、《遂初堂書目》。

大遼對境圖　出《通志·藝文略》。

政書類

契丹會要　出《遂初堂書目》。

大遼登科記一卷　出《通志·藝文略》。

傳記類

焚椒録一卷　王鼎撰。今存。

七賢傳　不著撰人名。七人皆遼世名流，耶律吼其一也。出《耶律
吼傳》、《千頃堂書目》。

三臣行事一卷　耶律孟簡撰。太康中編耶律曷魯、屋質、休哥三
人行事。出本傳、《續通考》。

史鈔類

唐三紀行事　聖宗時，馬得臣録唐高祖、太宗、玄宗三紀行事可法
者以進。出本傳。

五行類

百中歌　王白撰。白冀州人，興國軍節度使。出《方伎傳》、《千頃堂
書目》。

星命總括三卷　一作《星命祕訣》五卷。耶律純。今存。

醫書類

鍼灸脈訣書一卷　直魯古撰。出《世善堂書目》。

釋道類

内丹書　聖宗統和八年，于闐張文寶進。出《續通考》。

道宗御製華嚴經贊　咸雍四年二月頒行。同上。

釋摩訶衍論通玄鈔四卷　沙門志福撰。日本藏本。

釋摩訶衍論贊玄疏五卷　沙門法悟撰。日本藏本。

金佛梵覺經　回統僧撰。咸雍三年，夏國遣使進。出《續通考》。

高麗佛經　太康十年，命僧善智校讎頒行。同上。

長慶人事軍律三卷　燕僧利正撰。出《通志・藝文略》

非濁往生集二十卷　　出《奉福寺石幢記》。

海蟾子詩一卷　　出《通志·藝文略》。

別集類

道宗御製　清寧集　　耶律良編。出本傳、《續通考》。

平王隆先　閬苑集　　出本傳、《續通考》。

李瀚　丁年集十卷　應曆小集十卷　　李瀚晉末陷契丹，以遼應曆年號名集。出《通志·藝文略》。

蕭柳　歲寒集　　詩千篇，耶律觀音奴所集。出本傳、《續通考》。

蕭孝穆　寶老集　　出本傳、《續通考》。

蕭韓家奴　六義集十二卷　　出本傳、《續通考》。

耶律良　慶會集　　道宗命名。出本傳、《續通考》。

耶律資忠　西亭集　　出本傳、《續通考》。

耶律孟簡　放懷詩一卷　　出本傳、《續通考》。

耶律庶成詩文　　出本傳。

楊佶　登瀛集五卷　　出本傳、《宋藝文志》。

劉景集四十卷　　出《宋藝文志》。

耶律谷欲集　　出《三史藝文志》。

王棠集　　同上。

耶律氏　常哥迴文詩　　出《列女傳》。

金藝文志補録

［清］ 龔顯曾 撰

王承略 整理

底本：1958 年商務印書館排印
《遼金元藝文志》本

録自《亦園脞牘》卷第四。（整理者按，清光緒四年誦芬堂活字本《亦園脞牘》卷四無《金藝文志補錄》）

　　金源魁儒碩士，文雅風流。殊不減江以南人物，如虞仲文、徒單鎰、張行簡、楊雲翼、趙秉文、王若虛、元好問輩，或以經術顯，或以詞章著，一代制作，能自樹立；而《金史》藝文志闕如，可不爲之斠補而表章之歟？暇日閱《御定全金詩》、《四庫書目提要》、《中州集》、《歸潛志》、焦氏《經籍志》、朱氏《經義考》、《愛日精廬藏書志》諸書，摭録金人撰述，都目釐爲一紙。復從藏書家叚出錢氏大昕、倪氏璠、金氏門詔《補遼金元三史藝文志》，旁證互稽，間有詳畧違異，亦時參以蒙管，訂其舛溢，補其漏落，非敢與諸家競淹博也。

經　部

易類

周易叢説十卷　趙秉文○《滏水集》、《中州集》、倪璠《補志》俱作《易叢説》，金門詔《補藝文志》作《易經叢説》。

象數雜説　卷亡○趙秉文

易解　雷思

學易記　馮延登

易説　吕豫

周易集説　張特立○錢大昕《補三史藝文志》歸之元人，倪氏《補志》歸之金，作《易集説》。

三十家易解　單渢

王氏易學集説　王天鐸○一作《王氏易纂》。

周易釋略　袁從義

張氏易解十卷　見王惲《秋澗集》。

易解　薛元

周易卜筮斷　斡道沖○字宗聖，西夏國相。

女直字譯易經　世宗大定二十三年譯經所譯。

附**王弼　韓康伯　易經注**　天德三年國子監印定。

書經類

尚書無逸直解　趙秉文○正大年進。

尚書義粹三卷　王若虚○《藏書志》作八卷。

尚書要畧　吕造○正大間萬壽節同知集賢院吕造進。

女直字譯尚書　大定二十三年譯經所進。

附孔安國　尚書傳注。天德三年國子監印定。

詩經類

説詩　祝簡

附毛鄭詩經　天德三年國子監印定，毛萇注，鄭玄箋。

三禮類

周禮辨一篇　楊雲翼

附禮記疏　周禮注疏　天德三年國子監印定。《禮記》用孔穎達疏，《周禮》用鄭
玄注，賈公彦疏。

春秋類

春秋傳　馬定國

春秋握奇圖一卷　利鑾孫

春秋地里原委十卷　杜瑛〇倪氏、金氏《補三史藝文志》俱收入《元志》。

春秋備忘三十卷　敬鉉〇倪氏、金氏《補志》俱收入《元志》，倪作《備忘》十卷、
《續備忘遺説》三十卷，金作四十卷，敬儼著。

明三傳例八卷　敬鉉〇倪作《續明三傳例説略》。

續屏山杜氏春秋遺説八卷　敬鉉從孫儼編〇倪《志》收入《元志》。

附杜預　左傳注　天德三年國子監印定。

四書類

中庸説一卷　趙秉文　删集論語解十二卷　趙秉文　删集
孟子解十卷　趙秉文

中庸集解一卷　李純甫

論語辨惑五卷　孟子辨惑一卷　王若虛◔此二種今俱編入《滹南遺老集》中。

四書辨惑一卷　王若虛○別見錢氏《補志》，又倪氏《補志》作《四書辨疑》。

論語小義二十卷　斡道沖

論語章旨　劉莊孫

論語集義一卷　王鶚○金《志》倪《志》歸元人。

剌剌孟一卷　劉章

大學本旨一卷　大學發微一卷　中庸指歸一卷　中庸分章一卷　黎立武

緱山論語旁通四卷　孟子旁通四卷　杜瑛○倪氏、金氏俱歸《元志》。

四書譯解 溫迪罕締達　宗璧阿魯　張克宗等譯　一作楊克忠。○錢《志》歸入譯語類，作《國語論語》、《國語孟子》。

孝經類

女直字孝經　大定間譯○錢氏《補志》歸譯語類，題作《國語孝經》。

附唐玄宗　孝經注　天德三年國子監印定。

經解類

五經辨惑二卷　王若虛○今附《滹南遺老集》，倪氏《補志》作《經史辨惑》。

六經考　馬定國

五經譯解　大定年詔溫迪罕締達、宗璧阿魯、楊克忠譯解，移剌傑、移剌履講究其義。

小學類

大祖女直大字　完顏師尹○一作希尹。熙宗女直小字　完顏希尹

四聲篇海十五卷　韓孝彥　字允中。五音篇十五卷　韓孝彥　依
錢、倪兩《志》錄補。

五音集韻十五卷　韓道昭　字伯暉　孝彥子。五音增定并類聚四聲
篇十五卷

平水韻　毛麾　韓道昭○依倪氏《補志》錄入。

草韻十册　張天錫　趙昌世同撰

平水新刊韻略五卷　王文郁○《愛日精廬藏書志》作《新刊韻略》。

韻類節事　鄭昌時　字仲康，洪洞人。依錢氏《補志》錄入。

附大定重較類篇十五册

譯語類

按此類俱依錢氏《補志》採錄。錢氏尚有《國語易經》、《書經》、《孝經》、《論語》、《孟子》,已見上各類,不贅。

國語老子　揚子　文中子　列子　新唐書以上皆大定中譯。

女直字盤古書　女直字家語　女直字太公書　女直字伍子胥
書　女直字孫臏書　女直字黃氏女書　女直字百家姓　女
直字母

史 部

正史類

注史記一百卷　蕭貢　京兆咸陽人，戶部尚書。○倪《志》作《史記注》。

南北史志三十卷　蔡珪○《中州集》作《補南北史志書》六十卷，金氏《補志》作
《南北史》，且云合沈約、蕭子顯、魏收書作《南北史》。

中興事跡　完顏孛迭　翰林學士。

遼史紀三十卷　志五卷　傳四十卷　耶律固撰　蕭永祺續○倪
《志》作《遼紀》，蕭永祺撰。

遼史　陳大任　泰和中翰林學士。○金氏《補志》作党懷英撰，陳大任繼修。

附**史記譯解**徒單鎰大定六年以女直字譯。**西漢書譯解**徒單鎰大定六年譯。

實錄類

金始祖以下十帝實錄三卷　穆宗子金源郡王完顏勖撰　皇統元
年進。

太祖實錄二十卷　皇統八年宗弼進。倪《志》作宗弼修，金《志》作完顏勖撰，宗
弼進。

太宗實錄　泰和九年尚書右丞相監修國史紇石烈良弼進。○錢《志》作大定七年，
金《志》作紇石烈良弼、張景仁、曹望之、劉仲淵等同修。

熙宗實錄　鄭子聃

睿宗實錄　尚書左丞相紇石烈良弼等修　大定十一年進。

海陵實錄

世宗實錄　明昌四年守尚書右丞監修，國史完顏匡等進。○錢《志》作國史院進，金
《志》作承安三年進。

章宗實錄　興定四年尚書右丞高汝礪、監史參知政事張行信、王若虛等同修。○錢

《志》作高汝礪、張行簡進，倪《志》作王若虛脩進。

顯宗實錄十八卷　泰和三年左丞完顏匡等進。

衛王事迹　興定五年進，蘇天爵謂《衛王實錄》竟不及爲。

宣宗實錄　正大五年王若虛脩進。

編年類

續資治通鑑　大安元年命儒臣楊雲翼等編纂。

龜鏡萬年錄　正大二年趙秉文、楊雲翼同編進。○金氏《補志》作龜鑑。又元好問《楊文獻公神道碑》云："雲翼編《萬年龜鏡錄》，凡聖孝聖學之類，共二十篇。"

歷年係事記　張特立

興亡金鏡錄一百卷　傅慎微　泰州沙溪人，禮部尚書。錢氏《補志》作"金鑑"，收入經濟類。

起居注類

天德朝起居注　天德三年翰林待制宗叙修。

世宗起居注　大定七年詔紇石烈良弼、石珤、楊邦基、夾谷衡等同修。

章宗起居注　守貞等修

雜史類

金國志二卷　張棣○《世善堂書目》作《金源記》。**金國志一卷**　無名氏。

金圖經一卷　無名氏。《四庫附存目》云"一名《金國志》"。

金國節要三卷　張匯○《世善堂書目》作《金人節要圖》。

大遼古今錄　**大遼事蹟**　皆金時高麗所進。

蒙古備錄二卷　無名氏。

征蒙記一卷　李大諒○《世善堂》作《征蒙古記》。

金人南遷録一卷　題張師顔撰○《直齋書録解題》謂其歲月牴牾不合，《十駕齋養新録》疑爲南宋好事者妄作，《四庫附存目》作《南遷録》。

北遷録　王寂

壬辰雜編　元好問　**野史**　元好問○金氏《補志》題《金源野史》。

大金弔伐録四卷　倪氏《補志》題《金人弔伐録》二卷，云“記伐宋往來文檄盟誓書”。**北風揚沙録一卷**　記金國始末。**天興墨淚**　記金亡事。以上三書俱不知撰人。

煬王江上録一卷　見《四庫附存目》，云“觀其煬王之稱，當爲金人所撰”。

汝南遺事　王鶚○《十駕齋養新録》云：“王鶚《汝南遺事》，雜史也，而倪《志》列于地理。”

故事類

按此類可政書門

四朝聖訓　章宗承安二年右補闕楊廷秀等類編太祖、太宗、熙宗、世宗聖訓。○金《志》作承安五年，入雜史類，倪《志》收入國史類，今依錢氏《補志》編列。

士民須知

大定遺訓　正大四年同知集賢院史公奕進。

初政録十五篇　范拱

君臣政要　趙秉文、楊雲翼同集自古治術奏進。**貞觀政要申鑑**　趙秉文

女直字貞觀政要　徒單鑑譯

瑶山往鑒　楊伯雄　藁城人，官右補闕，顯宗在東宮時，編進。錢氏《補志》編入子部經濟類，今依倪《志》。

傳記類

孔氏祖庭廣記十二卷　孔元措○《養新録》云：“倪《志》有孔元祚《孔氏續録》五册，注云‘孔子五十一代孫’。予嘗見元初刻本，名《孔庭廣記》十二卷，乃孔子五十一代襲封衍聖公元措所撰，蓋即是書，改措爲祚。”

孔氏實録一卷　《四庫附存目》採集《永樂大典》本，末一條去："大蒙古國領中書省耶律楚材奏准皇帝聖旨於南京，特取襲封孔元措令赴闕里奉祀。"此書或即元措所撰歟？

金源君臣言行録　元好問○據《堯山堂外紀》，好問構野史亭記録此書，未就而卒。

金元勳傳十卷　韓玉

燕王墓辨一卷　蔡珪　《金史》作《兩燕王墓辨》。

節義事實　鄭當時　洪洞人，進士，河汾教授。

王子小傳　王鬱

東陽滕秀穎鳳山思遠記　滕茂實○記三滕始末。茂實宋人，留金，見《中州集》南冠類。

歷代登科記　孫鎮

職官類

國朝憲章十五卷　敬儼

金國官制一卷　無撰人名氏。

儀注類

大金集禮四十卷　明昌六年禮部尚書張暐等奏進。

金禮器纂脩雜録四百卷　世宗命禮官脩。

遼禮儀志　陳大任

校大金禮儀　楊雲翼

大金德運圖説一卷　貞祐二年尚書省集議德運之案牘也。

禮例纂一百二十卷　張行簡○金氏《補志》經部禮類著録《禮纂》一百二十卷，《諸禮記録》三百餘卷，金世宗命禮部尚書張暐等參校，或即《金禮器纂脩雜録》四百卷，或即此《禮例纂》，所著互異，附記之，俟考。

會同朝獻禘祫喪葬錄　張行簡

大金儀禮　據倪氏《補志》,題明昌六年禮部尚書張暐等進。然倪氏已著錄《大金集禮》,後登此部,恐有歧複,姑附存之。

附**熙宗尊號冊文　完顏勖**

刑法類

金國刑統

泰和律令　蕭貢

泰和律義三十卷　泰和元年十二月成。

承安律義　承安五年尚書省進。

泰和新定律令敕條格式五十二卷　《泰和律令》二十卷,《新定敕條》三卷,《六部格式》三十卷,泰和元年司空襄進。

刪注刑統賦　李祐之　太原人。

皇統制條　大定重脩制條十二卷　大理卿移剌愷撰○金氏《補志》題移剌愷《皇統制條大定律例》。

譜牒類

女直郡望姓氏譜二卷　完顏勖

重修玉牒　承安五年大睦親府進

地理類

水經補亡四十篇三卷　蔡珪　字正甫,眞定人,翰林院修譔。○錢氏《補志》中有《水經》三卷,又云一作《水經補亡》四十篇。按《金史》作《補正水經》五篇,金門詔《補志》因之誤也。《中州集》作《水經補亡》四十篇。《圭齋集序》云三卷,蓋補酈注之亡。每卷一篇,至蘇滋溪刊行釐爲三卷,考詳趙一清《水經注釋》附錄下。今依《中州集》系録,倪《志》亦作三卷,與此説同。

晉陽志十二卷　蔡珪

碣石志　呂貞幹○《全金詩》引作《竭石志》。

遼東行部誌一卷　王寂　鴨江行部誌一卷　王寂

金石類

續歐陽文忠公集古録金石遺文六十卷　蔡珪

金石遺文跋尾十卷　蔡珪○金氏《補志》收入經部小學類,題曰《續金石遺文
跋尾》。

石鼓辨　馬定國

子　部
儒家類

法言微旨　趙秉文　揚子發微一卷　趙秉文

中説類解　趙秉文○《中州集》、倪《志》、金《志》俱作《文中子類説》一卷,又一作
六卷。

道學發源　趙秉文

集説　張特立　字文舉,東明人,泰和中進士。

兵家類

平遼議三卷　張守愚　國子監齋長,承安元年進。○倪《志》作三篇。

醫家類

素問元機原病式一卷　劉完素○一作《河間原病式》。《絳雲樓書目》作《原病式》。倪《志》作二卷。

素問要旨八卷　劉完素○或作元素。**素問要旨論　劉完素　治病心印一卷　劉完素　運氣要旨一卷　劉完素　河間劉先生十八劑一卷　劉完素　傷寒心要一卷　劉完素**○《四庫存目》云："舊題都梁劉洪編。"**精要宣明論五卷　劉完素　宣明方論十五卷　劉完素**○《世善堂書目》題《宣明論》，《絳雲樓書目》、倪《志》俱作《宣明論方》。倪《志》云："此下六種，名河間六書。"**傷寒醫鑑一卷　劉完素　傷寒標本心法類萃二卷　劉完素　傷寒心鏡一卷　劉完素**○張從正亦有此書。或名偶同，抑即此書，未詳。**素問元機氣宜保命集三卷　劉完素　傷寒直格方三卷　劉完素**○倪《志》作《傷寒直格論方》，又《天一閣書目》作六卷。錢《志》題《傷寒直格》三卷，《後集》一卷，《續集》一卷，《別集》一卷，與《天一閣書目》卷數正符。

儒門事親十五卷　張從正　字子和。倪《志》作從政。○《世書堂書目》、《金志》、《許州志》俱作十四卷。**治病撮要一卷　張從正　張氏經驗方二卷　張從正　張子和汗下吐法　張從正**○錢《志》注云"有六門二法之目"。金《志》別題一種六門二法。**祕錄奇方二卷　張從正**　倪《志》作《秘傳奇方》。**直言治病百法二卷　張從正**

十形三療三卷附雜記一卷　張從正

傷寒心鏡一卷《四庫存目提要》云："一名《張子和心鏡別集》，舊本題鎮陽常德編。考李濂《醫史》，張從正傳後附記曰《儒門事親》十四卷，蓋子和草創之，麻知幾潤色之，常仲明又摭其遺爲《治法心要》。"

傷寒纂類四卷　李慶嗣　洺州人。**鍼經一卷　李慶嗣**

改證活人書二卷　李慶嗣○一作《李氏活人書》。正，金《志》作"政"。

傷寒論二卷　李慶嗣○《絳雲樓書目》、倪《志》、金《志》俱作三卷，金《志》作《傷寒論》，誤。

醫學啓元　李慶嗣

集注難經五卷　紀天錫　泰安人。

醫學啓源　易水潔古老人張元素　潔古注叔和脈訣十卷　張元素

病機氣宜保命集三卷　張元素○《世善堂書目》作劉完素，非也。倪《志》云："一名《治法機要》，後人誤以爲劉完素作。潔古諸書多附託，惟二書爲元素所著。"題作四卷。**潔古珍珠囊一卷　張元素**○倪《志》云："潔古，金易州名醫，後人易其書爲韻語，以便誦習，謂之《東垣珍珠囊》，非原書也。"**潔古本草二卷張元素**

標幽賦二卷　金太師竇漢卿著　見《絳雲樓書目》。**銅人鍼經密語一卷**　竇默　**指迷賦**　竇默　**瘡瘍經驗全書十二卷**　竇默○按以上四種，錢《志》、倪《志》俱系之元人，惟默即漢卿爲金太師，自宜歸之金人。

傷寒論注解十卷　成無已注解○一作《傷寒論注》。**傷寒明理論三卷成無已　論方一卷　成無已**

東垣十書十冊二十卷　《天一閣書目》題東垣山人李杲撰，元好問序，亦見《絳雲樓書目》。又倪氏《補志》附張元素著作後，題《東垣十書》二十五卷，注云後人所輯。**東垣試效方九卷　李杲**○倪《志》云後人所輯。**内外傷寒辨惑論三卷　李杲**○《絳雲樓書目》、錢《志》俱作《内外傷寒辨》，倪《志》作《辨惑論》，注云"辨内傷外感"。**脾胃論三卷　李杲**

蘭室秘藏六卷　李杲○倪《志》作五卷。按《東垣十書》中李杲所著，以上三種是也。又崔真人《脈訣》一卷，稱杲批評《湯液本草》三卷，《此事難知》二卷，爲王好古撰，學出於東垣。《此事難知》據倪《志》歸之李杲所撰，注云"辨析經絡脈法，分比傷寒六經之則，王好古爲闡明之"。餘如朱震亨《局方發揮》一卷，《格致餘論》一卷，王履《醫經溯洄集》一卷，齊德之《外科精義》二卷，皆與李氏淵源各別矣，惟俱係以東垣之名，今既著録《東垣十書》於前，復特標其三種以示區別。**用藥法象一卷李杲　珍珠囊指掌補遺藥性賦四卷　李杲**○《四庫存目提要》云："世傳《東垣珍珠囊》乃後人僞託，李時珍《本草綱目》辨之甚詳。"又《東垣藥性賦》一卷，明徐鐸序，別見《天一閣書目》。**傷寒會要　李杲　醫學發明九卷**

李杲　推明《本草》、《素》、《難》、《脈》理。按歷考諸書，李杲俱作金人，惟錢《志》、倪《志》系之元人。

風科集驗名方二十八卷　趙大中　趙素訂補

天文類

天文主管一卷　首題明昌元年司天臺少監賜紫金魚袋臣武亢重行校正，蓋章宗時經進之書，見《四庫存目》，提要有考。按亢乃武禎子，見《金史·方伎傳》。

天象傳　張翼　泰和中司天臺長行。

天文精義賦三卷　岳熙載　字素之，湯陰人，金司天大夫。**天文祥異賦一卷　岳熙載　天文主管釋義三卷　岳熙載**

注李淳風天文類要四卷　岳熙載

五星聚井辨一篇　天象賦一篇　楊雲翼○倪《志》"天象"作"縣象"。

曆算類

金大明曆十卷　天會五年修。**重修大明曆　趙知微**　司天監。

改定太一新曆　張行簡　"太一"，倪《志》作"太乙"。

乙未元曆　耶律履○"耶律"，金《志》作"移剌"。倪《志》、金《志》俱作《乙未曆》。

大明曆一卷　大定十三年所作。

太乙新曆　無名氏上進，楊雲翼參訂。**句股機要一卷　楊雲翼**

術數類

太玄箋贊六卷　趙秉文○《歸潛志》作《太玄解》，金《志》作《太玄箋》。倪《志》、金《志》俱入儒家類。

皇極引用八卷　皇極疑事四卷　極學十卷　杜瑛○倪《志》作元人，

入儒家類。

象數雜説　楊雲翼　○倪《志》題作《氣數雜説》。

六壬無惑鈐六卷　張居中　司天判官。

人倫大統賦一卷　張行簡撰　元薛延年注○《四庫書目》作二卷。

新校地理新書十五卷　張謙

注青烏子葬經一卷　丞相兀欽

雜家類

鳴道集解　李純甫　字子純，襄陽人，承安二年經義進士，號《中國心學西方文
　　教》。《四庫存目》作《鳴道集説》一卷，倪《志》作《中國心學》，又釋家類收《鳴道集説》
　　五卷。

北新子　奉聖馬餌升公

百里指南一册　趙秉文○錢《志》入經濟類。**資暇録十五卷　趙秉文**

譯白氏策林　徒單鎰　大定四年，上女真字譯。

處言四十三篇　劉祁

歸潛志十四卷　劉祁○《全金詩》作三卷。

十二訓　路鐸

公論二十卷　蕭貢○《歸潛志》作《蕭氏公論》，一作三十卷。

清臺記　張行簡○以下三種，金《志》入史部傳説類。**皇華戒嚴記　張行
　　簡**　金《志》作《皇華記》、《戒嚴記》。

爲善記　張行簡○金《志》作《爲善自公記》。

經史辨惑四十卷　王若虛○按若虛各種辨惑已分隸經部，見前矣，今依錢
　　《志》復附録於雜家類。

小説家類

蕷辨十卷　王庭筠○金《志》云“一作《蕷談》”。倪《志》作《叢語》。

積年雜説　楊雲翼

百斛珠　楊圃祥　蜀人，金章宗時。

續古今考九卷　題元好問　蓋後人僞託也。

續夷堅志二卷　元好問○一作四卷。

雜藝術類

品第法書名畫記五百五十卷　翰林應奉王庭筠　祕書郎張汝
芳脩　汝芳，一作汝方。

衍慶宮功臣圖像　畫宰相韓企先等像。

徒單克寧圖像　世宗二十八年詔畫克寧像，藏內府。○此二目俱依金《志》
補入。

道家類

老子解　趙秉文　列子補注一卷　趙秉文○金《志》題《列子解》。南
華略釋一卷　趙秉文○《歸潛志》作《南華指要》。

老子解　李純甫○金《志》作《老子集解》。莊子解　李純甫○金《志》作《莊
子集解》。

道德經全解六卷　時雍

道德經取善集十二卷　李霖

道德經四子古道集解十卷　寇才質

陰符經注一卷　劉處元　自號長生子。

陰符經注二卷　唐淳

華山志一卷　王處一○依《四庫附存目》入道家類。

全真前後韜光集　重陽真人王嚞　全真集十三卷　王嚞○此別
見錢《志》。重陽集　王嚞　有馬大辨序，分爲上曰《下手遲》，中曰《分梨十

化》，下曰《好離鄉》，類皆元談妙理，共三百餘篇。**重陽教化集三卷　王嚞**

分梨十化集二卷　　王嚞○見《重陽集》注。以上二種，俱據錢《志》收入。

金關玉瑣訣一卷　王嚞　重陽採丹陽二十四訣一卷　　王嚞○
錢《志》王嚞作元人，然《全金詩》收入金人，可證。

水雲前後集　　長真子譚處端○范懌序，又有《語錄》，見《道書全集》。

混成篇　還元子趙抱淵

釋家類

楞嚴經解　李純甫○一作《楞嚴外解》。**金剛經解　　李純甫**○耶律楚材
有《屏山居士金剛經別解序》，一作《金剛經別解》。

金剛般若經注　　張珣

**西方文教　李純甫解　　**上二經統數十萬言，號《西方文教》。

評唱天童覺和尚頌古從容菴錄　萬松老人行秀○耶律楚材有序。又
《畿輔古蹟志》云：“以所評唱《天童頌古》三卷，寄楚材序而傳之。”**萬壽語錄**

萬松老人行秀　評唱天童拈古請益後錄　萬松老人行秀○錢
《志》萬松老人作元人，然《全金詩》已錄，從之。**釋氏新聞　萬松老人行秀**

彌陀偈　釋圓機○《歸潛志》云：“先子爲序之。”

附**無量壽經**承安二年印一萬卷。

類事類

古器類編三十卷　蔡珪

五聲姓譜五卷　蕭貢

重刊增廣分門類林雜說十五卷　平陽王朋壽編

次韻蒙求　王琢

羣書會要　鄭當時　韻類節事　鄭當時

泰和編類陳言文字二十卷　完顏綱　喬宇　宋元吉等修○倪《志》收入表奏類，題完顏綱。

集　部

別集類

如菴小藁六卷　完顏璹　世宗孫，越王長子，密國公。金《志》別載樂府詩一百首，又三百首《如菴小藁詩》。

樂善老人集　完顏永成　封豫王，世宗子，一作名允中。倪《志》、金《志》題《樂善居士集》。

樗軒居士集　越王允常子，世宗孫。

宏道集六卷　徒單鎰　右丞相，廣平郡王。

曹王集十卷　劉豫

金源郡王完顏勖集　完顏勖

東山集十卷并樂府　吳激　字彥高，宋宰臣栻子，翰林待制，出知深州。

南游集　北游集　張斛　字德容，漁陽人，祕書省著作郎。○倪《志》題《南游北歸等詩》。

蔡松年集　蔡松年　字伯堅，尚書右丞相，謚文簡。

虞仲文集　虞仲文　他書不見著錄，據金《志》增入。

蔡珪文集五十五卷　蔡珪　字正甫，松年子，禮部郎中。○金《志》題《正甫集》。

蒙城集　高士談　字子文，一字季默，翰林直學士。

薺堂集　馬定國　字子卿，茌平人，翰林學士。

嗚嗚集　祝簡　字廉夫，單父人，太常卿兼直史館。

宇文虛中文集　宇文虛中

霖堂集　朱之才　字師美，洛西人，仕劉豫爲諫官，出爲泗水令。

三桂老人集　施宜生　字明望，浦城人，翰林學士。錢《志》題《施宜生集》。

竹溪先生文集十卷　党懷英　字世傑，奉符人。○倪《志》題《竹溪集》。

狂愚集二十卷　李愈　正平人。

楊雲翼文集　楊雲翼○金《志》題《之美集》。

耶律文獻集十五卷　耶律履　字履道，東丹王七世孫，謚文獻，見《絳雲樓書目》。

玉峰散人集　趙可　字獻之，高平人，翰林直學士。

滏水集內集二十卷　外集十卷　閒閒老人趙秉文　字周臣，滏陽人。○《中州集》稱《前》、《後集》三十卷，《絳雲樓書目》亦載三十卷，今《外集》十卷佚。金《志》別載《詩資》一種。

龍山集　劉仲尹　字致君，益州人，遷沃州都水監丞。

史旭詩一卷　史旭　字景陽，歷臨真秀容縣令。

西嵓集　劉汲　字伯深，南山翁撝子，翰林供奉。○《中州集》、倪《志》作《西巖集》。

王庭筠文集四十卷　王庭筠　字子端，熊岳人。○倪《志》題《翰林文集》，金《志》別載《秋山應制詩》卅首。

攫甯居士集　劉瞻　字巖老，亳州人，史館編脩。

劉中文集　劉中文　字正夫，漁陽人。

南榮集詩文二册　劉蹟　東平人，宋相莘老子，右相長言父，儀真令。

李純甫文集內藁外藁　李純甫　宏州人，《內藁》論性理及闢佛、道二家，《外藁》應物文字。

虛舟居士集　郝俁　字子玉，太原人，河東北路轉運副使。

虛舟居士集　路鐸　字宣叔，貞祐初爲孟州防禦使，城陷，投沁水死。

山林長語　劉迎　字無黨，東萊人。

竹堂集　張公藥　字元石，孝純孫，鄄城令。

滹南遺老集四十五卷　王若虛　字從之，藁城人。○焦竑《國史經籍志》系之元人，然若虛不食元禄，守金義，實金人也，焦氏誤。傭夫集　王若虛○傭，一作偏。

拙軒集六卷　王寂　字元老，玉田人，轉運使。

黄山集　趙渢　字文孺。

漳川集　董師中　字紹祖，邯鄲人，徙洺州。○《全金詩》引作《漳州集》，非。

燕賜邊部詩　董師中

丹源釣徒集　李仲略　字簡之，高平人。

張敬甫集三十卷　張行簡　字敬甫，謚文正。○《全金詩》引《金史》作十五卷，倪《志》題《張行簡文集》，金氏《補志》題《叔甫集》十五卷，"叔"字筆誤。

滄軒遺藁　史蕭　字舜元，京兆人。

披軒集　酈權　字元輿，安陽人。

洹水集　史公奕　字秀宏，大名人，翰林直學士。

蕭真卿文集　蕭貢　字真卿，咸陽人，謚文簡。

橫溪翁集　馮延登　字子駿，吉州人，禮部侍郎。京城陷，投井死。

蓬門集　劉從益　字虞卿，南山翁攄曾孫。

愚軒集　趙元

常山集　周昂○《瀘南詩話》稱《周德卿詩集》有史舜元序，德卿即昂字也。《中州集》云："初有《常山集》，亂後不見。"

蘭泉老人集　張建　字吉甫，蒲城人，一作章建。

平水集　毛麾　字牧達，平陽人。○一作《平水老人詩集》十卷。

朱巨觀集　朱瀾

姑汾漫士集　王琢　字器之，平陽人。

清漳集　呂中孚　字信臣，南宮人。金《志》別載《蘭泉集》。

渭濱野叟集　景覃　字伯仁，華陰人。

柳溪集　劉鐸　字文仲，棗強人。

西溪老人集　秦略　字簡夫，臨川人。

韋齋集　張琚　字子玉，河中人。

錦溪集　杜佺　字真卿，武功人。

漆園集　李之翰　字周卿，濟南人。

龍南集　楊興宗　高陵人。○倪《志》作"與宗"。

泫水集　黽會　字公錫，高平人。○倪《志》作"澶水"。

崑崙集　郭長倩　字曼卿，文登人。○倪《志》作崑崙。

寂照居士集　郭用中　字仲正，平陽人。

松堂集　張邦彥　字彥才，平陽人。○一作"張德直"。

遯齋詩集　王元節　字子充，宏州人。

橘軒詩集　張澄○元好問有《張仲經詩集序》。

浚水老人集　王世賞　字彥功，汴人。

東皋集　桑之惟　字之才，恩州人。

張子榮集　張庭玉　字子榮，號盤溪居士，易縣人。

丹崖集　邢安國

天倪集　李獻甫　字欽用，湖州人，鎮南軍節度副使。

東嵩集三卷　元格　字德明，好問父，秀容人。○倪《志》作《東巖詩集》，金《志》作《東山集》。

許悅詩集　許悅　字子遷，雁門人。

叔亨集　楊叔能

莊靖集十卷　李俊民○一作《鶴鳴老人集》。

茅亭詩　白君舉

侯大中詩集　侯大中　號損齋，公安人，大定初應詔建醮，授師號。

鄭子聃詩文二千餘篇　鄭子聃○金《志》作《鄭子聃集》，又詩集類別載《鄭子聃詩》一種，《忠臣猶孝子詩》一種。

王敏夫集　王敏夫　五臺人。

卷瀾集二卷　曹珏　字子玉，滏陽人，徙居方城。○金《志》作曹班，誤，倪《志》作三卷。

曹户部詩集三十卷　曹望之　字景蕭，宣德人，户部尚書。○倪《志》作《臨潼人集》，作二十卷。

漸悟集二卷　馬鈺

韋齋集　張鉉　河中人。

陶然集　楊鵬

貽溪先生文集　麻革

兌齋文集　曹之謙○王惲序。

王鬱集　王鬱

遺山集四十卷　附錄一卷　元好問　字裕之，太原人。○焦氏《經籍志》：《遺山集》五十二卷，《詩集》二十卷。金《志》載十二卷。遺山詩集二十卷 元好問○毛晉刊本。

神川遯士文集二十二卷　劉祁○一作"神州"，非。《全金詩》作二十卷。按《全金詩》元好問、劉祁二家，俱入遺獻，附於集後。

雲巖文集　宗經　稷山人，舉進士。

應制集　韓玉　李汾詩　李汾○以上二種，依金《志》補入。

成真集通理集　何宏中○以下宋人留金者，《中州集》別系以南冠類，姑附於此。

雞肋集　姚孝錫　存律詩五卷。

移剌楚材　湛然集三十五卷　見焦氏《經籍志》，與耶律楚材分爲二人，耶律楚材隸於元人，此又收入金人，殊爲失考，已爲錢氏所譏，蓋漢字書曰耶律，契丹字書曰移剌，二人實即一人也。○按楚材爲金尚書右丞履之子，金太宗朝拜中書令，追封廣甯王，謚文正，故附錄焉。

離峰子詩集二卷　離峰老人羽士于道顯　有張本序。○以下方外。

林泉集二十卷　通真子秦志安　天游集　無名老人陶氏　有李俊民序。太古集四卷　郝大通道士○倪《志》題"詩集"。水雲集 譚處端羽士○依倪《志》補入。

總集類

兩漢策要十二卷　宋陶淑獻原本　金常彥脩孫增補

明昌辭人雅製　趙秉文集党承旨、趙東山、路司諫、劉之昂、尹無忌、周德卿、王逸賓七人詩，一作《明昌雅製》。

成趣園詩　獻陵梁氏編

中州集十卷　附中州樂府一卷　元好問○又有《中州元氣集》，見《絳雲樓書目》。又《中州集》百餘卷，見郝經撰《好問墓誌》。國朝郭元釪《進全金詩表》，亦云郝經稱好問著《中州集》一百卷。

唐詩鼓吹十卷　元好問編　元郝天挺注○按《中州集》中有郝天挺，字晉

卿，陵川人。《青鞋踏雪志》亦載汾州學宮有金郝天挺募建文廟疏，是金亦有郝天挺

也。李詡《戒庵老人漫筆》："《唐詩鼓吹》舊云郝天挺注，金又有郝天挺，《兩山墨談》

亦考之不審。"

二妙集二卷　段克己　段成己撰　克己字復之，成己字誠之，河東人。○

《讀書敏求記》、《文瑞樓書目》、倪《志》俱作八卷。

河汾諸老詩集八卷　元房祺編　按編者非出金人之手，本不當屬人，惟《諸

老詩》俱金人著作，《全金詩》亦登之，倪《志》既系之金，故從之。

評注類

滹南詩話二卷　王若虛○按此種已編入《滹南遺老集》中，凡三卷，此則別刻於

《知不足齋叢書》中。

鼎新詩話　魏道明

詩話　范墀

注太白詩　王繪　字賢夫，濟南人。

杜詩學一卷　元好問

東坡詩雅二卷　元好問　倪《志》、金《志》作三卷。

注東坡樂府　孫鎮　字安常，隆州人。

錦機集　元好問○《堯山堂外紀》云："遺山有《錦機集》，指授學者。"又高唐閭靜

軒挽遺山詩云："野史夜□蟲蠹簡，錦機春暖鳳停梭。"倪《志》題《錦機》一卷，金《志》

則系於子部雜家類，未當。詩文自警一卷　元好問○金《志》作十卷，系於

別集類。

詞曲類

天籟集二卷　白樸

玉峰閒情集　趙可

蕭閒老人明秀集注三卷　蔡松年撰　魏道明注解

東浦詞一卷　韓玉　字溫甫，北平人。

菊軒樂府一卷　段成己　○一作《菊莊》。

遯齋樂府一卷　段□□

遺山先生新樂府五卷　元好問○又別本《遺山先生樂府拾遺》一卷，明淩雲

□□□□□□藏本。倪《志》作二卷，不知何據。**中州樂府一卷　元好問**

附雜著類

左氏莊列賦各一篇　楊雲翼○《左氏賦》，金《志》歸之經部春秋類。

金丹賦　孟宗獻友之

中聖人賦　王琢

香山賦　郭伯英

東狩射虎賦　熙宗獵於海島，三日之間，親射五虎，完顏勗獻。○以下金文單篇賸作，或見於各家集中，或雜見他書，本不必登，因閱金氏《補志》集部後登此數篇，鄙見既思博採無遺，姑依金《志》附錄於後。

一日獲三十六熊賦　施宜生

漢武中興賦　徒單鎰　大定十五年上。

不貴異物民乃足賦　鄭子聃

世宗幸金蓮川疏一卷　梁襄

陳規章奏

許古章奏

憂國如飢渴論　鄭子聃

無隱論　許安仁

諫表韓昉集　金源郡王完顏勗

便宜十事書　劉炳

金太祖睿德神功碑　韓昉

雪溪堂帖十卷　王庭筠集古摹刻。

金史補藝文志

鄭文焯　撰

張　雲　整理

底本：上海圖書館藏稿本
校本：北京大學圖書館藏稿本

金志敍

石芝西堪寫本

完顏有國百一十七年，以天驕雄長中原，文明之統幾絕。開國諸臣又皆起自龍朔，功在馬上，秀業亡聞。迨天眷、天德已來，覿文匿武，始駸駸有尊經術、崇儒雅之風。取士以詞賦爲正科，翰林有應奉之文字。人材政治，斐然可觀；左右儒臣，咸居清要。其時文學近侍，多屬遼、宋累遺。燕雲僑舊，見江南衣冠文物而慕之。藝風染被，譔述斯宏。貞祐南遷，竝從燔蕩，公私典籍，本目無徵。元相脫脫纂修史志，既闕藝文；宇文懋昭別乘所傳，①又多屠奪。其堇存什一者，惟元遺山《中州集》之小傳。綜其要實，零詻疏遺，不可悉究，詎足爲金源文獻之徵邪？今無棣吳公仲懌侍郎既刊《滏水》、《明秀》二集行于世，更思大索旁搜，②都爲金人著作叢編。蓋其鑒區夏之不競，憂吾道之大孤，悄然有深義焉。嗟嗟！方趙宋當兩河三鎮淪覆之餘，士大夫轉徙流離，南北狂走，大懼蒙焉，異類怒焉，不可終食。金律至斷多藏南朝圖籍爲反具。天下脊脊，捄死且不暇，而乃跌宕文史，著書滿家，將毋天之未墜斯文，必有英絕領袖之者，可悲也已！余不揆寡闇，搜獵前載，總括代終，裁勒百年之遺，標存一代之籍。跡其篇部可得而名者，尚二百數十家。爰輈爲區目，冀補史闕。局於識覽，未皇自綴其漏也。兹謹露條如左。光緒三十

---

① "傳"後原有"文學翰苑三十二人，又未詳其專箸，且書出偏僞，率多勦襲"二十三字，被作者刪去。

② "更"後原有"欲廣昔所流傳，今所希覯"十字，被作者刪去。

一年歲次乙巳二月甲辰朔十七日庚申，高密鄭文焯叔問記。

經　部

趙秉文　易叢説十卷　象數雜説　<small>卷亡。</small>中庸説一卷　刪集論
　語解十卷　刪集孟子解十卷
張特立　易集説①
單渢　三十家易解
王若虛　尚書義粹三卷　經史辨惑四十卷　四書辨疑一卷
李純甫　中庸集解
韓孝彦　五音篇十五卷　<small>字允中。</small>
韓道昭　五音集韻十五卷　<small>字伯暉，孝彦子。</small>　五音增定並類聚四
　聲篇十五卷
楊雲翼　句股機要　周禮辨一篇
劉章　刺刺孟一卷

史　部

金源郡王完顏勖撰　金始祖以下十帝實録三卷
楊廷秀　四朝聖訓　<small>太祖、太宗、世宗、熙宗四朝。章宗承安二年類編。</small>
太祖實録　<small>宗弼修，皇統八年進。</small>
太宗實録　<small>泰和九年，尚書右丞相監脩國史紇石烈良弼進。</small>
睿宗實録　<small>大定十一年，紇石烈良弼進。</small>

---

　　① "説"後，北大藏本有小注"字文舉，東明人，泰和中進士"。

海陵庶人實録　　坿。

世宗實録　　明昌四年，守尚書右丞監脩國史完顔匡等進。

章宗實録　　興定四年九月，國史院王若虛脩進。

衛王事迹　　興定五年進。

宣宗實録　　正大五年，王若虛脩進。

蕭永祺　　遼紀三十卷　志五卷　傳四十卷[1]

陳大任　　遼史　遼禮儀志

完顔孛迭　　中興事迹[2]

蕭貢　　史記注一百卷[3]

蔡珪　　南北史志三十卷　晉陽志十二卷　水經補亡三卷　　本四十篇，刊本釐爲三卷。

楊雲翼等編　　續資治通鑑　　大安元年。　　龜鏡萬年録　　正大二年，雲翼與趙秉文合編。

傅慎微　　興亡金鏡録一百卷[4]

張特立　　歷年係事記

元好問　　壬辰雜編

宇文懋昭　　大金國志四十卷　　書經元人屢改。武英聚珍版本，嘉慶丁巳南沙席世臣刻本。

金人弔伐録　　記伐宋往來文檄、盟書。

北風揚沙録　　記金國始末。

天興墨淚　　以上三書亡撰人。

楊伯雄　　瑤山往鑒　　藁城人，官右補闕。顯宗在東宮時，伯雄編進。

金禮器纂修雜録四百卷　　世宗命禮官編缉。

---

①　"卷"後，北大藏本有小注"太常丞"。

②　"迹"後，北大藏本有小注"翰林學士"。

③　"卷"後，北大藏本有小注"京兆咸陽人，户部尚書，謚文簡"。

④　"卷"後，北大藏本有小注"泰州沙溪人，禮部尚書"。

大金儀禮　明昌六年，禮部尚書張暐等進。

大金集禮四十卷

張行簡　禮例纂一百二十卷　字敬甫，諡文正。

金新定律令敕條格式五十二卷　泰和元年，司空襄等進。

泰和律義　失名。

鄭當時　節義事實　洪洞人，明昌二年進士，汾州教授，字仲康。

完顏勖　女直郡望姓氏譜

大金德運圖説一卷　貞祐二年尚書省集議之案牘也。《四庫提要》從《永樂大典》輯録。

蔡珪　續歐陽文忠集古録　金石遺文　燕王墓辨　見《大金國志》列傳。

馬定國　石鼓文辨一篇

大遼事迹　金時高麗國所進。

子　部

王庭筠　叢語十卷　《金志》作《叢辨》，一作《叢談》。

楊雲翼　五星聚井辨一篇　縣象賦一篇　氣數雜説

張守愚　平遼議三篇　兵書類。國子監齋長。承安元年進。

金大明曆十卷　天會五年修。

趙知微　重修大明曆　司天監。

耶律履　乙未曆　字履道，東丹王七世孫，諡文獻。

張行簡　改定太乙新曆

張居中　六壬無惑鈐六卷　司天判官。

丞相兀欽　注青烏子葬經一卷　昭文張海鵬刻《學津討原》第九集作"兀欽仄注"。

紀天錫　集注難經五卷　泰安人。

張元素　潔古註叔和脈訣十卷　按，王叔和撰《脈經》十卷，《隋志》已箸錄，《新唐書·志》同。自五代高陽生《脈訣》託名行世，叔和書遂晦。直至元戴啓宗爲刊誤，始昭然知《脈訣》之僞，今日本有景宋嘉定本，宜都楊氏覆刻于鄂渚，號爲精定。元素所注，恐非《脈經》元本也。　病機氣宜保命集四卷　案，此書一名《治法機要》，後人誤以爲劉完素作。潔古諸編多坿託，惟二書爲元素所纂。　潔古珍珠囊一卷　案，元素，字潔古，金易州名醫。後人易其書爲韻語，以便誦習，謂之《東垣珍珠囊》，非原書也。　東垣十書二十五卷　東垣試效方九卷　後人所輯。

劉完素　素問要旨八卷　字守真，河間人。　素問玄機原病式二卷　治病心印一卷　河間劉先生十八劑一卷　宣明論方十五卷　此下六種名《河間六書》。　傷寒標本心法類萃二卷　傷寒心鏡一卷　傷寒直格論方三卷　素問玄機氣宜保命集三卷　傷寒醫鑒一卷

李慶嗣　傷寒纂類四卷　洺州人。　政正活人書二卷　傷寒論三卷　鍼經一卷　醫學啓元

張從政　儒門事親十五卷　字子和，睢州考城人。　治病撮要一卷　傷寒心鏡一卷　張氏經驗方二卷　祕傳奇方二卷　扁華訣病機一卷　自此以次橫列四種，從士禮居金刻補目。　論三法六門方一卷　直言治病百法二卷　十形三療三卷　坿雜記一卷　。

元好問　續夷堅志

趙秉文　揚子發微一卷　太玄箋贊一卷　《金志》作六卷。　文中子類説一卷　一作六卷。

李純甫　中國心學　字之純，襄陽人。承安二年經義進士。　鳴道集説五卷　釋家言。

鄭當時　韻類節事　群書會要

張特立　集説　字文舉，東明人，泰和中進士。

盛如梓　庶齋老學叢談三卷　　崇明州判官，由金入元。鮑氏《知不足齋》本，列入金人小説類。

成無己　傷寒論註解十卷　　聊攝人，由宋入金，遵《四庫》書目列坿金人。

傷寒明理論三卷　　《四庫》本作五十篇。　　論方一卷　　同上，亦作五十篇。

李杲　辨惑論三卷　　辨内傷外感，《四庫》書目列入金人。　　脾胃論三卷

蘭室秘藏五卷　　《四庫》目作六卷。　　用藥法象一卷　醫學發明

九卷　　推闡《本中》、《素》、《難》、《脈》理。

張行簡　人倫大統賦一卷　　元薛延年注。原本久佚，《四庫》從《永樂大典》録出，括諸家相術之全。

劉祁　歸潛志十四卷　　武英殿聚珍版，舊題金人，金門詔《補志》從同。

其書一卷至六卷爲金末諸人小傳；七卷至十卷雜記軼事；十一卷記哀宗亡國始末；十二卷記崔立作亂，劫群臣立碑事，坿以《辨亡論》一篇；自是以下至末皆祁之語録、詩文。元修《金史》，多采此書。其體則小説也。《四庫提要》入子部。

集　部

完顏綱　類編陳言文字二十卷　　表奏類。

完顏璹　如菴小藁六卷　　世宗孫，越王長子，封密國公。

完顏永成　樂善居士集　　封豫王。世宗子。

徒單鎰　宏道集六卷　　右丞相，廣平郡王。

劉豫　曹王集十卷

吳激　東山集十卷　　字彦高，宋宰臣栻子。翰林待制，出知深州。

張斛　南游北歸詩集　　字德容，漁陽人，祕書省著作郎。

蔡松年文集　　字伯堅，尚書右丞相，謚文簡。

蔡珪文集五十五卷　　松年子，字正甫，禮部郎中。《金志》作《正甫集》。

高士談　蒙城集　　字子文，一字季默，翰林直學士。

馬定國　薺堂集　　字子卿,茌平人,翰林學士。

祝簡　鳴鳴集　　字廉夫,單父人,太常卿兼直史館。

朱之才　霖堂集　　字師美,雒西人。仕劉豫爲諫官,出爲泗水令。

施宜生　三住老人集　　字明望,浦城人,翰林學士。[①]

趙可　玉峰散人集　　字獻之,高平人,翰林直學士。

劉汲　西巖集　　字伯深,南山翁撝子,翰林供奉。

劉瞻　攖寧居士集　　字巖老,亳州人,史館編修。

劉蹟　南榮集　　東平人,宋相莘老子,右相長言父,儀真令。

劉仲尹　龍山集　　字致君,益州人,後遷沃州都水監丞。

郝俣　虛舟居士集　　字子玉,太原人,河東北路轉運使。

張公藥　竹堂集　　字元石,孝純孫,郿城令。

史旭詩一卷　　字景陽,歷臨真、秀容二縣令。

耶律履　文獻集十五卷　　字履道,東丹王七世孫。

董師中　漳川集　　字紹祖,邯鄲人,徙洺州。

王寂　拙軒集六卷　　字元老,玉田人,中都轉運使,謚文肅。武英殿聚珍版,杭、福州重刻。　北遷録

張行簡文集三十卷　　《金志》作《叔甫集》十五卷。

李仲略　丹源釣徒集　　字簡之,高平人。

劉迎　山水長語　　字無黨,東萊人。

党懷英　竹溪集十卷　　字世傑,奉符人。

趙渢　黃山集　　字文孺。

王庭筠　翰林文集四十卷　　字子瑞,熊岳人。

趙秉文　滏水集三十卷　　字周臣,滏陽人。分內、外集,今外集十卷佚。海豐吳侍郎家刻本。

劉中文集　　字正夫,漁陽人。

---

①　"學士"後,北大藏本有"一作三桂老人,非是"八字。

路鐸　虛舟居士集　字宣叔。貞祐初爲孟州防禦使,城陷,投沁水死。

酈權　披軒集　字元興,安陽人。

李純甫内稿　論性理及釋、道。　外稿　應物文字。宏州人。

史肅　滄軒遺稿　字舜元,京兆人。

蕭貢文集十卷　字真卿,咸陽人,謚文簡。

史公奕　洹水集　字季宏,大名人,翰林直學士。

馮延登　橫溪翁集　字子駿,吉州人,禮部侍郎。京城陷,投井死。

王若虛　滹南遺老集四十五卷　字從之,藁城人,承安二年經義進士。

　慵夫集

劉從益　蓬門集　字虞卿,南山翁摅曾孫。

張建　蘭泉老人集　字吉甫,蒲城人。

毛麾　平水集　字牧達,平陽人。

王琢　姑汾漫士集　字器之,平陽人。

呂中孚　清漳集　字信臣,南宮人。

景覃　渭濱野叟集　字伯仁,華陰人。

劉鐸　柳溪集　字文仲,棗強人。

秦略　西溪老人集　字簡夫,臨川人。

張琚　韋齋集　字子玉,河中人。

杜佺　錦溪集　字真卿人,①武功人。

李之翰　漆園集　字周卿,濟南人。

楊與宗　龍南集　高陵人。

畾會　澶水集　字公錫,高平人。

郭長倩　崐嵛集②　字曼卿,文登人。

郭用中　寂照居士集　字仲正,平陽人。

---

① "人"字爲衍文,當删。
② "崐"乃"崐"字之誤。

張邦彥　松堂集　字彥才，平陽人。

王元節　遯齋詩集　字子充，宏州人。

王世賞　浚水老人集　字彥功，汴人。

桑之維　東皋集　字之才，恩州人。

張庭玉集　字子榮，易縣人。

王敏夫集　五臺人。

李獻甫　天倪集　字欽用，湖州人，鎮南軍節度副使，死蔡州難。

元德明　東巖詩集三卷　秀容人，好問父。

元好問　遺山集四十卷　坿録一卷　字裕之，太原人。　遺山詩集
二十卷　中州集十卷　唐詩鼓吹十卷　元中書右丞郝天挺注。
杜詩學一卷　東坡詩雅三卷　錦機一卷　詩文自警一卷

李俊民　莊靖集十卷

曹珏　卷瀾集三卷　字子玉，滏陽人，徙居方城。

曹望之詩集二十卷　臨潼人。

李愈　狂愚集二十卷　正平人。

張鉉　韋齋集　河中人。

宗經　雲巖文集　稷山人，舉進士。

段克己　段成己　二妙集八卷　河東人。克己，字復之。成己，字誠之。①

郝太古詩集　羽士。

譚處端　水雲集　羽士。②

元好問　中州樂府一卷　③　遺山樂府二卷　坊刻單行本。

白樸　天籟集二卷　臨桂王氏四印齋刻本。

韓玉　東浦詞一卷　字溫甫，北平人。毛氏汲古閣刻《六十一家詞》本。

---

①　"誠之"後，北大藏本有"長洲顧嗣立刻《元詩選》甲集坿段輔，誤爲元人"十八字。

②　"羽士"後，北大藏本有"顧嗣立《元詩選》壬集誤爲元人"十二字。

③　北大藏本有小注"國初刻本，坿《中州集》"。

段克己　菊莊樂府一卷

段成己　遯齋樂府一卷　<small>無棣吳氏從泉唐丁氏藏文瀾閣本校刻。</small>

孫鎮　注東坡樂府　<small>字安常，隆州人。</small>

房祺　河汾諸老詩集八卷　<small>案，《藝圃搜奇叢書》刻本作“河汾八老”。</small>

劉祁　神川遯士集二十二卷　<small>長洲顧嗣立刻甲集，誤爲元人。</small>

李遹　寄菴詩稿　<small>字平甫，樂城人，明昌二年進士。</small>

明秀集注三卷　<small>蕭閑老人蔡松年詞集，雷溪子魏道明元道註。案，目分廣雅、宵雅、時風，上、下共六卷。今金槧僅存前半三卷。臨桂王侍御從聊城楊氏借得，校刊于京師。海豐吳侍郎又輯樂府十首並逸句爲《補遺》，坿後重刻，甚精完。</small>

王繪　注太白詩　<small>字賢夫，濟南人。</small>

右總四部凡百二十八家，凡目二百單九部，凡書一千九百單十六卷，卷亡者闕之。

江都金門詔東山太史《補遼金元三史藝文志》坿載于文集中。乾隆壬子，武林盧抱經學士復作《補志》，欲求金編以資考證而不得。盧《志》已刊列《群書拾補》中，而金《志》則日久板敝，尠有知之者。震澤楊復吉以乾隆丁巳秋始及見之，乃爲之敘刻以行。二志各有優絀，後之覽者，尚其參互求之也。今金《志》刻于《昭代叢書·庚集》，爰取以校訂盧《志》，於其所複出者則略之。思兼二家之見聞，成一朝之典實。凡屬金源著作，悉據以彪列，仍坿四部，庶幾粲然大備矣。且金前盧後，兩賢同志，不謀而合。當其大索旁搜，爲之先者，實以濫觴；爲之後者，無所勸襲。余不敏，竊幸二者得兼，參其異同，以綴餘文。謬見所逮，敢希往烈，冀聞人有以裁之。

金東山自敘謂：唐興，長孫無忌等奉敕撰《隋書》，綴緝藝文，更名《經籍》。所云遠覽遷《史》、班《書》，近觀王阮《志》、《錄》，約文緒義，凡五十五篇，各列小序於本條之下。而首經次史，然後繼之以子，終之以集。條理森然，義既精密。而《經籍》之名，方諸《藝文》，彌稱體要。蓋自有書契以來，依類參稽，展卷瞭如，邁《漢志》多矣。

補　遺

經　部

易　類

王弼　韓康伯　易經注　天德三年國子監印定。
女直字譯易經一部　世宗大定二十三年譯經所進。

書　類

孔安國　尚書傳注　天德三年國子監印定。
女直字譯尚書一部　大定二十三年譯經所進。
趙秉文　無逸直解　正大年進。
呂造　尚書要略　正大間萬壽節同知集賢院呂造進。

詩　類

毛鄭詩經一部　天德三年國子監印定，毛萇注、鄭玄箋。

春秋類

杜預　左傳注　<small>天德三年國子監印定。</small>

楊雲翼　左氏賦一篇

禮類 <small>樂坿。</small>

孔穎達　禮記疏

鄭賈周禮注疏　<small>天德三年國子監印定。</small>

禮纂一百廿卷　諸禮記録三百餘卷　<small>世宗命禮部尚書張暐等參校。</small>

<small>案，盧《志》史部有《大金儀禮》，明昌六年張暐進。又《大金集禮》四十卷，又張行簡《禮例纂》一百廿卷。疑即此《志》所載，入經部禮類。張暐等參校二書，盧氏以爲金源典禮，故坿史部。</small>

四書類

四書譯解　<small>温迪罕締、遼宗璧、阿魯、張克忠等譯。一作楊克忠。</small>

孝經類

唐玄宗　孝經注　<small>天德三年國子監印定。</small>

女直字孝經　<small>大定年譯。</small>

小學類

太祖女直大字　<small>完顏希尹撰。</small>

熙宗女直小字　<small>完顏希尹撰。</small>

蔡珪　續金石遺文跋尾十卷　<small>案，盧《志》無之，《大金國志》載《續歐錄》亡卷</small>
<small>數，有《燕王墓辨》一篇。</small>

經解總類

五經譯解　<small>大定年詔溫迪罕締、遼宗璧、阿魯、楊克忠譯解。移剌傑、移剌履講究</small>
<small>其義。</small>

馬定國　六經考

史　部
正史類

徒單鎰　史記譯解　<small>大定六年以女直字譯。</small>

徒單鎰　西漢書譯解　<small>同上。</small>

党懷英　遼史　<small>陳大任繼修。案，盧《志》僅記陳大任纂。</small>

編年類

龜鑑萬年録　<small>盧《志》“鑑”作“鏡”。</small>

實録類

金始祖以下十帝實録　<small>皇統元年進，盧《志》闕進書年。</small>

太祖實録二十卷　<small>盧《志》闕卷數。</small>

太宗實録　<small>紇石烈良弼、張景仁、曹望之、劉仲淵等同修。盧《志》失載張、曹、劉三</small>

人名。

熙宗實録　鄭子聃譔，盧《志》闕。

章宗實録　尚書右丞高汝礪監修，參知政事張行信、王若虚等同修。盧《志》董載王若虚修進。

起居注類

金天德朝起居注　天德三年翰林待制宗敘修。

世宗起居注　大定七年詔絃石烈良弼、石琚、楊邦基、夾谷衡同修。

章宗起居注　守貞等修。

雜史類

君臣政要　趙秉文、楊雲翼集自古治術。

女直字貞觀政要　徒單鎰譯。

貞觀政要申鑒　趙秉文。

金四朝聖訓　承安五年楊廷秀等類編，盧《志》作承安二年。

熙宗尊號册文　完顏勗譔。

大定遺訓　正大四年同知集賢院史公奕進。

初政録十五篇　范拱撰。

會同記録　張行簡撰。又　**朝獻記録　禘祫記録　喪葬記録**

金源野史　元好問撰。

劉祁　歸潛志　從益之子。盧《志》闕，《提要》入子部。

儀注類

大金禮儀　楊雲翼校。

法令類

皇統制條大定律例　移剌慥撰。

傳記類

張行簡　清臺記　又　**皇華記　戒嚴記　爲善自公記**
韓玉　元勳傳
王鬱　王子小傳

地理類

蔡珪　補正水經五篇　盧《志》作三卷本四十篇。

子　部

道家類

李純甫　老子集解　南華略釋一卷　趙秉文撰。
李純甫　莊子集解　列子補注一卷　趙秉文撰。
莊列賦各一篇　楊雲翼譔。

釋家類

無量壽經　承安二年印一萬卷。
李純甫　楞嚴經解　又　**西方父教　金剛經解**

張珣　注金剛般若經

天文家類

移剌履　乙未曆　<small>案，移剌履即耶律履。</small>

雜家類

徒單鎰　譯白氏策林　<small>大定四年上女直字譯。</small>

趙秉文　資暇錄十五卷

王庭筠　張海方　品第書法名畫五百五十卷

藝術類

衍慶宮　功臣圖像畫　<small>宰相韓企先等像。</small>

徒單克寧圖像　<small>世宗二十八年詔畫克寧像，藏內府。</small>

集　部

別集類

楊雲翼之美集

鄭子聃集二千餘篇

呂中孚　蘭泉集　<small>盧《志》菫載《清漳集》。</small>

王鬱集

曹珏　卷瀾集二卷　<small>盧《志》作三卷。</small>

章建　蘭泉老人集

閨詠　復軒集

詩集類

完顏勖詩集
虞仲文詩
完顏璹樂府一百首　又　詩三百首
趙秉文詩資
鄭子聃詩　又　忠臣猶孝子詩
王庭筠　秋山應制詩三十首
李汾詩

賦類

東狩射虎賦　<small>完顏勗撰，熙宗獵於海島，三日之間，親射五虎。</small>
施宜生　一日獲三十六熊賦
徒單鎰　漢武中興賦　<small>大定十五年上。</small>
鄭子聃　不貴異物民乃足賦

奏疏賦

梁襄　世宗幸金蓮川疏一卷
陳規　許古　章奏

策論類

鄭子聃　憂國如飢渴論

許安仁　無隱論

表類

金源郡王完顏勗諫表　<small>韓昉集。</small>
劉炳　便宜十事書

碑類

金太祖睿德神功碑　<small>韓昉撰。</small>

乙巳七夕録於滬上，叔問籌鐙記。

金史藝文略

（殘稿本）

孫德謙　撰

張　雲　整理

經　部

象數雜説

翰林學士樂平楊雲翼之美撰。之美博通經傳，於天文律曆醫
卜之學，無不臻極。南渡後二十年，與禮部閑閑公代掌文柄，
時人號楊趙。其書見元好問《遺山集‧内相文獻楊公神道
碑》及《金史》本傳。近金門詔《補三史藝文志》、盧文弨《補遼
金元藝文志》、錢大昕《補元史藝文志》俱以爲趙秉文作，非
也。施國祁《盧氏補金藝文志説》云："楊之美之《象數雜説》、
趙閑閑之《老子集解》、張鉉之《韋齋集》、張潔古之《珍珠囊》，
各有小辨，稍加是正。"蓋已訂其誤矣。

易叢説十卷

禮部尚書滏陽趙秉文周臣撰。見元好問《閑閑公墓銘》及《金
史》本傳。劉祁《歸潛志》云："酷好學，至老不衰，後兩目頗
昏，猶孜孜執卷鈔録，上至六經解，外至浮屠、莊老、醫學丹
訣，無不究心。其所著有《太玄解》、《老子解》、《南華指要》、
《滏水集》、《外集》，無慮數十萬言，自號閑閑居士。"

易解

同知北京轉運司渾源雷思西仲撰。思爲希顔淵之父。元好
問《中州集》："天德三年進士，大定中任大理司直，仕至同知
北京轉運使事。有《易解》行于世。"並稱之爲"學易先生"。

學易記

禮部侍郎吉州馮延登子駿撰。延登讀書長于《易》、《左氏
傳》。承安二年進士，正大末奉命北使，見留。使招鳳翔，不
從，欲殺者久之。割其鬚髯，羈管豐州，二年乃還。及汴京

陷,自投井中。元好問作《神道碑》,其末云:"平生以《易》爲業,及安置豐州,止以《易》一編自隨,日夕研究,大有所得。既歸,集前人章句爲一書,目曰《學易記》,藏于家。"

易説

修武吕豫彦先撰。元好問有《南峯先生墓表》,其略云:"先生自成童知讀書,既冠,游學東州,以《易》爲專門,經明行修,高出倫輩,醇德先生王廣道特器重焉。家近太行五峯山,因以爲號,示不忘本也。有《易説》若干卷,傳于時。"

易學集説

汲縣王天鐸振之撰。正大初以律學中首選,仕至户部主事,爲仲謀惲之父。《元史》坿載惲傳。其書見《補元史藝文志》。

三十家易解

平原單渢撰。其字未詳。見《補元史藝文志》及《補遼金元藝文志》。

易略釋

虞鄉袁從義用之撰。年十九入道,師事玉峯胡先生,盡傳其學。通經史百家,旁及釋典,而于《易》學,蓋終身焉。如史季宏、王隆吉、羅鳴道、李欽止、吉仲器、馬元章、王可道、許德臣、元禮昆弟,[①]皆就傳《易》道。所著《易略釋》、《列子章句》、《莊子略釋》、《雲庵妙選方》傳于世。元好問有《藏雲先生墓表》。

易集説

東明張特立文舉撰。特立,泰和三年進士,正大四年拜監察御史。《金史》入《循吏傳》。通程氏《易》,晚教授諸生。年七十五卒。元世祖嘗賜號中庸先生,且名其讀書之堂曰"麗

---

① "史季宏"、"元禮昆弟",《四庫全書》本《遺山集》卷三十一分别作"史季寵"、"元禮昆季"。

澤"。然終其身未嘗仕元,故《元史》列之《隱逸傳》。乃《補三史藝文志》部次元代,殊乖知人論世之義。《補元史藝文志》亦誤,今從《補遼金元藝文志》。考李簡《學易記·序》云:"歲壬寅,予挈家遷東平,張中庸特立、劉佚庵肅與王仲徽輩,方集諸家《易》解而節取之,得厠講席之末。"又《理學宗傳》云:"是時關洛之學未行于中國,獨金儒張特立頗以程學教授北方。"可知特立深于程《易》者,其説見施國祁《遺山詩集箋》。

易解

張氏撰。其爵里名字無可考。見《補元史藝文志》。

易解

華陰薛元微之撰。元鮮于樞《困學齋雜録》:"庸齋先生仕至河南府提舉,有《易解》行于世。"考《補元史藝文志》:"中統初召爲平陽太原宣撫,提舉河南學校,俱不赴。"則微之未嘗仕元者也。程鉅夫集有微之碑,其略曰:"微之制行立言,□□□然當世,[1]搢紳尊之曰'庸齋先生'。日與女几辛愿、柳城姚樞、稷山張德直、太原元好問、南陽吳傑、洛西劉繪、淄川李國維、濟南杜仁傑、解梁劉好謙講貫古學,且以淑人。"是所交皆當代名士,而元、杜尤金末遺佚,則微之實元初逸民也。錢氏《補志》既考其生平,而仍編入元人,未是,爰訂正之。

易繫辭説

容城劉因夢吉撰。父述,壬辰北歸,刻意問學。元中統初劉肅辟武邑令,以疾辭。則述乃金之遺民也。因當元世,屢徵不起。朝廷亦不強致,稱爲不召之臣。年四十五卒。延祐中封容城郡公,謚文靖。初爲經學,究訓詁疏釋之説,輒嘆曰:"聖人精義,殆不止此。"及得周、程、張、邵、朱、呂之

---

① "□□□",《四庫全書》本程鉅夫《雪樓集》卷九作"穎"。

書,一見能發其微,曰:"我固謂當有是也。"嘗愛諸葛孔明
靜以修身之説,表所居曰'靜修'。《元史》本傳:"因所著
有《四書精要》三十卷、詩五卷,號《丁亥集》,因所自選。
又有文集十餘卷及小學、四書語録,皆門生故友所録。惟
《易繫辭説》乃因病中親筆云。"顧自來著録家,皆編列元
人,不知因從祖國寶嘗登興定進士第,官終樞密院經歷,其
父又守志不事,則因當入金爲是。近見莫子偲《經眼録·
靜修先生文集》題金劉因撰。今從其例,並以《四書精要》
諸書俱載于金,而坿其説于此。

右易

尚書無逸直解

趙秉文撰。《歸潛志》:"正大初,末帝鋭于政,朝議置益政院
官,院居宮中,選一時宿望有學者如楊學士雲翼、史修撰公
變、呂待制造數人兼之,輪直。每日朝罷,侍上講《尚書》、《貞
觀政要》數篇。"元好問《閑閑公墓銘》:"今天子即位,公以上
嗣德在初,當日親經史,以自裨益,進《無逸直解》、《貞觀政要
申鑒》各一通。"則此書秉文在哀宗正大初年所作。其《自序》
曰:"伏觀自古忠之大者,未有若周公者也。以成王年幼,恐
其怠荒,作《無逸》一篇,以申勸戒。舉殷三賢王及周文王,皆
以憂勤得壽考之福,其意欲使祚允長遠。又欲其君憂勤無
逸,頤愛精神,壽考無窮,以致成王享國長久,刑錯四十年而
不用,至今稱爲賢王之首。此皆周公篤實愛君之力也。其後
唐明皇時,宋相獻《無逸圖》,帝列爲屏風,置之左右。穆帝
時,崔植又請以《無逸》爲元龜。然則《無逸》一篇,周公之所以
啓其君,後世之所以開陳善道,匡其君以盡君道,而即以效臣
職者。取法乎是,不費辭説,引而伸之,莫有過于是,而後知

其道之廣且遠也。至于婉轉曲諭,務盡其心,抑揚辭氣之間,其爲文也至矣。萬世而下,奉爲龜鑑,不亦宜乎?臣某蒙國之厚恩,愧無以圖報于萬一,謹依注疏,乃撰《無逸直解》,因以獻,仰祝無疆。"文見《滏水集》。

尚書要略

待制吕造子成撰。書于正大四年八月萬年節進,見《金史·哀宗紀》。王鶚《汝南遺事·總論》注:"正大五年設益政院,①取獻替有益于政之義。以翰林學士楊雲翼、直學士完顔素蘭、蒲察世達、裴滿阿虎帶、待制史公奕、吕造六人充院官。日以二員直官,或二日,或三日,或四日,或五日,進講《尚書》、《貞觀政要》、《資治通鑑》。"又云:"子成,承安二年詞賦狀元。"考子成,《金史》無傳,其可見者如此。

尚書義粹三卷

翰林學士藁城王若虛從之撰。若虛,承安二年經義進士。崔立之變,羣小爲立起功德碑,以都堂命召從之,從之外若遜辭,而實欲以死守之,時議稱焉。北渡後,居鄉里。癸卯三月登泰山,憩黃峴峰之萃美亭,談笑而化,時年七十。《中州集》云:"自從之歿,經學、史學、文章、人物公論遂絕。"其書元好問作《墓表》、《金史》本傳皆不載,今據《補元史藝文志》、《補遼金元藝文志》著錄。

右書

周禮辨一篇

楊雲翼撰,見元好問《神道碑》。

大學解

趙秉文撰。此書元好問《墓銘》、《中州集》、《金史》本傳均未言。《中州啓劄》載《與楊煥然書》:"《孟子解》先寄去,《中庸》、《大學》相次了里,續當寄呈。"是秉文于《孟子》、《中庸》外,並爲《大學》作解矣。

中庸説一卷

趙秉文撰。考《滏水集》有《中説》、《庸説》,又有《性道教説》、《誠説》、《和説》凡五篇,足觀其崖略。其于《庸説》篇,吕氏論之詳矣,注見《中庸解》。《中州啓劄》載《與楊煥然書》別一通云:"《論語》及《中庸》未有紙印,卽續當寄去。"則《中庸解》自有專書也。元好問《墓銘》稱之。

中庸集解一卷

弘州李純甫之純撰。承安二年進士,仕至尚書右司都事,自號屏山居士。《金史》入《文藝傳》。《歸潛志》云:"又有《中庸集解》、《鳴道集解》,號爲'中國心學、西方文教',數十萬言。"

律吕律曆禮樂雜志三十卷

信安杜瑛文玉撰。父時昇,《金史》列《隱逸傳》。金將亡,瑛避地河南緱氏山中,時兵後,文物彫喪,瑛搜訪諸書讀之,究其指趣,間關轉徙,教授汾、晋間。元世祖召見問計,謂可大用,命從行,以疾弗果。中統初,張文謙奏爲提舉學校官,又辭。杜門著書,不以窮通得喪動其志,優游道藝,以終其身。年七十,遺命其子曰:"吾卽死,當表吾墓曰'緱山杜處士'。"則其抗節不仕,固金之遺老也。《元史》入之《隱逸傳》,宜矣。嘗見《畿輔通志》厠諸金人,故今取其著述分編本志。本傳云:"其于律則究其始,研其義,長短清濁,周徑積實,各以類分,取經史之説以實之。"是瑛真深于樂律者也。

右禮樂

春秋紀詠三十卷

宇文虛中撰。見《宋史·藝文志》。

左氏賦一篇

楊雲翼撰。見元好問《神道碑》。

屏山杜氏春秋遺説

李純甫撰。案,此書《中州集》、《金史》本傳不載。據《補遼金元藝文志》有敬鉉《續屏山杜氏春秋遺説》八卷。則純甫先有是書,而鉉遂賡續之耳。鉉,字鼎臣,《元史》無傳,其人在金時與元好問爲同年,故《遺山集》有贈鼎臣詩。考《歸潛志》:"純甫初爲詞賦學,後讀《左氏春秋》,大愛之。"又云:"爲文法莊周、左氏,故其詞雄奇簡古。"知純甫長于《左氏傳》矣。

春秋握奇圖一卷

盱江利爕孫士貴撰。見《續文獻通考》。爕孫有《自序》,其略云:"《握奇圖》者,春秋家之學也。二百四十二年而該之萬八千言,編年以爲經,而列五伯内外諸侯以緯之。縱取則年與事類,衡切則國之本末具在,乃各叙事略于其後,一覽而思過半矣。"《提要》謂:"據其所言,則此書在于年表。今年表散佚,衹存其論,已非爕孫著書之本旨。"

春秋地理源委十卷

杜瑛撰。見《元史》本傳。

右春秋

孝經傳

汴人白賁撰。自號決壽老。《中州集》云:"自上世以來,至其孫淵,俱以經學顯。"又録其詩一首,詩《小引》云:"客有求觀予《孝經傳》者,感而賦詩。"故取以備一家。中有句云:"君看六藝學,天葩吐奇芬。《詩》、《書》分體製,禮、樂造乾坤。千

歧更萬轍，要以一理存。如何臻至理？當從踐履論。"知貴于
《孝經》能識其爲六經總滙矣。

右孝經

删集論語解十卷

趙秉文撰。見元好問《墓銘》。

論語辨惑五卷

王若虚撰。若虚所著書，今存者有《滹南遺老集》，凡《五經辨
惑》以下，皆載集中。然鮑廷博刻《知不足齋叢書》有《滹南詩
話》一卷，則諸書自可單行。今援其例，分列各類，以爲著録。
其《自序》曰："解《論語》者不知其幾家，義略備矣。然舊説多
失之不及，而新説每傷于太過。夫聖人之言，[①]或不盡于言，
亦不外乎言也。不盡于言而執其言以求之，宜其失之不及
也；不外乎言而雜其言以求之，[②]宜其傷于太過也；盍亦揆以
人情而約之中道乎？嘗謂宋儒之議論不爲無功，而亦不能無
罪焉。彼其推明心術之微，剖析義利之辨，而斟酌時中之權，
委曲疏通，多先儒之所未到，斯固有功矣。至于消息過深，揄
揚過侈，以爲句句必涵養氣象，而事事皆關造化，將以尊聖人
而不免反累，名爲排異端，而實流于其中，亦豈爲無罪也哉？
至于謝顯道、張子韶之徒，迂談浮夸，往往令人發笑，噫！其
甚矣。永嘉葉氏曰：'今世學者，以性爲不可不言，命爲不可
不知，凡六經孔子之書，無不牽合其論，而上下其詞，精深微
妙，茫然不可測識，而聖賢之實猶未著也。昔人之淺，不求之
于心也；今世之妙，不止之于心也。不求于心，不止于心，皆

---

① "言"，《四庫全書》本《滹南集》卷三作"意"。
② "雜"，《四庫全書》本《滹南集》卷三作"離"。

非所以至聖賢者。'可謂切中其病矣。晦庵删取衆説，最號簡當，然尚有不安及未盡者。竊不自揆，嘗以所見正其失而補其遺，凡若干章。非敢以傳世也，姑爲吾家童蒙之訓云。"文卽見本集。

論語旁通二卷

杜瑛撰。載《元史》本傳。

右論語

删集孟子解十卷

趙秉文撰。見元好問《墓銘》。

刺刺孟一卷

劉章撰。章，《金史》無傳。今見《補三史》、《補遼金元》、《補元史》諸志。

孟子辨惑一卷

王若虛撰。案，此與《論語辨惑》，《補元史藝文志》亦分入論孟類。觀此，則《滹南集》中《史記》、《唐書》諸《辨惑》正當別出，以類相從矣。

語孟旁通八卷

杜瑛撰。案，是書《補元史藝文志》入經解類，今從《補遼金元藝文志》。

右孟子

六經考

茌平馬定國子卿撰。定國，《金史》入《文藝傳》。此書本傳與《中州集》皆不載，今見《補遼金元》、《補元史》兩志。

五經辨惑二卷

王若虛撰。《補遼金元藝文志》于經解類入《經史辨惑》四十卷,殊未合。其四十卷中並有《文辨》、《詩話》,豈亦釋經之書耶?《説文叙》云:"分別部居,不相雜厠。"故今但取此二卷云。《補元史藝文志》不誤。

四書辨惑一卷

王若虛撰。案,《滹南集》于四書中止有《論》、《孟》二種,今《補遼金元》、《補元史》兩志俱列此目,當必有據。"辨惑",《補遼金元藝文志》作"辨疑"。將所見如此,世别有單行本耶?

四書集注説

王若虛撰。《提要》引蘇天爵《安熙行狀》云:"國初有傳《朱子集注》至北方者,滹南王公雅以辨博自負,爲説非之。"

四書精要三十卷

劉因撰。見《元史》本傳。《補遼金元》、《補元史》兩志均作《四書集義精要》。

四書語録

劉因撰,亦見《史》本傳。

右經解

字書

完顏希尹撰。《金史》本傳:"金人初無文字,國勢日强,與鄰國交好,廼用契丹字。太祖命希尹撰本國字,備制度。希尹乃依倣漢人楷字,因契丹字制度,合本國語,製女直字。天輔三年八月,《字書》成,太祖大悦。命頒行之。"

女直小字

熙宗撰。《史·希尹傳》:"熙宗亦製女直字,與希尹所製字俱行用。希尹所撰,謂之女直大字,熙宗所撰,謂之小字。"《補三史藝文志》亦以爲希尹撰,未是。

鐘鼎集韻

翰林學士承旨奉符党懷英世傑撰。懷英，大定十年進士，篆籀入神，李陽冰後一人。《元文類》載熊朋來《鐘鼎篆韻序》："臨江楊信父參訂舊字，博采金石奇古之蹟，益以奉符党氏。"[1]馮子振《增廣鐘鼎篆韻序》："楊鉤著《增廣鐘鼎篆韵》七卷。政和中，王楚作《鐘鼎篆韵》一卷，薛尚功廣之為七卷。鉤又博采金石奇古之迹，益以党世傑《集韻》，補所未備。"則此書在元猶見之。

次韻蒙求

平陽王琢器之撰。琢，酷嗜讀書，往往手自抄寫。所著《蒙求》，《中州集》未載。元好問《十七史蒙求序》："詩家以次韻相夸尚，以《蒙求》韻語也，故姑汾王琢又有《次韻蒙求》出焉。"爰據以著録云。

大定重較類篇十五冊

無撰人，見《補元史藝文志》。

四聲篇海十五卷

松水韓孝彥允中撰，見《續文獻通考》。《補遼金元》、《補元史》兩志皆作《五音篇》。

重編改併五音篇海十五卷

韓道昭伯輝撰。道昭為孝彥次子。明王世貞《讀書後》曰："《改併五音篇》者，金老儒韓孝彥允中病古集字之未精，因改《玉篇》歸于五音，逐三十六母之中取字。而次子道昭復與其子德恩、猶子德惠、壻王德珪增訂之加詳焉。"則道昭輩取孝彥《篇海》而成之耳。書成于章宗泰和八年，有孝彥姪韓道昇為之序。其《序》曰："夫篇韻者，自古文章士常用者也。韻乃

---

[1]　"党氏"後，《四庫全書》本《元文類》卷三十三有"韻"字。

羣經之祖，篇由衆字之基。故有聲無形者，隨韻而準知；有體無聲者，依篇而的見。據兹篇韻，爲其副正。至于修書取義，豈可斯須而離也。自梁大同間黃門侍郎顧野王肇修《玉篇》，立成三十卷，計五百四十二部。雖區別偏傍，而音義、釋文蔑然不載，失于擇而不精、缺而不備。至唐處士孫强增加字數，理尚未周，但依前賢底蘊而已。故《集韻》、《省篇》、《川篇》、《類篇》雜沓而興。其取字加損，各擅其能。又至大朝甲辰歲，先有後陽王公與祕詳等，以人推而廣之，以爲《篇海》。分其畫段，使學人取而有準。其間疏駁，亦以頗多。復至明昌丙辰，有真定將校元注指玄。韓公先生孝彦，字允中，著其古法，未盡其理，特將己見，刱立門庭，改《玉篇》歸于五音，逐三十六母之中取字，最爲絕妙。此法新行，驚儒駭衆，難哉！自古迄今，無以加于斯法者也。又至泰和戊辰，有先生次男韓道昭，字伯暉，搜尋旨範，考校前規。然觀五音之篇，美即是美，未盡其詳，明之部目，尚亦文繁。只如'誩吅'之部，言、口同倫；'虤㸦'之形，虎、爻一類。本是一宗形質，何須各立其門。故以再行規矩，改併增析，詳其理，察其源，皆前賢之所未至，使後人之所指漏者焉。今特將'叩、品'隨'口'併入于溪，再定'催、鱻'依佳，總歸于照。'麤'隨'鹿'走，'羴'從'羊'行，余即隨他人類，奏形送白天庭。背篇隱注，覘篇傍散在諸門；十五單身，覷頭尾布于衆部。添減筆俗傳之字，少約二千；續搜真玉鏡之集，多迭一萬。取《周易》三百八十四爻，六十甲子，二數相合，改併作四百四十四部，方成規式者也。仍依五音四聲，舊時畫段，分爲一十五卷，取叙目爲初見，祖金部爲首，至日母自部方終。比于五音舊本，增加字數，計一萬二千三百四十五言，目之曰《五音增改併類聚四聲篇》，不亦宜乎？觀之上件，韓伯暉改併之能者，如明鏡之中照物，令久習之者不厭，好事之者無疑。酷似久居暗室，豁然而覩明焉；往者披雲，倏忽而觀日矣。僕因覽之，固無暫捨。興然爲序，以冠篇首。"據此則原書命名本爲《五音增改併類聚四聲篇》矣。

改併五音集韻十五卷

韓道昭撰。道昭《自序》曰："聲韻之學，其來尚矣。書契既造，文籍乃生。然訓解之士，猶多闕焉。迄于隋、唐，斯有陸生、長孫之徒詞學過人，聞見甚博。于是同劉臻輩探賾索隱，鉤深致遠，取古之所有、今之所記者，定爲《切韻》五卷，析爲十策。夫"切韻"者，蓋以上切下韻，合而翻之，因爲號以爲名。而《字統》、《字林》、《韻集》、《韻略》不足比也。議者猶謂注有差錯，文復漏誤，若無刊正，何以討論，則《唐韻》所以修焉。採摭羣言，撮其樞要，六經之文，自爾煥然，九流之學，在所不廢。古人之用心爲何如哉！[①] 嘗謂以文學爲事者，必以聲韻爲心；以聲韻爲心者，必以五音爲本。則字母次第，其可忽乎？故先覺之士，其論辨至詳，推求至明，著書立言，蔑無以加。然愚不揆度，欲修飾萬分之一。是故引諸經訓，正諸訛舛，陳其字母，序其等第。以見母牙音爲首，終于來、日字，廣大悉備，靡有或遺。始終有倫，先後有別，一有如指諸掌。庶幾有補于初學，未敢併期于達者。已前印行音韻，既增加三千餘字。兹韻也，方之于此，又以'龍龕'訓字，增加五千餘字焉。是以再命良工，謹鏤佳板。學者觀之，目擊而道存。時崇慶元年歲在壬申長至日序。"[②] 又有韓道昇一《序》，爲同時作。其《序》曰："夫聲韻之術，其來尚

---

① "何如"，《續修四庫全書》本《金文最》卷二十一作"如何"。

② "在"，《續修四庫全書》本《金文最》卷二十一作"次"。

矣。證羣經之義訓，別使字之因由，辨五音之輕重，論四聲之清濁。至于天地之始，日月運行，星辰名號，人間姓氏，山川草木，水陸魚蟲，飛禽走獸，四方呼吸，全憑字樣，豈可離于聲韻哉！[1] 嘗聞古者，陸詞䎮本劉臻等八人，隋朝進韻，抱賞歸家，人皆稱歡。流通于世，豈不重與？又至大金皇統年間，有洨川荊璞，字彥實，[2]善達聲韻幽微，博覽羣書奧旨，特將三十六母添入韻中，隨母取切，致使學流取之易也。詳而有的，檢而無謬，美卽美矣，未盡其善也。復至泰和戊辰，有吾弟韓道昭，字伯輝，廼先叔之次子也。先叔者，諱孝彥，字允中。況于聲韻之中，最爲得意，注疏指玄之論，撰集澄鑑之圖，述門法《滿庭芳》詞，作《切韻》指迷之頌，鏤板通行，其名遠矣。今卽重編改併五音之篇，曁諸門友，精加衆字，得其旨趣，標名于世也。又見韻中古法繁雜，取之體計。同聲同韻，兩處安排；一母一音，方知改併。[3] 卻想舊時先、宣一類，移、齊同音，薛、雪相親。舉斯爲例，只如山刪、獮銑、豏檻、庚耕、支脂之本是一家，怪、卦、夬何分三類。開合無異，等第俱同，姓例非差，故云可併。今將幽隨尤隊，添入鹽叢，臻歸真內沉埋，嚴向凡中隱匿，覃、談共住，笑、嘯同居。如弟兄啓户皆逢，若姪叔開門總見。增添俗字，廣改正違，門多依開合、等第之聲音，棄一母復張之切脚。使初學檢閱無遺，[4]令後進披尋有準。僕因覽之，筆舌難盡。爲吾弟伯暉篇韻之中，有出俗之藝業，貫世之才能。喜之讚之，美之歎之，興然爲序，以表同流好事者矣。"考崇慶爲衛紹王年號，

---

① "聲韻"後，《續修四庫全書》本《金文最》卷二十一有"者"字。

② 實，《續修四庫全書》本《金文最》卷二十一作"賽"。

③ "改"，《續修四庫全書》本《金文最》卷二十一作"敢"。

④ "遺"，《續修四庫全書》本《金文最》卷二十一作"移"。

壬申者,其元年也。

增注禮部韻略

平水王文郁撰。有許古道真《序文》曰:“科舉之設久矣。詩賦取人,自隋唐始。厥初公于心,至陳書于庭,聽舉子檢閱之。及世變風移,公于法以防其弊,糊名考校,取一日之長,而韻得入場屋。比年以來,主文者避嫌疑,略選舉之體,或點畫之錯,輕爲黜退,錯則誤也。誤而黜之,與選者亦不光矣。近平水書籍王文郁攜新韻見頤庵老人曰:‘稔聞先禮部韻,或譏其嚴且簡,今私韻歲久又無善本。文郁累年留意,隨方見學士大夫,精加校讐,又少添注語,既詳且當,不遠數百里,敬求韻引。’僕嘗披覽,貴于舊本遠矣。僕略言之。”案,是書有元刻本,名《平水新刊韻略》,見《儀顧堂題跋》。今據許《序》以立斯目。至道真爲當時直臣,與陳規齊譽,其卒時年七十四,在哀宗正大七年。此《序》作于六年季夏,然則書有金槧也。

草書韻會

張天錫撰。明趙崡《石墨鐫華》載趙秉文《序》云:“徘徊閒雅之容,飛走流注之勢,驚竦峭拔之氣,卓犖跌宕之志。矯若游龍,疾若驚蛇。似邪而復直,欲斷而還連。千態萬狀,不可端倪。亦閒中之一樂也。”其文不載《滏水集》,可録以補遺。若《補元史藝文志》著《草韻》十册,題張天錫、趙昌世同撰,当别有依據矣。

韻類節事

汾州教授洪洞鄭昌時仲康撰。见《補元史藝文志》。至《補遼金元藝文志》则入子部類書。此等著述,正可援《漢志》例,彼此不妨互見也。

漢隸分韻七卷

馬居易撰。《儀顧堂題跋》："《宋史·藝文志》有馬居易《漢隸分韻》七卷，則此書乃居易所著也。《分韻》與大定六年王文郁《平水韻》略同，不用《禮部韻略》，則居易當是金人，非宋人。"

小學語録

劉因撰。

右小學

史　部

始祖以下十帝實録三卷

金源郡王完顔勗勉道撰。勗，穆宗第五子，好學問，國人呼爲秀才。太宗天會六年，詔書求訪祖宗遺事，以備國史，命勗與耶律迪越掌之。勗採摭遺言舊事，自始祖以下十帝，綜爲三卷。凡部族，既曰某部，復曰某水之某，又曰某鄉某村，以別識之。凡與契丹往來，及征伐諸部，其間詐謀詭計，一無所隱。事有詳有略，咸得其實。書成于皇統元年，事載《金史》本傳。明陳第連江《世善堂書目》有《金實録抄》三本，則勗所著在明時猶見完帙也。

太祖實録二十卷

完顔勗撰。《金史》本傳："八年，奏上《太祖實録》二十卷。"所謂八年者，即熙宗皇統八年也。乃《熙宗紀》又于皇統八年云："宗弼進《太宗實録》。"紀傳不合，當以本傳爲正。據《宗弼傳》，弼于皇統八年薨，並全傳不記進《實録》事，則《本紀》誤矣。案，厲鶚《遼史拾遺》云："《金太祖實録》曰：'太祖先爲完顔部人，以遼天慶五年建國，曰遼以鑌鐵爲國號。鑌鐵雖堅，終有銷壞，唯金一色，最爲珍寶，自今本國可號大金。'"若然，則《實錄》一書，屬氏猶及見之。惟首列《鈔撮羣書目録》則不注撰人。

太宗實録

右丞相監修國史紇石烈良弼撰。據《金史》本傳云："《太宗實録》成，同修國史張景仁、曹望之、劉仲淵以下賜有差。"是張、曹諸臣與良弼同修《實録》者也。時爲世宗大定七年。

熙宗實録

吏部侍郎大定鄭子聃景純撰。見《補三史藝文志》。子聃，《金史》入《文藝傳》。此書本傳不載，《補元史藝文志》亦無撰人。

海陵實録

鄭子聃撰。《金史》本傳："上曰：'修《海陵實録》，知其詳無如子聃者。'蓋以史事專責之也。"

睿宗實録

紇石烈良弼撰。大定十一年進。

世宗實録

尚書左丞完顏匡撰。匡，始祖九世孫，明昌四年進。

章宗實録一百卷事目二十卷

趙秉文撰。《金史·宣宗紀》："興定元年冬，命高汝礪、張行簡修《章宗實録》。"秉文本傳："興定元年，同修國史。"秉文有《表》見《滏水集》，今録之于此。《表》曰："臣秉文等言：伏以唐、虞之際有典謨，茂彰洪烈；文、武之政在方策，迄爲顯。[①]自昔人君，必存史籍，既有其豐隆顯懿之德，亦賴夫温醇深潤之文。鋪張對天之洪休，揚厲光前之偉蹟。然後事辭不苟，

---

① "顯"後，《四庫全書》本《滏水集》卷十有"王"字。

聲實相當。伏以章宗皇帝聖敬日躋，聰明時乂，光贇大業，祇述先猷。稟大有爲之資，千古挺出；行不忍人之政，朞年有成。發廩粟以賑貧窮，置外臺以審刑獄。罷征斂于即日，減租稅者累年。敦勸農桑，裁定制度。孝承祖廟，欵謁天壇。秩曠古之無文，定國朝之大禮。生徒徧學校，冠葢環橋門。焕乎之文，足以藻飾百度；赫然之怒，足以震疊萬方。始以殷高之明，鬼方肆伐；終然宣后之烈，淮夷來徐。故得挈宋增幣以乞盟，阻韄革心而效順。西服銀夏，東撫辰韓。歲時相望，琛寶入貢。由是蒸爲瑞氣，散爲祥風，神鳳來翔，寶鼎出現，野蠶成繭，嘉穀旅生。至于奎璧之文，河洛之畫，日月出矣，光其不亦難乎？江漢濯之，皜乎不可尚已。尚卻徽稱而不受，愈彰聖德之難名。二十年間，鼓舞太和之治；億萬世後，光華惇史之書。況夫良將之遠籌，賢相之婉畫，所表忠臣節婦，所舉異行茂才，本兵興賦之煩，生齒版圖之數，所宜具載，以示方來。欽惟皇帝陛下，貪紹燕謀，思光前烈，謂信書之未畢，恐遺美之不昭。深詔儒臣，詳爲實錄。往在東海之際，已抽中祕之書，蹉此編年，俾之載筆。屬典策之未上，值敵寇之不虞。師旅繹騷，篇帙散逸。欽承聖訓，復命編摩，徧閱官滕，曲加搜訪。然而《起居注》有所未備，《行止録》有所未詳。或捃摭于案牘之餘，或採拾于見聞之際。載之行事，誠咸五而登三；及此成書，懼挂一而漏萬。臣等所編成《章宗皇帝實録》一百卷，並《事目》二十卷，總計一百二十卷。繕寫了畢，謹具進呈狀。伏聖慈，曲垂省覽。① 臣文章曖昧，學術空疎。遺美不彰，雖乏三長之妙；直辭無愧，庶伸一得之愚。"

章宗實録

---

① "伏"後，《四庫全書》本《滏水集》卷十有"望"字。

王若虛撰。元好問《墓表》："哀宗正大初,章宗、宣宗實録成,遷平涼府判官。"

衛王事迹

無撰人。《補元史藝文志》:"蘇天爵謂《衛王實録》竟不及爲。"

宣宗實録

王若虛撰。據《金史·哀宗紀》于正大五年十一月進。

右國史

南北史志三十卷

真定蔡珪正甫撰。珪,松年子,天德三年進士,辨博爲天下第一,朝廷稽古補禮文之事,取其議論爲多。此書合沈約、蕭子顯、魏收、宋、齊、魏志作。《中州集》作《補南北史志書》六十卷。珪,《金史》列《文藝傳》。

遼史七十五卷

尚書左丞蕭永祺景純撰。《金史·文藝傳》:"少好學,通契丹大小字,耶律固奉詔譯書,辟置門下,盡傳其學。固作《遼史》未成,永祺繼之,作紀三十卷,志五卷,傳四十卷,上之。"

遼史

陳大任撰。《金史·蕭貢傳》:"與陳大任刊修《遼史》。"又《文藝傳·党懷英傳》:"懷英致仕後,章宗詔直學士陳大任繼成《遼史》。"

史記注一百卷

户部尚書咸陽蕭貢貞卿撰。貢,大定二十二年進士。此書見《金史》本傳、《中州集》。《歸潛志》云:"公博學,嘗注《史記》,又著《蕭氏公論》數萬言。"

史記辨惑十一卷

王若虚撰。其書首二卷爲採摭之誤，三卷爲取舍不當，四卷爲議論不當，五卷爲文勢不相承接，六卷爲姓名冗複，七卷爲字語冗複，八卷爲重疊載事，九卷爲疑誤，十卷爲用而字多不安，十一卷爲雜辨。補三史諸志均不著録。余據《五經辨惑》、《滹南詩話》例，别出于此。其下諸史，《唐書》亦其旨焉。元盛如梓《庶齋老學叢談》云："《史記》初看，竊怪語多重複，事多夸誕。及看子由《古史》，删除簡當，固爲奇特。然稱太史公爲人淺近而不學，疏略而輕信，又怪其貶之太過，况是時書籍未備，諸子雜行，有未暇詳考。其易編年而爲紀傳，其法一本于書，後世莫能易。① 洪容齋云：'《太史公書》若襃贊其高古簡妙，殆是模寫日星之光輝，多見其不知量。近年得滹南《經史辨惑》，論《史記》者十一卷，採摭之誤若干，取舍不當若干，議論不當若干，姓名字語冗複若干，文勢不接若干，重疊載事若干，指瑕摘疵，略不少恕，且有'遷之罪不容誅矣'之辭。吁！太史公初意豈期如此？可哀也已。'洪則專取其長，王則專攻其短，人之好惡不同。"案，如盛説，蓋其不滿于若虚者。然其持之有故，言之成理，卓識精論若此，乃能不爲古人所拘也。孟子曰"盡信書則不如無書"，于若虚見之矣。

諸史辨惑二卷

王若虚撰。自《史》、《漢》、隋、唐以及五代《通鑑》，皆能正其謬誤。有兼訂注文者，如"賈誼言秦俗之弊云'其慈子嗜利，去禽獸亡幾'，以文勢觀之，慈子當是錯誤，顏氏强爲解釋，恐非也"是。有並論史體者，如"韓退之《驅鱷魚文》，若非佳作，史臣但書其事目足矣，而全録其辭，亦何必也"是。即此二説，可知其辨析之精，長于史學矣。

---

① 《四庫全書》本《庶齋老學叢談》卷上，"書"與"後世"互乙。

新唐書辨惑三卷

王若虛撰。書專攻子京而作。其首條曰："作史與他文不同,寧失之質,不可至于華靡而無實;寧失之繁,不可至于疏略而不盡。宋子京不識文章正理,而惟異之求,肆意雕鐫,無所顧忌,以至字語詭僻,殆不可讀。其事實則往往不明,或乖本意,自古史書之弊,未有如是之甚者。嗚呼!筆力如韓退之,而《順宗實錄》不愜眾論。或勸東坡重修《三國》,[①]而坡自謂非當行家,莫敢當也。以祁輩奇偏之口,而付之斯事,非其宜矣。"雖非序文,而論史之理與評子京之刻意求新,失其本事,語多扼要,實可作書敘觀矣。特錄出之,以存其崖略云。

右古史

續資治通鑑

楊雲翼、趙秉文撰。衛紹王大安元年編輯。《金史》但載之《雲翼傳》,言續《通鑑》若干卷。

龜鏡萬年錄

楊雲翼、趙秉文撰。《金史·哀宗紀》:"正大二年,詔趙秉文、楊雲翼作《龜鏡萬年錄》。"其書據雲翼本傳有《聖學》、《聖孝》之類,凡二十篇。《菉竹堂書目》有三冊,作《萬年龜鏡錄》,未言撰人。

興亡金鏡錄一百卷

禮部尚書沙溪傅慎微幾先撰。《金史》入《循吏傳》,謂慎微博學,喜著書,嘗奏《興亡金鏡錄》一百卷。《補遼金元藝文志》列編年類,今從之。《補三史藝文志》則次在雜史矣。其書明

---

① "國"後,《四庫全書》本《滹南集》卷二十二有"志"字。

時尚存，見《世善堂書目》。

歷年係事記

張特立撰，見《元史》。

右編年

征蒙記一卷

明威將軍登州刺史李大諒撰。陳振孫《直齋書録解題》："建炎鉅寇之子，隨其父成降金者也。所記家人跳梁，自其全盛時已不能制矣。"《世善堂書目》作《征蒙古記》。

南遷録一卷

著作郎張師顏撰。《書録解題》云："頃初見此書，疑非北人語，其間有曉然傅會者，或曰華岳所爲也。近叩之汴人張總管翼，則云歲月皆牴牾不合，益證其妄。"錢謙益《絳雲樓書目》入編年類，錢曾《述古堂書目》亦著録。

北遷録

中都路轉運使玉田王寂元老撰。寂，《金史》無傳。《中州集》："元老天德三年進士，興陵朝以文章政事顯，終于中都路轉運使。壽六十六，[①]諡文肅。有《拙軒集》、《北遷録》傳于世。"

甲寅通和録

太常卿濟南王繪質夫撰。天會二年進士。《中州集》有傳，此書不載。《提要》著録一卷，于甲寅上有"紹興"二字，稱宋王繪撰。然施國祁《史論互答》、王繪《甲寅通和録》載李聿興言："本朝制度，多是宇文相公所定，真所喜歡，時復支賜，宅

①　"六十六"，《四庫全書》本《中州集》卷二作"六十七"。

舍都滿。"宇文相公者,當謂宇文虛中也。則觀其所言似非宋
人矣。

君臣政要

楊雲翼、趙秉文撰。《歸潛志》:"楊公又與趙學士秉文共集自
古治術,分門類,號《君臣政要》,爲一編進之。"

貞觀政要申鑒

趙秉文撰。《滏水集》有《自序》一篇,録之于此。《序》曰:
"《書》曰:'與治同道,罔不興。'孫卿子曰:'欲知上世,審周
道,法後王是也。'近世帝王之明者,莫如唐文皇。天縱聖德,
文謀武略,高出近古,而又得房玄齡、杜如晦、魏徵、王珪、馬
周、虞世南、褚遂良、劉洎爲之輔佐。朝夕論思,日月獻納,無
非以畏天愛民、求賢納諫、安不忘危爲戒,故能功業若此巍巍
也。其後明皇初銳于治,用姚元崇、宋廣平、韓休之徒,至開
元三十年之太平。末年罷張九齡,用牛仙客、李林甫、楊國
忠,旋至天寶之亂。憲皇剛斷,初用杜黃裳、韋貫之、裴度,削
平僭亂,末年用皇甫鎛,而不克其終。治亂之效,于斯可見。
史臣吳兢纂集《貞觀政要》十卷,凡四十篇,爲之鑒戒。起自
《君道》,訖于《慎終》,豈無意哉?欽惟聖上聰明仁孝,超皇軼
帝,而猶孜孜治道,俯稽前訓,然一日萬幾,豈能徧覽?謹撮其
樞要,附以愚見,目之曰《貞觀政要申鑒》。文理鄙拙,無所發
明,特于鑒戒申重而已。昔張九齡因明皇千秋節進《金鏡録》,
以申諷諭。臣竊慕之,謹以聖壽萬年節繕寫獻上。雖爝火之
末,不足裨日月之光,區區之忱,獻芹而已。伏望略紆聖覽,不
勝幸甚,謹言。"

資暇録十五卷

趙秉文撰。見《遺山集》墓銘。此書《世善堂書目》載之,入野
史裨史雜史類。

初政録十五篇

大常卿濟南范拱清叔撰。《金史》有傳。拱深于《易》學,此書在廢齊時作,凡十五篇:一曰《得民》,二曰《命將》,三曰《簡禮》,四曰《納諫》,五曰《遠圖》,六曰《治亂》,七曰《舉賢》,八曰《守令》,九曰《延問》,十曰《畏慎》,十一曰《節祥瑞》,十二曰《戒雷同》,十三曰《用人》,十四曰《御將》,十五曰《御軍》。時劉豫鎮東,納其説而不能盡用。

中興事迹

翰林學士完顏𡞱撰。《補遼金元藝文志》入正史類。

大金國志四十卷

宇文懋昭撰。錢曾《讀書敏求記》:"宇文懋昭于端明元年表上所輯《大金國志》。[1] 懋昭竊禄金朝,爲淮西歸正人,宋改授永事郎工部架閣。[2] 其所載誓書下直書差康王出質,且詳列北遷宗族,等于獻俘,可謂無禮于其君至矣。敢于表上其書,而端平君臣竟漫至不省,[3]何也?"案,此書今有刊本,以錢氏竊禄金朝諸語,則其書固在金時作也,故目録家皆題爲金。

大遼古今録

無撰人。

大遼事蹟

無撰人。案,此與《古今録》二書,《補元史藝文志》云:"皆金時高麗所進。"

大金弔伐録四卷

---

① "端明",書目文獻出版社 1983 年點校本《讀書敏求記》卷第二作"端平"。
② "永事郎",書目文獻出版社 1983 年點校本《讀書敏求記》卷第二作"承事朗。"
③ "漫至",書目文獻出版社 1983 年點校本《讀書敏求記》卷第二作"漫置。"

無撰人。見《續文獻通考》。所記爲伐宋往來文檄、盟誓書，嘗見《守山閣叢書》有刻本，《菉竹堂書目》作二册。

煬王江上録一卷

無撰人。《續文獻通考》云：“是書所載皆金事，蓋金人所撰也。”余見湯運泰《金源紀事詩》引《江上録》云：“岐王亮弑主自立，改元德。① 内使梁漢臣本宋内侍，進曰：‘燕京自古霸國，虎視中原，爲萬世之基，陛下宜修燕京。’時復巡幸，遂納其言。差漢臣充修燕京大内正使，孔彦舟爲副使。自天德四年起，至貞元元年畢工，以燕京爲中都，擇日遷燕山府。”今以其書傳世絶稀，爰録此節，以存其概云。

壬辰雜編三卷

左司員外郎秀容元好問裕之撰。好問，別字遺山，興定五年進士。金亡不仕。晚年尤以著作自任。以金有天下，典章法度，幾及漢、唐。國亡史作，己所當任，構亭于家，著述其上，名曰“野史”。凡金源君臣，遺言往行，采摭所聞，有所得，輒以寸紙細字爲記録，至百餘萬言。惟《金史·文藝傳》此書止言若干卷，今據葉盛《菉竹堂書目》著録。考歐陽玄《圭齋集·送振先宗丈歸祖庭詩序》云：“近年奉詔修三史，一日于翰林故府擷金人遺書，得元遺山裕之手寫《壬辰雜編》一帙。”然則修《金史》者必取之是書矣。故本傳言纂修《金史》，多本其所著。

金源野史

元好問撰。案，本傳所謂“構亭于家，著述其上，因名曰‘野史’”，蓋言亭以野史爲名耳。《補三史藝文志》列此目，今據以著録，而垇辨之。

金源君臣言行録

① 此文亦見《四庫全書》本《欽定日下舊聞考》卷四，“改元”後，有“天”字。

元好問撰。郝經《陵川集・遺山先生墓銘》："爲《中州集》百餘卷，又爲《金源君臣言行録》，往來四方，采摭遺逸，有所得，輒以寸紙細字親爲記録，雖甚醉不忘于是。雜録近世事，至百餘萬言，捆束委積，塞屋數楹，名之曰'野史亭'，書未就而卒。"觀此，則此書非即《壬辰雜編》矣，故兩列之。

金國文具録

無撰人。見尤袤《遂初堂書目》雜史類。

北風揚沙録

無撰人。《補遼金元藝文志》云："記金國始末。"案，此書世無傳本，嘗見《遼史拾遺》載其文，未知是全書與否？顧其末言"本朝建隆二年，始遣使來貢方物、名馬、貂皮"。考建隆爲宋太祖年號，而又稱爲本朝，則似係宋人作。然《補遼金元藝文志》則坿金末，今從之。

天興墨淚

無撰人。見《補遼金元藝文志》，謂記金亡事。《補元史藝文志》入元代。案，此名爲墨淚，當是金末遺民，有感于天興之亡也。

右雜史

天德朝起居注

翰林待制宗叙修，在海陵天德三年。

世宗起居注

永定軍節度使華陰楊邦基德懋修，在大定七年時。同修者有紇石烈良弼、石琚、夾谷衡。案，邦基，《金史》有傳。天眷二年進士，好學，能屬文，善畫山水人物，尤以畫名當世。

章宗起居注

完顏守貞修。據《金史》本傳：“守貞與修起居注，張暐奏言：
‘唐中書門下入閣，諫官隨之，欲其預聞政事，有所開説。又
起居郎、起居舍人，每皇帝視朝，左右對立，有命則臨階俯聽，
退而書之，以爲起居注。緣侍從官每遇視朝，正合侍立。自
來左司上殿，諫官、修起居注不避，或侍從官除授及議便遣，
始令避之。比來一例令臣等廻避，及香閣奏陳言文字，亦不
令臣等侍立。則凡有聖訓及所議政事，臣等無緣得知，何所
記録，何所開説，似非本設官之義。若漏泄政事，自有不密
罪。’上從之。”如此，則其書若傳，必有可觀者矣。

右起居注

瑶山往鑒

平陽尹藁城楊伯雄希雲撰。伯雄，皇統二年進士。《金史》本
傳：“顯宗爲皇太子，選東宮官屬，張浩薦伯雄，起復少詹事，
集古太子賢不肖爲書，號《瑶山往鑒》，進之。”

皇制

太師張浩撰。《歸潛志》：“省吏，前朝止用胥吏，號堂後官。
金朝大定初，張太師浩制《皇制》，袒免親、宰執子試補外，雜
用進士。凡登第歷三任至縣令，以次召補充。一考，三十月
出得六品州倅。兩考，六十月得五品節度副使、留守判官，或
就選爲知除知案。由之以漸，得都事、左右司員外郎、郎中。
故仕進者以此途爲捷徑。如不爲省令史，即循資級，得五品
甚遲，故有‘節察令推何日了，鹽度户勾幾時休’之語。浩初
定制時，語人曰：‘省庭天下儀表，如用胥吏，定行貨賂混淆。
用進士，清源也。且進士受賕，如良家子女犯姦也；胥吏公
廉，如倡女守節也。’議者皆以爲當。屏山嘗爲余言之。”

大金集禮四十卷

無撰人。《續文獻通考》入故事類,云不著撰人名氏。黄虞稷《千頃堂書目》:"明昌六年禮部尚書張暐進。"考《金史·禮志序》:"故書之存,僅《集禮》若干卷,亦不詳作者姓氏。"《讀書敏求記》云:"首列太祖、太宗即位儀,諸凡朝家大典、輿服制度、禮文,莫不班班可考。嗟乎!杞宋無徵,子之所歎。金源有人,勒成一代掌故。後之考文者,宜依倣編集,以詔來葉。此書諸家目録俱不載,藏書家亦無有畜之者,尚是金人鈔本,撫卷有諸夏之亡之慨。"則錢氏固甚重其書矣。後何義門、黄蕘圃兩家,皆以鈔本著録,即遵王故物也。去歲有持目求售者,此書在焉。而其書竟未見,故止載錢氏之説,以存其大凡云。

四朝聖訓

楊廷秀撰。此書編類太祖、太宗、熙宗、世宗聖訓,在承安二年。《補三史藝文志》入雜史,《補遼金元藝文志》入國史,惟《補元史藝文志》則列故事類,今本之。

大定遺訓

翰林修撰大名史公奕季宏撰。公奕,大定二十八年進士,工書,有能名,自號歲寒堂主人。《中州集》有小傳,趙秉文爲作墓碑,見《滏水集》。此書與吕造《尚書要略》同進,蓋正大初嘗充益政院官也。

疊代世範

太常寺掌故張珍撰。其字未詳。《元史·禮樂志》注:"張珍所著《疊代世範》載金制:舞人服黑衫,皆四褋,有黄插口,左右垂之,黄綾抹帶,其衫以紬爲之,[①]胸背二答,兩肩二答,前後各一答,皆綵色,繡二鸞盤飛之狀,綴之于衫。冠以平冕,亦有天板、口圈,天門納言以紫絹摽背,銅裹邊圈,前後各五

① "紬",原誤作"袖",今據中華書局點校本《元史》卷七十一改"紬"。

疏，以青白硝石珠相間。”按，此節僅論樂舞服制，然其名爲《世範》，當全書皆言掌故也，今列之于此。《菉竹堂書目》有張珍《疊代世範纂要》二册。

士民須知

無撰人。《金史·百官志》“御史臺登聞檢院隸焉”注：“見《士民須知》。”又“正八品直長”注：“見《士民須知》。”又“令正七品丞從七品直長”注：“見《士民須知》。”凡三見。其書今不傳，脱脱等修史時必見之。《補元史藝文志》入故事類，《遂初堂書目》刑法類有《金國須知》，似即此書。

右故事

遼禮儀志

陳大任撰。見《補遼金元藝文志》。

禮例纂一百二十卷

禮部尚書日照張行簡敬甫撰。行簡，大定十九年進士。據本傳，此書凡會同、朝獻、祫禘、喪葬皆有記録。

大金儀禮

無撰人。見《補遼金元藝文志》，云“明昌六年禮部尚書張暐進”。案，此疑即《大金集禮》，然《補志》于是書下並列《大金集禮》，故亦存其目。

金纂修雜録四百餘卷

無撰人。《金史·禮志序》：“世宗既興，復收嚮所遷宋故禮器以旋，迺命官參校唐、宋故典沿革，開詳定所以議禮，設詳校所以審樂，統以宰相通學校術者，[①]于一事之宜適、一物之節文，既上聞而始彙次。至明昌初書成，凡四百餘卷，名曰《金

---

① “校”，中華書局點校本《金史》卷二十八無。

纂修雜録》。凡事物名數，支分派引，珠貫棋布，井然有序，炳然如丹。又圖吉、凶二儀，鹵簿十三節以備大葬，小鹵簿九節以備郊廟。而命尚書左右司、春官、兵曹、太常寺各掌一本，其意至深遠也。"

熙宗尊號册文

完顏勖撰。《補三史藝文志》入雜史類，未是。考《金史·禮志》，有《上尊謚儀》，則此當列儀注爲正。

宣宗哀册

翰林修撰磁州潘希孟仲明撰。《歸潛志》云："爲文條暢有法，《宣宗哀册》、《玉册》皆其筆也。"

宣宗玉册

潘希孟撰。

右儀注

天眷新官制

無撰人。《金史·選舉志》："自太宗天會十二年始法古立官，至天眷元年頒《新官制》。"

河南北官通注格

吏部尚書蕭頤撰。《金史·選舉志》："天德四年始以河南北選人並赴中京，吏部各置局銓注。又命吏部尚書蕭頤定《河南北官通注格》。"

換官格

無撰人。《金史·百官志》："熙宗頒《新官制》及《換官格》。"

大定官制

無撰人。見《金史·輿服志》。尤袤《遂初堂書目》職官類有《金國大定官制》。

百里指南一卷

趙秉文撰。此書元好問《墓銘》、《中州集》及《金史》本傳皆不載，惟見《菉竹堂書目》。今無傳本，以與《漢官儀》諸籍並入政書，故次之于此。

歷代登科記

省元絳州孫鎮安常撰。《中州集》云：“有《注東坡樂府》、《歷代登科記》行于世。”

登科記

東原李世弼撰。世弼《自序》曰：“道散而有六經，六經散而有子史。子史之是非，取證于六經，六經之折衷，必本諸道。道也者，通治之路，天下之理具焉，二帝三王所傳是已。三代而上，道見于事業，而不在于文章；三代而下，道寓于文章，而不純于事業。故鄉舉里選，取人之事業也；射策較藝，取人之文章也。兩漢以經術取士，六朝以薦舉得人，莫不稽舉于經、傳、子、史焉。隋合南北，始有科舉。自是盛于唐，增于宋，迄于金，又合遼、宋之法而潤色之，卒不以六藝爲致治之成法。進士之目名以鄉貢進士者，本周之鄉舉之遺意也；試之以賦義策論者，本漢射策之遺法也。金天會元年始設科舉，有詞賦，有經義，有同進士，有同三傳，有同學究，凡五等。詞賦于東、西兩京，或蔚、朔、平、顯等州，或涼廷試，試期不限定月日，試處亦不限定府州。詞賦之初，以經、傳、子、史內出題，次又令逐年改一經，亦許注內出題，以《書》、《詩》、《易》、《禮》、《春秋》爲次，蓋循遼舊也。至天眷三年，析津府試。迄及海陵天德三年，親試于上京。貞元二年，遷都于燕，自後止試于析津府。收遼、宋之後，正隆二年，以五經、三史正文內出題。明昌二年，改令羣經、子、史內出題，仍與本傳。此詞賦之大略也。經義之初，詔試真定府所放，號七十二賢榜，迄及蔚州、析津，令《易》、《書》、《詩》、《禮》、《春秋》專治一經內出題,蓋循宋舊也。天德三年,罷去經義及諸科,止以詞賦取人。明昌初,詔復興經義。此經義之大略也。天眷三年,令大河以南別開舉場,謂之南選。貞元二年,遷都于燕,遂合南北通試于燕。正隆二年,令每二年一次,開闢立定,程限月日,更不擇日,以定爲例。府試初分六路,次九路,後十路。此限定日月分格也。天德二年,詔舉人鄉、府、省、御四試中第。明昌三年,罷去御試,止三試中第,府試五人取一名,合試依大定間例,不過五百人。後以舉人漸多,會試四人取一名,得者常不下八九百人,御試取奏旨。此限定場數人數格也。自天眷二年析津放第,于廣陽門一僧寺門上唱名。[1] 至遷都後,命宣陽門上唱名,後爲定例。此唱名之格也。明昌初,五舉終場人直赴御試,不中者別作恩榜,賜同進士出身。會元御試不中者,令榜末安插,府元被黜者,許來舉直赴部。貞祐三年,[2]終場人年五十以上者,便行該恩。此該恩之格也。大定三年,孟宗獻四元登第,特授奉直大夫,第二、第三人授儒林郎,餘皆從仕郎,後不得爲例。明昌間,以及第者多,第一甲取五六人,狀元授一十一官,第二、第三人授九官,餘皆授三官。此授官之法也。進士第一任丞、簿、軍防判,第二任縣令。此除授之格也。近披閱金國登科顯官陞相位及名卿士大夫,間見迭出,代不乏人,所以翼贊百年。如大定、明昌五十餘載,朝野閒暇,時和歲豐,則輔相佐佑,所益居多,科舉亦無負于國家矣。是知科舉豈徒習其言說、誦其句讀、摛章繪句而已哉,篆刻雕蟲而已哉！固將率性修道,以人文化成天下。上則安富尊榮,下則孝悌忠信,而建萬世之長

---

① "門"後,《續修四庫全書》本《金文最》卷二十三有"西"字。
② "年"後,《續修四庫全書》本《金文最》卷二十三有"初"字。

策。科舉之功,不其大乎!國家所以稽古重道者,以六經載道,所以重科舉也;後世所以重科舉者,以維持六經能傳帝王之道也。科舉之功,不其大乎!庚子歲季秋朔日。"文載王惲《玉堂嘉話》。近張金吾云:"世弼,山東須城人,仕金爲教授,見《山東通志·選舉》。考庚子爲蒙古太宗十二年,彼時距金亡已七載,世弼仕元與否,固不可考。惟是篇述金科舉之制,較《金史》所載加詳。一代典章,瞭如指掌,不可謂非有用之文也,故亟錄之。"案,世弼在金官教授,而入元以後,其仕又無可考,並祇書庚子。或亦有慕于靖節詩文,僅題甲子也,爰編列于此。又案,《元史·李昶傳》:"父世弼,金貞祐三赴廷試不第,推恩授彭城簿。後復求試,中三甲第三人,遂不復仕。東平教授以卒。"則世弼此記正當入金矣。

承安庚申登科記

無撰人。李俊民《莊靖集》有跋一篇,謂"余閱《承安庚申登科記》三十三人後,獨與高平趙楠庭幹二人在"。所記者止經義榜,其首列俊民名者,知是歲俊民爲經義狀元也。

金國官制一卷

無撰人。見焦竑《國史經籍志》。《宋史·藝文志》作《金國明昌官制新格》一卷,云"不知何人撰"。

右職官

總格

無撰人。

金格

無撰人。以上二種見《金史·百官志》注。

皇統制

　　無撰人。

正隆續降制書

　　無撰人。

軍前權宜條理

　　無撰人。以上三種見《金史·刑志》。

金國刑統

　　無撰人。見尤袤《遂初堂書目》,《補元史藝文志》亦載之。

大定律例十二卷

　　大理卿移剌慥撰。

泰和新定律令敕條格式五十三卷

　　無撰人。泰和元年司空襄進。內《泰和律令》二十卷,《新定
　　敕條》三卷,《六部格式》三十卷。《菉竹堂書目》有《泰和律令
　　格式》三冊。

泰和律義三十卷

　　無撰人。見《金史·刑志》。《菉竹堂書目》作《泰和新定律
　　義》,題十六冊。

承安律義

　　無撰人。《補遼金元藝文志》注失名。

删注刑統賦

　　太原李祐之撰。見《補遼金元藝文志》。

右法制

節義事實

　　鄭昌時撰。見《補遼金元》、《補元史》兩志。

清臺記

　　張行簡撰。

皇華記

　　張行簡撰。

爲善記

　　張行簡撰。

自公記

　　張行簡撰。以上四種見《金史》本傳。

章宗飛龍記

　　無撰人。《歸潛志》："章宗天資聰悟,詩詞多有可稱者。《宮中絶句》云:'五雲金碧拱朝霞,樓閣崝嶸帝子家。三十六宮簾盡捲,東風無處不揚花。'真帝王詩也。《命翰林待制朱瀾侍夜飲詩》云:[①]'夜飲何所樂,所樂無喧嘩。三杯淡醲醁,一曲冷琵琶。坐久香成穗,夜深燈欲花。陶陶復陶陶,醉鄉豈有涯?'《聚骨扇詞》云:'幾股湘江龍骨瘦,巧樣翻騰,疊作湘波皺。金縷小鈿花草鬪,翠條更結同心扣。金殿日長承宴久,招來暫喜清風透。忽聽傳宣須急奏,輕輕褪入香羅袖。'又《擘橙爲軟金盃詞》云:'風流紫府郎,痛飲烏紗岸。柔軟九回腸,冷怯玻璨盌。纖纖白玉葱,分破黃金彈。借得洞庭春,飛上桃花面。'嘗爲《鐵券行》數十韻,筆力甚雄。又有《送張建致仕歸》、《弔王庭筠下世》詩,具載《飛龍記》中。"案,此所錄雖僅詩詞,然全書體例,當不若是。今備引之,覽者可以得其大凡矣。

金元勳傳十卷

　　鳳翔府判相人韓玉温甫撰。見《世善堂書目》。玉,明昌五年經義、詞賦兩科進士,入翰林爲應奉應制。一日百篇,文不加點。所作《元勳傳》,章宗嘆曰:"勳臣何幸得此家作傳耶?"事詳《金史》本傳。

王子小傳

---

　　①　"制"字,據《四庫全書》本《歸潛志》卷補。

大興王鬱飛伯撰。載《歸潛志》、《金史》本傳。

屏山故人外傳

李純甫撰。見《中州集》。于《王庭筠傳》引云："子端，世家子，風流醞藉，冕冠一時。爲人眉目如畫，美談笑，俯仰可觀。外視若簡貴，人初不敢與接，一見之後，和氣津津，溢于衡宇間。又其折節下士，如恐不及，苟有可取，極口稱道之，故人人恨相見之晚也。"于《周昂傳》引云："德卿以孝友聞，又喜名節，藹然仁義人也。學術醇正，文筆高雅，以杜子美、韓退之爲法，諸儒皆師尊之。既歷臺省，爲人所擠，竟坐詩得罪，謫東海上十數年。始入翰林，言事愈切，出佐三司，非所好。從宗室承裕軍，承裕失利，跳走上谷，衆欲逕歸，德卿獨不可。城陷，與其從子嗣明同死于難。嗣明，字晦之，短少精悍，有古俠士風。年未三十，交游半天下。識高而志大，善談論，而中節作詩，喜簡澹，樂府尤温麗。最長于義理之學，下筆數千言，初不見其所從來。試于府、于禮部，俱第一擢第。主淶水簿，從其叔北征得還，而不忍去。使晦之不死，文字不及其叔，而理性當過之。嘗謂學不至邵康節、程伊川，非儒者也。"于《劉昂傳》云："昂天資警悟，律賦自成一家，輕便巧麗，爲場屋捷法。作詩得晚唐體，尤工絕句，往往膾炙人口。張秦娥者，頗能小詩，其賦《遠山》云：'秋水一抹碧，殘霞幾縷紅。水窮霞盡處，隱隱兩三峰。'其後流落之，昂贈詩云：'遠山句好畫難成，柳眼才多總是情。今日衰顏人不識，倚爐空聽煑茶聲。'又云：'二頃山田半欲蕪，子孫零落一身孤。寒窗昨夜蕭蕭雨，紅日花梢入夢無。'娥爲之泣下。《屏山故人外傳》記之。"于《劉中傳》引云："正夫爲人，短小精悍，滑稽玩世，中明昌五年詞賦、經義第。詩清便可喜，賦甚得《楚辭》句法，尤長于古文，典雅雄放，有韓、柳氣象。教授弟子王若虚、高法颺、張履、張雲卿，皆擢高第。學古文者翕然宗之，曰'劉先生'。

以省掾從事南下，①改授應奉翰林文字，爲主帥所重。常預祕謀，書檄露布，皆出其手。軍還，授左司都事，將大用矣，會卒。有文集藏于家。"于《史肅傳》云："其平生則見之《屏山故人外傳》。"于《高憲傳》引："《外傳》説仲常年未三十，作詩已數千首矣。"案，其書久不傳，屏山著述甚富，今存者止《鳴道集説》，亦不僅見，故備録之。

呂跛子傳

大興呂子羽唐卿撰。《中州集》："晚年感末疾，又號呂跛子，自作傳以見志。"

胥莘公家傳

無撰人。元好問《續夷堅志》："胥莘公嘗夢泰山神告之曰：'敬我無福，慢我無殃。當行善道，家道久長。'每以此語人，事見《家傳》。"考莘公名鼎，字和之，代之繁時人。官至平章政事，封莘國公。《金史》有傳。《歸潛志》："公通達吏事，有度量，爲政鎮静，所在無賢不肖，皆得其歡心。南渡以來，書生有方面之柄者，惟公一人而已。"

張侯言行録

徒單公履撰。文見蘇天爵《元文類》。然莊仲方《金文雅》、張金吾《金文最》皆取之。莊氏並以公履列《作者姓名考略》，故坿著于此。

右傳記

女直郡望姓氏譜

完顏勖撰。

本朝譜牒

---

① "事"，《四庫全書》本《中州集》卷四作"軍"。

阿离合懣撰。景祖第八子，《金史》本傳云："爲人聰敏辨給，
凡一聞見，終身不忘。始未有文字，祖宗族屬時事並能默記，
與斜葛同修本朝譜牒，見人舊未嘗識，聞其父祖名，卽能道其
部族世次所出。或積年舊事，因他及之，①人或遺忘，輒一一
辨析言之。有質疑者皆釋其意義。世祖嘗稱其强記，人不可
及也。"

五聲姓譜五卷

蕭貢撰。《金史》本傳不載，見《中州集》。

續編祖庭廣記

孔環撰。環有《跋》，其文曰："叔祖父昔年編此既成，欲鏤版，
藏于祖庭。值建炎之事，廟宇與書籍俱爲灰燼。後二十餘
年，或見于士大夫家，皆無完本，甚可惜。環宣和間嘗預檢
討，輒因公暇，考諸傳記，證以舊聞，重加編次，僅成完書。比
之舊本，又取其事繫于先聖而非祖庭者，及以聖朝皆纂集而
坿益之，遂鏤版流傳。非特成叔祖父之志，將使歷代尊師重
道、優異之典，昭昭可見，不其韙歟？正隆元年丙子歲五月甲
午初一日辛丑朔，四十九代孫環謹識。"文見《祖庭廣記》。

孔氏祖庭廣記十二卷

襲封衍聖公五十一代孫孔元措夢得撰。元措有《自序》，並張
行信一《序》，並錄于此。元措《序》曰："先聖傳世之書，其來
久矣。由略積詳，愈遠而愈著。蓋聖德宏博，自有不可揜者。
爰自四十六代族祖知洪州軍州事柱國，纂集所傳，板行四遠，
于是乎有家譜。尚冀講求，以俟他日。逮四十七代從高祖邠
州軍州事朝散，克承前志，推原譜牒，參考載籍，摘拾遺事，復
成一書。值宋建炎之際，不暇鏤行。至四十九代從祖主祥符

---

① "因"前，中華書局點校本《金史》卷七十三有"偶"字。

縣簿承事，懼其亡逸，證以舊聞，重加編次，遂就完本，布之天下。于是乎《祖庭記》有二書並行。凡搢紳之流，靡不家置，獲覽聖迹，與夫歷代襃崇之典，奕葉繼紹之人，如登崑崙而披日月，咸快瞻仰。比因兵災，闕里家廟，半爲灰燼，中朝士大夫家藏文籍多至散没，豈二書獨能存歟？元措託體先人，襲封世嗣，悼斯文之將泯，恐祖牒之久湮，去聖愈遠，來者難考。乃與太常諸公討尋傳記及諸典禮，于二書之外得三百二事，皆往古尊師之懿範，皇朝重道之宏規，前此所未見聞者。于是增益二書，合爲一編，及圖聖像、廟宇、山林、手植檜等，列于篇目，題曰《孔氏祖庭廣記》。其兩漢以來林廟、碑刻，舊書止載名數，今並及其文而録之，蓋慮久而磨滅，不可復得。且先聖生于周靈王二十一年庚戌，迄今凡一千七百七十八歲，其間經世變亂，不知其幾。而聖澤流衍，無有窮已，固不待紙傳而可久也。然所以規規于此者，特述事之心，不得不然。是書之出也，不惟示訓子孫，修身慎行，不墜先業，流芳萬古，是亦學者之光也。時在正大四年。"張行信《序》曰："古之君子皆論撰其先祖之德，明著之後世。當先世有美而不知者，不明也；知而不傳，不仁也。明足以見，仁足以顯，然後爲君子。故素王之孫穆公師事子思，自論祖述憲章之道，魏相子順亦稱相魯之政化，漢博士子國復推明所修六經垂世之教，當世莫不賢之。自夢奠兩楹之後，迄今千七百載，傳家奉祀者，數贏五十，繼繼公侯，象賢載德，如聯珠疊璧，輝映今古。嗚呼，休哉！聖人之流光若此，後之人能奉承不墜又如此，宜有信書，廣記備言，顯揚世美，以示于將來，傳之永久。于是襲封資政公因家譜《庭記》之舊，質諸前史，參以傳記，並録林廟累代碑刻，兼述皇統、大定、明昌以來崇奉先聖故事，博采詳考，正其誤，補其闕，增益纂集，共成一書，凡一十二卷，名

曰《孔氏祖庭廣記》。應祖庭事跡、林廟族世、古今名號、典禮
沿革之始末，並列于篇，粲然完備。于國，則累朝尊師重道之
美靡所不載；于家，則高曾祖考保世承祧之美靡所不揚。故
先聖配天之德，愈久而愈彰。噫！若資政公者，可謂仁明君
子，能世其家者也。資政公嘗以書示予，予斂衽觀之，既欽仰
其世德，又嘉公之用心，得繼志述事之義。乃磨鈍雕朽，爲之
題辭焉。"此序爲同時作，時行信已致仕矣。書今有刊本，黃
丕烈嘗得元刻，見近編《士禮居題跋》。《䢬宋樓藏書志》有影
寫金刻本。

金重修玉牒

無撰人。承安五年大睦親府進。

金國世系

無撰人。見尤袤《遂初堂書目》地理類。此類中又有《女真實
録》，雜記金國事，《燕北金疆地里記》坿載于此。

南冠録

元好問撰。好問《自序》："予以始生之七月，出繼叔父隴城府
君。迨大安庚午，府君卒官，扶護還鄉里，時予年二十有一
矣。元氏之老人、大父彫喪殆盡。問之先世之事，諸叔皆晚
生，止能道其梗概。予亦以家牒具存，碑表相望，他日論次
之，蓋未晚也。因循二三年，中原受兵，避寇陽曲、秀容之間，
歲無寧居。貞祐丙子，南渡河，家所有物，經亂而盡。舊所傳
譜牒，乃于河南諸房得之，故宋以後爲詳，而宋前事皆不可得
而考也。益之兄嘗命予修《千秋録》，雖略具次第，他所欲記
者尚多而未暇也。歲甲午，羈管聊城，益之兄邈在襄漢，遂有
彼疆此界之限。姪搏俘縶之平陽，存亡未可知。伯男子叔
儀、姪孫伯安皆尚幼，未可告語。予年已四十有五，殘息奄
奄，朝夕待盡。使一日顛仆于道路，則世豈復有知河南元氏

哉？維祖考承三公餘烈，賢雋輩出，文章行業，皆可稱述。不
幸而與皂隸之室混爲一區，泯泯默默，無所發見，可不大哀
耶！乃手寫《千秋錄》一篇，付文嚴，以備遺忘，又自爲講説
之。嗚呼！前世功名之士，人有愛慕之者，必問其形質顏貌、
言語動作之狀，史家亦往往爲記之。在他人且然，吾先人之
形質顏貌、言語動作乃不欲知之，豈人之情也哉？故以先世
雜事附焉。予自四歲讀書，八歲學作詩，作詩今四十年矣。
十八先府君教之民政。從仕十年，出死以爲民。自少日有志
于世，雅以氣節自許，不甘落人後。四十五年之間，與世合者
不能一二數。得名爲多，而謗亦不少。舉天下四方知己之
交，唯吾益之兄一人。人生一世間，業不爲世所知，又將不爲
吾子孫所知，何負于天地鬼神而至然耶？故以行年雜事附
焉。先祖銅山府君，正隆二年賜出身。訖正大之末，吾家食
先朝禄七十餘年矣。京城之圍，予爲東曹都事，知舟師將有
東狩之役，言于諸相，請小字書國史一本，隨車駕所在，以一
馬負之，時相雖以爲然，而不及行也。崔子之變，歷朝《實
錄》，皆滿城帥所取。百年以來，明君賢相可傳後世之事甚
多，不三二十年，則世人不復知之矣。予所不知者亡可奈何，
其所知者忍棄之而不記之耶？故以先朝雜事附焉。合而一
之，名曰《南冠錄》。叔儀、伯安而下，乃至傳數十世，當家置
一通。有不解者，就他人訓釋之。違吾此言，非元氏子孫。”
文見《遺山集》。

千秋錄一篇

元好問撰，見《南冠錄·序》。

李氏家譜

晋城李俊民用章撰。見《莊靖集》。《山西通志》：“俊民別號
鶴鳴老人，唐韓王元嘉之後。家于澤州，少通程氏之學。承

安中以經義舉進士第一,應奉翰林文字,棄官教授。南遷後隱于嵩山,嘗遇隱士,授以邵伯溫《皇極數》。元世祖在藩邸,劉秉忠盛稱之,以安車召見。延訪無虛日,遽乞還山,卒賜諡莊靜先生。世祖嘗曰:'朕求賢三十年,惟得竇漢卿及俊民二人。'澤守段正卿刻其遺集十卷。"考《元史》,俊民坿《竇漢卿傳》。

右譜牒

晉陽志十二卷

蔡珪撰。

燕王墓辨一卷

蔡珪撰。見《中州集》。《金史》本傳云:"初兩燕王墓,舊在中都東城外,海陵廣京城,圍墓在東城內。前嘗有盜發其墓,大定九年詔改葬于城外。俗傳六國燕王及太子丹之葬,及啓壙。其東墓之柩題其端曰燕靈王舊,舊古柩字通用,乃西漢高祖子劉建葬也。其西墓蓋燕康王劉嘉之葬也。珪作《兩燕王墓辨》,據葬制名物款刻甚詳。"

補正水經三卷

蔡珪撰。《金史》本傳作五篇。《中州集》作四十篇。今從歐陽玄《序》著錄。《序》曰:"金禮部郎中蔡正甫作《補正水經》三卷,翰林應奉蘇君伯修購得其書,將版行之,屬余叙其篇端。案,《隋經籍志》有兩《水經》:一本三卷,郭璞注;一本四十卷,酈善長注。善長卽道元也。然皆不著撰人名氏。唐杜佑作《通典》時,尚見兩書,言郭璞疏略,于酈注無所言撰人,則概未之考也。《舊唐志》始云郭璞作。宋《崇文總目》亦不言撰人爲誰,但云酈注四十卷,亡其五。然未知兩《水經》之一存一亡,已見于斯時否也。《新唐志》乃謂漢桑欽作《水經》，一云郭璞作。今人言桑欽者本此也。《崇文總目》作于宋景祐，與《新唐書》同時，又未知《新志》何所據以爲說也。余嘗參訂之。說者疑欽爲東漢順帝以後人，以彘一縣疑之也。今經言江水東逕永安宮南。永安宮，昭烈託孤于孔明之地也。今特著于斯，又若因其人而重者，得非蜀漢間人所爲也？不寧惟是也，其言北縣名多曹氏置，南縣名多孫氏置，余又未暇一二數也。斯則近代宇文氏以爲經傳相淆者，此說近之也。然必作經、作傳之人定而後可分也。或者又曰：'豈非欽作于前，二氏附益于其後？'他書或然也，而此未必也。西漢《儒林傳》言塗惲授河南桑欽君長《尚書》。晁氏言欽成帝時人。使古有兩桑欽則可，審爲成帝時欽，則是書不當見遺于《漢·藝文志》也。抑余又有疑于斯，《水經》述作，往往見于南北分裂之時。借曰《舊唐志》可據，則作者南人，注者北人。在當時皆有此疆彼界之殊，又焉知其詳略異同，不限于一時聞見之所逮也？嗟夫！古今有志之士，思皇極之不作，傷同風之無時，又焉知其不寓深意于是書也？然則景純也，道元也，正父也，是或一道也。然以余觀正父之博洽多識，其見于它著作者，蓋有劉原父、鄭漁仲之風，中州士之巨擘也。是書雖因宇文氏之感發，而有以正蜀版遷就之失，其詳于趙代間水，此固景純之所難。若江自尋陽以北，吳松以東，則又能使道元之無遺恨者也。伯修生車書混一之代，身爲史官，年學俱富，于金人放失舊聞，多所收攬，而是書又有關于職方之大者，故余亦願附著其說焉，而不自知其妄也。"序文載《元文類》。

西湖行記

蕭顯之撰。《中州集》錄王竸《無競詩》一首，其題爲："奉使江左讀同官蕭顯之《西湖行記》，因題其後。"

遼東行部誌一卷

王寂撰。案,此書《皕宋樓藏書志》有鈔本,謂從《永樂大典》中録出。

鴨江行部誌一卷

王寂撰。以上二書《中州集》小傳不載,今見《補元史藝文志》。

碣石志

大興吕貞幹周卿撰。《中州集》附《吕子羽傳》,並引《屏山故人外傳》:"吕氏自國朝以來,父子昆弟凡中第者六人,以六桂名其堂。貞幹,字周卿,尤自刻苦。酷嗜文書,著《碣石志》數十萬言,皆近代以來事迹。幽隱譎怪,詼諧嘲評,無所不有。"案,子羽字唐卿,則貞幹殆其兄弟行也。其書今無傳本。《續夷堅志》:"司天測景,冬夏二至。中都以北漸差。中都冬至一丈五尺七寸六分,夏至二尺二寸六分,晝六十一刻,夜三十九刻。山後涼陘金蓮川在都西州四十里而近,其地最高,夏至晝六十三刻,夜三十七刻。上京臨潢府在都北三千里,夏至晝六十四刻,夜三十六刻。吕氏《碣石録》云。"觀此則吕氏著書大略,亦可見矣。

鴨江行記

河南府治中長清閻長言子秀撰。長言少慕張忠定爲人,名詠,避衛紹王諱,改焉。王寂《拙軒集·送張仲謀使三韓詩》自注:"高麗稱中原使節,皆曰天車某官,事見閻子秀《鴨江行記》。"《中州集》寂傳又引《行記》,載其先人《雞山》一詩云:"記得垂齠此地遊,雞山孤立水平流。而今重過山前路,山色青青人白頭。"所言《行記》,當即謂子秀作也。蓋《送張仲謀詩》,好問亦録原注耳。

金初州郡志

無撰人。

正隆郡志

無撰人。以上二種見《金史·地理志》注。

右地理

續歐陽文忠公集録金石遺文六十卷

蔡珪撰。見《中州集》。此書《金史》不載。

續金石遺文跋尾十卷

蔡珪撰。見《金史》本傳。《中州集》無續字。

古器類編三十卷

蔡珪撰。《金史》本傳未載。本傳云"《補正水經》、《晋陽志》、文集今存，餘皆亡"，則此書在元時已未見，不但如《南北史志》、《續金石遺文跋尾》猶得列其目也。《中州集》云："正隆三年銅禁行，官得三代以來鼎鐘彝器，無慮千數。禮部官以正甫博物，且識古文奇字，辟爲編類官，則書當作于此時矣。"《續夷堅志》："蔡内翰正夫《古器類編》記二鼎云：其一明昌三年二月藍田玉山鄉農民李興穿地得之，高二尺，兩耳有字一十行，文曰：王四月初吉，丁亥。以《長曆》考之，魯莊公十二年四月丁亥，即周安釐王初立之歲，未改元，故不稱年，而僅以月數焉。又有一百二字，必周侯伯所作之器也。其一太原三交西南大定九年汾水壞東岸古墓，有鼎及鐘磬之屬。鼎小者五寸許，大幾三尺，中作黄金色，所實牛羹尚可辨。鐘磬小者不及二尺，凡十六等，蓋音律之次也。雖無款識，皆周物也。"觀此所記，則書雖不傳，而其略可知矣。《續志》又有《鏡辨》一則，其言曰："蔡内翰正甫云：大定七年秋，與蕭彦昭俱官都下，蕭一日見過，出古鏡相示曰：'頃歲得之關中，雖愛之甚，然背文四字不盡識，且不知爲何時物。'手取視之，漢物也。文曰長宜子孫,《宣和博古圖》有焉。出圖示之,殆若合符。彥昭驚喜,有姚仲瞻在坐,言曰:'僕家一鏡,制作亦奇,宋末得于長安土人家。相傳爲太真匳中物,不之信也。'使取而觀,背有楷字數十,爲韻語句四言。其略有'華屋交映、珠簾對看、潛窺聖淑、麗則常端'等語,而紐有'開元'二字。姚曰:'考其年則唐物,安知爲太真之舊耶?'予笑而不答,徐出浮休居士張芸叟所作《尤長録》使讀。其間有載元祐中,耕望賢驛故地,得鏡遺予者,銘爲四字。詩中有'潛窺聖淑'之句,'聖淑'二字皆少空,意取聖爲君,淑爲后耳。與此制正合,望賢去馬嵬數十里,蓋遷幸時遺之。浮休陝右人,得之長安信矣。彥昭歡甚,以爲一日有二奇事,不可不書。予曰:'多言屢中,仲尼所以譏子貢也。然世喜道其偶中,予不書可乎?'"此雖未引書名,然或亦《類編》之一,故並録之。

萬壽道藏經目録十卷

無撰人。見《補元史藝文志》。

右簿録

十七史蒙求

交城吳庭秀撰。元好問《序》曰:"安平李瀚撰《蒙求》二千餘言,李華作序,李良薦于朝,蓋在當時,已甚重之。迄今數百年之間,孩幼入學,人挾此冊。少長則遂講授之。宋王逢原復有《十七史蒙求》與瀚並傳,及詩家以次韻相夸尚,以《蒙求》韻語也。故姑汾王琢又有《次韻蒙求》出焉。評者謂次韻是近世人之弊,以志之所之而求合他人律度,遷就附會,何所不有?惟施之賦物、咏史,舉古人微事之例,遷就附會,或當聽其然。是則韻語、次韻爲有據矣。始予年二十餘,住太原學舍,交城吳君廷秀泊其弟廷俊與予結夏課于由義西齋,嘗以所撰《蒙求》見示,且言:'逢原既以十七史命篇矣,而間用《呂氏春秋》、《三輔決錄》、《華陽國志》、《江南野錄》,謂之史,可乎? 今所撰止于史書中取之。諸所偶儷,必事類相附,其次強韻,亦力為搜討。自意可以廣異聞,子為我序之可乎?'予欣然諾之,而未暇也。後三十七年,予過鎮陽,見張參議耀卿。耀卿,[①]受學于吳君之門者也。問以此書之存亡,乃云版蕩之後,得于田家故箱中。因得而序之。按,李瀚自嫌文碎,此特自抑之辭。華謂可以不出卷而知天下,是亦許與太過。惟李良薦章謂其錯綜經史,隨便訓釋,童子固多宏益,而老成頗覺起予,此為切當耳。載籍之在天下,有棟宇所不能容,而牛馬有不能舉者。精力有限,記誦無窮。果使漫而無統,廣心浩大,將不有遺亡之謬乎? 如曰記事者必提其要,吾知《蒙求》之外,不復有加矣! 古有之'積絲成寸,積寸成尺。尺寸不已,遂成丈疋'。信斯言也,雖推廣三千言為十萬,其孰曰不可哉? 吳君博覽強記,九經傳注輒手自鈔寫,且諷誦不去口。史書又其專門之學,文賦華贍,有聲場屋間。教授生徒,必使知己之所知,能己之所能。時議以此歸之。貞祐兵亂,負母入山,道中遇害,年甫四十云。"文見《遺山集》。

帝王鏡略

元好問撰。元王惲有《序》,其略云:"近讀遺山先生《鏡略》,書所謂立片言而得要者也。其馳騁上下數千載之間,總理繁會數百萬言之內。駢以四言,叶以音韻。世數代謝,如指諸掌。"案,此書《金史》本傳不載,其《序》見《秋澗集》。

右史鈔

---

① "卿",原作"然",據《四庫全書》本《遺出集》卷三十六改。

子　部

學之急一篇

左丞相猛安徒單鎰撰。《金史》有傳，本傳謂"嘗歎文士委頓，雖巧拙不同，要以仁義、道德爲本，乃著《學之急》、《道之要》二篇，太學諸生刻之于石"。按《漢書‧藝文志》，儒家者流，留意于仁義之際，則此二篇固儒家之旨也。

道之要一篇

徒單鎰撰。

法言微旨一卷

趙秉文撰。《滏水集‧自序》曰："揚子聖人之徒歟？其《法言》、《太玄》，漢二百年之書也。①　漢興，賈誼明申、商，司馬遷好黃，②董仲舒溺災異，劉向鑄黃金，獨揚子得其正傳，非諸子流也。余既整緝《太玄》舊文，③《法言》有宋衷注，亡之。今世傳四注：柳、李二注，才釋一二；④宋、吳二注，頗有牴牾。其十二注中，數家大抵祖臨川王氏，無甚發明，又多詆忤，而不中其失。獨溫公《集解》，徧採諸本，微辨四家之得失，斷以己意，十得七八矣。其終篇詳辨揚子得聖人之行藏，爲得其正，

---

① "百"字，據《四庫全書》本《滏水集》卷十五《法言微旨引》、《經義考》卷二百七十八引秉文《自序》補。

② "商"，《四庫全書》本《滏水集》卷十五《法言微旨引》、《經義考》卷二百七十八作"韓"；"老"字據《滏水集》卷十五《法言微旨引》、《經義考》卷二百七十八引文補。

③ "文"，《四庫全書》本《滏水集》卷十五《法言微旨引》、《經義考》卷二百七十八作"聞"。

④ "才"，《四庫全書》本《滏水集》卷十五《法言微旨引》、《經義考》卷二百七十八作"十"。

實百世之通論也。故今斷以《集解》爲定。然《法言》之作,雖擬《論語》,不同門人問答,先後無次,乃揚子自著之書也。不應辭意不相連屬,其命名自序,思過半矣。或先義而後問,或後答以終義,或離章以發微,或終篇以明數,旁鉤遠近,微顯著晦,[①]州屬脈貫,會歸正道。今所謂分章微旨者,非敢有異于先儒也,但使一篇之義,自相連屬,穿鑿之罪,余何敢逃。萬一有得于言辭之表者,[②]或有助于發機云。"王若虛又有《序》云:"《法言》之行于世尚矣。始注釋者,四家而已,疏略粗淺,無甚可觀。其後益爲十二,互有所長,視其舊殊勝而未盡也。[③] 今禮部尚書趙公,素嗜此書,得其機要,因復爲之訓解,參取衆說,析之以己見,號曰《分章微旨》。論高而意新,蓋奇作也。予嘗竊怪子雲之自叙,以爲《法言》,《論語》之體耳。隨問更端,雜錯無次,[④]而獨取篇首二字以爲名而冠之,無乃失其宜耶! 及觀公解,則終始貫穿,通爲一義,燦有條理而不亂,乃知子雲之意,初非苟然,但學者未之深考也。昔人以杜預、顏師古爲邱明、孟堅忠臣,今公于子雲之書,辨明是正,厥功多矣。至于進退隱見之際,尤爲反覆而致意,使千載之疑,可以盡釋而無遺恨,兹不亦功之大者歟! 古澤陳氏者,將購工板行,以廣其傳,友人張君茂進,實贊成之,而屬予爲序。嗚呼! 公一代鉅儒,德業文章,皆可師法。自少年名滿四海間,生平著述,殆不可勝紀,而晚年益勤,心醉乎義理之學,六經百子,莫不討論,迄今孜孜,筆不停綴。其所以發揮往典而啓迪來者,非特一書而止也。如鄙不肖,曷足爲公重

---

①　"近"、"著",《四庫全書》本《經義考》卷二百八十七分別作"引"、"志"。

②　"得"後,《四庫全書》本《經義考》卷二百八十七有"微旨"字。

③　"益"、"而"後,《四庫全書》本《濠南遺老集》卷四十四分別有"而"、"猶"字。

④　"雜錯",《四庫全書》本《濠南遺老集》卷四十四作"錯雜"。

輕,而斯書之傳,豈待予言而後信。雖然,陳氏細民,而能好
事如此,其用心固已可喜,且不肖于公門下士也,辱知爲深,
是區區而者敢辭乎?[①] 乃書而授之。"文載《濟南遺老集》。此
書本集無卷數,元好問《墓銘》作一卷,並題爲《揚子發微》,今
參取之。

箋太玄贊一卷

趙秉文撰。《自序》云:"《太玄》何爲者也? 將以發明大《易》
而羽翼之者也。《易》有八物,而五行萬事在其中,《玄》則列
之以三才,本之以五行,表之以陰陽,推之以律曆,而天下萬
事之理,具要其中,爲仁義而作也。卦用八,蓍用七,《玄》則
首用九,蓍用六五,彰之也。《易》有道數象義,説《易》者言道
義則遺象數,言象數則遺道義,《玄》實兼之,其于聖經不爲無
助。昔人譏屋下架屋,不猶愈于章句一偏之學乎? 後之言術
數者,孰與張平子? 以平子不敢輕議《太玄》,而後儒非之,恐
幾率易。顧僕何足以知《太玄》? 姑以范注之小誤,以證本經
之不誤。范注以九首次九陽家,陽晝至十首羨之,初一又爲
陽家,陽晝刻晝多于夜,[②]禍福殽亂,故其説時有不通,王氏已
辨之矣。揲法一扐之後,而數其餘,王氏依之。注本作兩扐,
非經誤也。經云:旦筮用經,夕筮用緯。舊注以旦用一五七,
夕用三四八,日中夜中用二六。[③] 蘇氏攻之,以爲中、夕筮,吉
凶雜至,旦筮,非大吉,則大凶。是吉凶雜,終不可得而遇也。
揚子大賢,擬聖而作,不應筮法尚誤,此殆歲久失其傳也。及
考《玄》數,五爲中央。注:土行所在,經緯雜用。旦筮有三

---

① "而者",《四庫全書》本《濟南遺老集》卷四十四作"者而"。
② "刻",《四庫全書》本《滏水集》卷十五無。
③ "六"後,《四庫全書》本《滏水集》卷十五有"九"字。

表：一二三，一表也；四五六，一表也；七八九，一表也。表取其一，以爲占，且筮用一與七，^①皆取其初遇。至于四爲緯，五爲經，緯雜無已則用六矣。一六七吉凶雜，與日中夜中夕筮同。況粹首一六七皆吉，而嗛首一六七皆凶，亦有時而純吉純凶矣。恐旦筮當用一六七，夕筮用三四八，日中夜中用二五九。二爲經，九爲緯，五雜用之也。筮有四：星、時、數、辭，注：星若干一度也，時謂旦中夕也，數謂首數之奇，^②辭若九贊之辭也。時若旦，筮遇陽家，其數自奇，辭自多吉，是時數辭皆同，何以別之？竊意星若二十八宿是也。又有四方之宿，各分配日月五星。數有支干之數、律曆之數、玄算之數，與策數雜用之。此揚子所以知漢二百載而中天，平子所以知漢四百載《玄》其興乎之驗也。其然，豈其然乎？《玄》有《文誥》等十一篇，道義象數之學，宋、陸二注及王氏辨之詳矣，兹不復云。獨首贊與晝夜不合，及首贊之辭與首之名義，亦如六十四卦與卦義當相合，如同人睽六爻，皆言同人睽之類是也。而注間有不悟，輒以他義釋之，恐有未安，理當釐正，使贊與首名義相合，庶幾粗明《玄經》之萬一。僕亦未能審于是非，姑録以備遺忘，以爲學《玄》之階耳。俟得前人之注，改而正諸。”文亦見《滏水集》。惟本集不言卷數，今從元好問《墓銘》著録，至《墓銘》則名《太玄箋贊》云。

中説類解一卷

趙秉文撰。元好問《墓銘》作《文中子類説》，其卷數則本之秉文，有《引》，其文曰：“文中子，聖人之徒歟？孔、孟而下得其正傳，非諸子流也。自唐皮氏、司空氏始知尊尚，宋司馬公爲

---

① “且”，《四庫全書》本《滏水集》卷十五作“旦”。
② “奇”後，《四庫全書》本《滏水集》卷十五有“偶”字。

之傳，其書大行。大抵唐賢雖見道未至，而有忠厚之氣。至
于宋儒多出新意，務詆斥，忠厚之氣衰焉。學聖人之門，豈以
勝劣爲心哉？《中説》舊有阮氏注，所得多矣。某今但纂爲三
類：一明續經，有爲而作；二明問答，與聖道不異；三明文中子
行事，使學者知聖賢踐履之實，庶有助于萬一云。"①

道學發源

無撰人。趙秉文作《引》曰："天地有大順至和之氣、自然之
理，根于心，成于性，雖聖人教人，不能與之以其所無。有疾
苦，必呼父母，此愛之見于性者也；有悖逆，愧生于其心，此敬
之見于性者也。然愚者知愛，而不知敬，賢者知之，而不能擴
而充之以及天下，非孝之盡也。故夫愛親者，仁之源；敬親
者，義之源。文斯二者，禮之源。無所不體之謂誠，無所不盡
之謂忠。貫之之謂一，會之之謂恕。及其至也，蟠天地，溥萬
物，推而放諸四海而準，其源皆發于此。此吾先聖所以垂教
萬世，吾先師曾子之所傳者。② 百世之後，門弟子張氏名九成
者所解。九成之解，足以啓發人之善心，由之足以見聖人之
蘊。今同省諸生傅起等，將以講明九成之解，傳一而千，傳千
而億。聖人之意，庶幾其有傳乎？某聞之，喜而不寐。抑聞
之，致知力行，猶車之二輪，鳥之雙翼，闕一不可。學者苟曰：
'吾求所謂知而已，而于力行則闕焉。'非所望于士君子也。
間有窮深極遠、爲異學高論者，曰：'家人語耳。'非惟不足以
知聖人之道，是猶詫九層之臺，未覆一簣，欺人與自欺也，其
可乎？愚謂圓頂黃冠，③村夫野婦，猶宜家置一書，渠獨非人

①　"庶"後，《四庫全書》本《滏水集》卷十五有"幾"字。
②　"先師"後，《四庫全書》本《滏水集》卷十五有"子"字。
③　"謂"後，《四庫全書》本《滏水集》卷十五有"雖"字。

子乎？至于載之《東西銘》，子聖之《聖傳論》，譬之戶有南北東西，由之皆可以至于堂奧。總而類之，名曰《道學發源》，其諸異乎同源而有異流者歟？"文載《滏水集》。王若虛又有《後序》曰："韓愈《原道》曰：'孟軻之死，不得其傳。'其論嶄然，君子不以爲過。夫聖人之道，亘萬世而常存者也。軻死而遂無傳焉，何耶？愚者昧之，邪者蠹之，駁而不純者汩之，而真儒莫繼，則雖存而幾乎息矣。秦、漢以來，日就微滅，治經者局于章句訓詁之末，而立行者陷于功名利欲之私。至其語道，則又例爲荒忽之空談而不及于世用，髣髴疑似而失其真，支離汙漫而無所統，[①]其弊可勝言哉！故士有讀書萬卷，辯如懸河，而不免爲陋儒。負絕人之奇節，高世之美名，而毫釐之差，反入於惡者，唯其不合于大公至正之道故也。韓愈故知言矣。然其所得，亦未至于深微之地，則信其果無傳已。自宋儒發揚秘奧，使千古之絕學，一朝復續，開其致知格物之端，而力明乎天理人欲之辨，始于至粗，極于至精，皆前人之所未見。然後天下釋然，知所適從，如權衡指南之可信。其有功于吾道，豈淺淺哉！國家承平既久，特以經術取人，使得參稽衆論之所長，以求夫義理之真，而不專于傳疏，其所以開廓之者至矣。而鳴道之說亦未甚行，三數年來，其傳乃始浸廣，好事者往往聞風而悅之。今省庭諸君，尤爲致力，慨然以興起斯文爲己任，且將與未知者共之，此《發源》之書，所以汲汲于鋟木也。學者嘗試觀之，其必有所見矣。心術既明，趨向既正，由是而之焉，雖至于聖域無難。猶發源不已，則汪洋東海注，[②]放諸海而後止。嗚呼！其可量哉！亦任之而已矣。

---

①　"汙"，《四庫全書》本《滹南遺老集》卷四十四作"汗"。

②　"海"，《四庫全書》本《滹南遺老集》卷四十四無。

僕嘉諸君樂善之功,爲人之周,而喜爲天下道也,故略書其末云。"序見《滹南遺老集》。

律身日録

中京副留守陳規正叔撰。段成己《墓表》云:"自始至疾病,書未嘗一日去手,有《律身日録》,雖筐篋細碎,必謹記無遺漏,則公自修可知矣。"表見《金文雅》。考規,《金史》有傳。

論道編

河南府治中潞州董國華文甫撰。自號無事老人。《歸潛志》云:"其學參取佛老二家,不喜高遠奇異,循常道。于六經《論》、《孟》諸書,凡一章一句,皆深思而有得,必以力行爲事,不徒誦説而已。得所著一編,皆論道之文,迄今藏余家。"

集説

張特立撰。此書疑即《易集説》,今從《補遼金元藝文志》。

皇極經世圖説

薛玄撰。

聖經心學篇

薛玄撰。

歸潛志十四卷

渾源劉祁京叔撰。祁爲從益子,《金史》坿《文藝傳》,云:"京叔爲太學生,甚有文名,值金末喪亂,作《歸潛志》以紀金事,修《金史》多採用焉。"又云:"劉京叔《歸潛志》與元裕之《壬辰雜編》二書,雖微有異同,而金末喪亂之事,猶有足徵者焉。"祁《自序》曰:"余生八年,去鄉里,從祖父游宦于大河之南。時南京爲行宮,因得從名士大夫問學,不幸弱冠而先子殁。其後進于有司,不得志,將歸隱于太皞之墟。一旦遭值金亡,干戈流落,由魏過齊入燕,凡二千里。甲午歲,復于鄉,蓋年三十二矣。因思向日二十餘年間,所見富貴權勢之人,一時烜赫如火烈烈者，迨遭喪亂，皆烟銷灰滅無餘。而吾雖貧賤一布衣，猶得與妻子完歸，[①]是亦不幸之幸也。由是其所以經涉憂患，[②]與夫被攻劫之苦、奔走之勞，雖飯蔬飲水，橐中無寸金，未嘗蔕諸胸臆。獨念昔所與交游，皆一代偉人，今雖物故，其言論談笑，想之猶在目。且其所聞所見，可以勸戒規鑒者，不可使湮没無傳。因暇日記憶，隨得隨書，題曰《歸潛志》。歸潛者，予所居之堂之名也，因名其書，以誌歲月。異時作史，亦或有取焉。"案，祁入元後，就試南京，充山西東路考試官，是其晚節不終。然明王士禛作序與《讀書敏求記》皆稱金人，今從之。其書知不足齋有刊本。

處言四十三篇。

劉祁撰。郝經《陵川集》有《渾源劉先生哀辭》，其略曰："其弟文季來，以先生易簀時所付一書四十篇曰《處言》見示，經再拜，雪泣讀之。其辭汪洋煥爛，高壯廣厚，約而不缺，肆而不繁，其理則詣乎極而窮乎性命，于死生禍福之際，尤為明析，非世之所謂文章，古所謂立言者也。"然則書雖不傳，而著述之旨可窺矣。

極學十卷

杜瑛撰。

皇極引用八卷

杜瑛撰。

皇極疑事四卷

杜瑛撰。

希聖解

---

① "妻子"後，《四庫全書》本《歸潛志·原序》有"輩"字。
② "由是"後，《四庫全書》本《歸潛志·原序》有"以"字。

劉因撰。《元史》本傳：“弱冠才器超邁，日閱方册，思得如古人者友之，作《希聖解》。”

右儒家

道德真經集解四卷

趙秉文撰。此書刻入《小萬卷樓叢書》。錢培名作《跋》云：“《道德真經集解》四卷，從《道藏》鈔出，原題‘趙學士句解’，不著名字，解中有‘趙秉文曰’、‘秉文獨異之’云云。按《金史·趙秉文傳》：興定元年授侍讀學士，晉禮部尚書，仍兼侍讀學士。此題‘趙學士’，其爲秉文無疑。本傳及元遺山《閑閑老人神道碑》述秉文所著，有《易叢説》、《中庸説》、《揚子發微》、《太玄箋贊》、《文中子類説》、《南華略識》、《列子補注》、《删集論語解》、《資暇錄》諸書，獨不及《道德經》，蓋偶失之。《道德經》注者既多，諸本經文亦參差互異。趙氏出入諸家，無所偏主。其所引如開元政和陸希聲、司馬君實、吕惠卿諸注，皆存《道藏》。僧肇、羅什、王雱遺説亦見諸家援引。惟葉石林《老子解》僅見于《直齋書錄解題》，劉巨濟《老子注》僅見于《郡齋讀書志》，今並失傳，而趙氏頗及之，亦可見其采輯之博。金源人著撰，傳世頗希。趙氏此書，亦簡質近古，故校以授梓。”考《歸潛志》謂：“秉文上至六經解，外至浮屠、莊老、醫學丹訣，無不究心，其所著有《太玄解》、《老子解》。”則錢氏據《道藏》“趙學士句解”，而斷爲秉文作，得劉祁説，益可信矣。余故節錄錢氏跋文，而並爲證成之。

南華略釋一卷

趙秉文撰。

列子補注一卷

趙秉文撰。

莊子略解

袁從義撰。

列子章句

袁從義撰。

莊列賦一篇

楊雲翼撰。

老子解

李純甫撰。《歸潛志》云："又解《楞嚴》、《金剛經》、《老子》、《莊子》。"

莊子解

李純甫撰。

道德真經全解六卷

無撰人。時雍作《序》曰："混元《五千文》，注解行于世者亦多矣。類皆分章析句，前後不相貫穿，智鑿臆説，非自得之學。致微言奧義，闇而不明，鬱而不發，覽者病于多歧，莫知所向。故人邵去華，自真定復歸于亳，出《道德全解》示僕，莫知名氏。玩味紬繹，心目洞開，平昔疑難，渙然冰釋，内外混融，義若貫珠，度越常情倍萬，殆非世學所能擬議。蓋高仙至人，愍世哀蒙，披發玄奧，所謂道隱無名，而善貸且成者也。僕既得斯文，不忍獨善，遂勉兩金諸友，哀諸好事，命工鏤板，以廣其傳。時在正隆四年。"案，如序文，不言卷數，今從《補元史藝文志》。然此書竟以爲時雍作，非也。

道德真經四子古道集解十卷

古襄寇才質志道撰。《自序》曰："僕草澤無名之野人也，素不以進取介意。及冠之後，酷嗜恬淡之樂，究丹經卜筮之術。

至于晚年,讀古人書,披閱諸子,探賾聃經之奧,章章有旨,可謂深矣遠矣。因觀諸家解注,言多放誕,互起異端,諸子殽亂,殆越百家,失其古道本真,良可歎也。獨莊、列、文、庚四子之書,乃老氏門人親受《五千言》教,各著撰義與相同。其餘諸解,紛紜肆辨,徒以筆舌爲功,虛無爲用,了無所執,又豈可與四子同日而語哉? 僕昔隨仕,嘗遊京都,得參高道講師,略叩玄關。盡爲空性之説,不能述道之一二。內省不疚,深其造道而自得。欲以拯世欲之多蔽,悼聖道之不行,又恐膠疑泥惑之流,翻起蜂喧之議。故摭其四子,引其真經,集爲一編,計一十卷,以破雷同之説。因目之曰《四子古道義》。又述《經史疏》十卷,以相爲之表裏。今幸苟完,是論非常,恃其臆説,不惟新當時聞見,抑爲千古之龜鑑也。請好事君子,幸無哂焉。偃息之暇,因援筆而直書之。"又有劉諤庭直《後序》云:"竊聞莊、列、文、庚者,乃老氏之門人高弟也。當此周時,親授《五千言》教,探《道德》之奧旨,捨四子之外,其孰能與于此哉? 今之諸集解,義多浮誕,了無所執,各尚異端,百無一當。尚辭者逞于談辨,遺于理要;①玩理者拘于淺近,昧乎指歸。是以大道隱于小成,固閉而不能開,久屈而不能伸,由是天下莫不以空性爲科、邪説爲惑,皆不能反于正道也。今古襄寇志道者,多聞博識,有生知自然之性。自幼及冠,心不挂細務,不以名利爲念,酷嗜恬淡之樂,然而經史不輟于涉獵。諸子之中,僻好《道德》二篇。閱及舊注,背義者多,故慨然篤志,累日滋久,不舍晝夜,遂成一編之書,以論《道德》之根本。然猶不肯恃己所長,輒引莊、列、文、庚爲證,庶息天下未達者之謗議也。迺目之曰《四子古道義》十卷。或隨經辨注,或總

---

① "理",《續修四庫全書》本《金文最》卷十九作"體"。

章定名。篹違義者,有一百餘家;議改本者,近八百餘家。尊上古結繩之化,述聖人體道之規。消尚怪以遺其鄙,泥空而失治。門目備次,章句有歸。鬼神之説,斥之于無稽;方術之事,屏之于不用。其道之功用粲然,靡所不載,可使後之宗風者開卷見道而不勞聰明。昔孔子推高老氏之言,故嘗歎之猶龍,以其變化不測,可謂玄德,深矣遠矣。驗之于古,考之于今,俾人甚易知易行,爲萬世之龜鑑者,不據是論,余何言哉!于戲!聖道之興,信由乎時,業得觀高論,醉眼豁然,如披霧而覩光明,蓋天下之未喪斯文也。謹援筆直叙,跋之卷尾,姑以讚先生之用心耶。”

道德經取善集十二卷

饒陽李霖宗傳撰。霖《自序》曰:“物之共由者道也,道之在我者德也。道妙無形,變化不測,德顯有體,同焉皆得。自其異者視之,則有兩名;自其同者視之,其實一致。末學之人,言道者每不及德,言德者罔及于道。此道德所以分裂,不見其純全也。猶龍上聖,當商末世,歎性命之爛漫,憫道德之衰微,著書九九篇,以明玄玄之妙。言不踰于五千,義實貫乎三教,內則修心養命,外則治國安民,爲羣言之首,萬物之宗,大無不該,細無不徧,其辭簡,其義豐,洋洋乎大哉!自有書籍以來,未有如斯經之妙也。後之解者甚多,得其全者至寡,各隨所見,互有得失。通性者造全神之妙道,于命或有未至;達命者得養生之要訣,于性或有未盡。不知性命兼全,道德一致爾。霖自幼及壯,謾誦玄言,以待有司之問。今已老矣,欲討深義,以修自己之真,自度耄荒,難測聖意。今取諸家之善,斷以一己之善,非以啓迪後學,切要便于檢閱,目之曰《取善集》,覽者幸勿誚焉。”又有劉允升《序》曰:“老氏當周之季,憫其世道衰微，由乎文弊，于是思復太古之純，載暢皇風，①以激其流俗。至于輕蔑仁義，屏斥禮樂，蓋非過直，無以矯枉。仲尼所以欽服，既見則歎其猶龍。惟聖知聖，始云其然也。關尹覩紫氣之瑞，識其真人度關，虔誠叩請，方垂至言。議者咸謂五經浩浩，不如二篇之約，良有以也。莊周、列禦寇羽翼其教，亦猶鼓大浪于滄溟，聳奇峻于喬嶽。此尚逸其迹而□蓋其意，要在忘言而後識其指歸也。漢文、景間，治尚清静，世治隆平，率自曹參，宗蓋公之訓，足知道德範世之驗，果不虛云。惜乎晉朝流为浮誕，王衍清談，反壞淳風，阮籍猖狂，又隳名教，失其本而循其末，可不哀哉！賴隋之王仲深譏其故，以謂虛□而晉室削，非老莊之罪，以其用之不善也。唐韓愈猶譏其小仁義，猶坐井觀天。嗚呼！愈負其才而昧于道，是亦聾盲于心，而不知太山雷霆可以驚其耳而駭其視也。一言以爲不智，每貽君子之歎息焉。篤信之士，代不乏人，各隨其意爲之注解，殆數十家，不惟觀覽之煩，抑亦集之不易。饒陽李霖字宗傳，性喜恬淡，自幼而老，終身確然，研精于五千之文，可謂知堅高之可慕，忘鑽仰之爲勞，會叙諸家之長，②並叙己見，成六卷。譬若八音不同，均適于平；五味各異，皆可于口。庶廣其見而博其知，以斯而資同道，爲功豈小補哉！王賓乃先生之舊友也，賞其勤而成其志，命工鏤版，俾好事者免繕寫之勞。推而用之，可不謂之仁乎？"

冲虛至德真經四解

平陽高守元善長輯。毛麾《序》曰："太史公序黄、老而先六

---

① "皇"，文物出版社、上海書店、天津古籍出版社 1988 年影印《道藏》本作"玄"。
② "叙"，《續修四庫全書》本《金文最》卷十九作"聚"。

經，蓋知崇道術矣，何偶遺《列子》？劉向乃校勘成書，其言明內外，證死生，齊物我，大抵與蒙莊合。至于謂不知我之乘風，風之乘我，周之爲蝶，蝶之爲周，若出一口矣。然後世注說傳者，俱少《列子》。在晉有張湛，唐有盧重元。方之《南華》，湛則郭象，盧則成玄英也。逮宋政和有解，而左轄范致虛謙叔亦有説。當是時，天下之道學與三舍進士同教養法。儒臣王禮上言：莊、列二書，羽翼老氏，猶孔門之有顏、孟。微言妙理，啓迪後人，使黃老之道，粲然復見，功不在顏、孟之下。宜詔有司講究，所以崇事之禮。崇之，^①故其書大行。平陽逸民高守元善長收得二解，並張、盧二家，合爲一書，誠增益于學者。因之，得以叩玄關、探聖域，致廣大而盡精微，顧不韙歟？竊嘗謂訓詁之義，自昔爲難。盧《序》曰：‘千載一賢，猶如比肩。萬代有知，不殊朝暮。’可爲喟然歎息也！”

道德經注

東萊劉處元通妙撰。見《甘水仙源録》秦志安《長生真人劉宗師道行碑》。

陰符經注一卷

劉處元撰。有范懌德裕《序》曰：“《陰符真經》三百餘字，言簡而意詳，文深而事備。天地生殺之機，陰陽造化之理，妙用真功，包涵總括，盡在其中矣。昔軒轅黃帝萬幾之暇，淵默冲虛，獲遇真經。就崆峒山而天真黃人廣成先生，^②得其旨趣，勤而行之。一旦鼎湖乘火龍而登天，斯文遂傳于世。後之修仙慕道者，而能默識玄機，深造閫域，往往高舉遠致，躡景升虛，不爲不多矣。數千載之間，爲之注解直説者，曾無一二，

---

① “崇之”，《續修四庫全書》本《金文最》卷十九作“從之”。
② “天真”前，《續修四庫全書》本《金文最》卷二十一有“問”字。

皆辭多假諭,旁引曲説,真源弗露,使夫學者困于多歧。以至
皓首區區,勞而無功,愈窮而愈惑,半途而止者,不可勝紀,遂
指仙經爲虛語,深可憫也。神山長生劉公真人,教法令器,師
席宏才,學貫古今,心游道德。乃單思研精,①探賾索隱,爲之
注解。坦然明白,易知易行,以利後人,可謂慈憫仁人之用心
也。濟南畢守真命懌作序,欲廣傳于四方,爲學者之指南。
而學者詳覽斯文,可以悟疑辨惑,皆能擺脱塵網,直厠真游,
消遥于混茫之域矣。"

陰符經注二卷

唐淳撰。孟綽然《序》曰:"深達天機者,乃能説天道之妙;未
造聖域者,烏能釋聖人之經。何哉? 蓋聖人之言遠如天,非
探賾索隱者,豈能知哉! 如黄帝《陰符經》者,章纔止一二,字
不過于三百,言雖約而旨益遠,文雖簡而意彌深。或以富國
安民爲修鍊之術,或以强兵戰勝爲養攝之方,包羅乎天地,總
括乎陰陽,視之無色,視之無聲,②冥冥然孰察其真情,③杳杳
然莫窮其微妙。自非内外虛朗,表裏玲瓏,能提挈乎天地、把
握乎陰陽者,先剖析而注解之,孰能窺其壼奥,測其涯涘矣!
然注此經者,不啻十數家,得聖人之微旨者,唐公一人而已。
公諱淳,號金陵道人,不知何代人也。于是乃述己所聞,依聖
意而解之,旁引諸書而證之,使後來觀者,視其經則雖至深而
至遠,求其注則誠易見而易知。一字所説,如燈之破闇;一言
所解,若龜之決疑。非唐公素識有無之源,深窮造化之端,達
乎天機,造乎聖域,安能爲此耶? 邇來瑩然子周至明,實今之

---

① "單",《續修四庫全書》本《金文最》卷二十一作"覃"。
② "視之無聲",《續修四庫全書》本《金文最》卷二十一作"聽之無聲"。
③ "真情",《續修四庫全書》本《金文最》卷二十一作"精真"。

好事者,因游崆峒,感黃帝故事,慨然有兼善之心,懇求此本,鏤版印行。庶修真者亦得淘真而去僞,入聖而去凡,握陰陽乎掌上,撮日月于胷中,真古人之用心也。求予爲序,予欲不言,蓋有美不揚,友之辜也。于是援毫而書之,以繼公之好事耳。"

案,如序言,淳似非金代人,且無卷數,今從《補元史藝文志》。

周易參同契簡要釋義

廣寧郝大通撰。大通《自序》曰:"教者,道之所以生也。道本無名,强名曰道;教本無形,假言曰教。教之精粹,備包有無。故以無言之,存乎道體;以有言之,存乎器用。體之以爲無,用之以爲利。若曰有形生于無形,則乾坤安從而生?用教化于無知,則真知安從而出?若夫太極肇分,三才定位,布五行于元極,列八卦于空廓,發揮七政,躔次紀綱,垂萬象于上方,育羣靈于下土。是故聖人仰觀俯察,裁成輔相,信四時而生萬物,通變化而行鬼神。通精無門,藏神無穴,寂然不動,感而遂通。至于修真達道之士,用之德化十方,慧超三界,升沈而龍吟虎嘯,消息而蛇隱龜藏。一往一來,神號而鬼哭;一伸一屈,物我以俱忘。當是時,電激而八表騰輝,雷震而三山動色,鶴飛鳳舞,鹿返羊迴,冲氣盈盈,瑞雲密密,萬神羅列,羣魔遁形。玄珠迸落于靈臺,芝草齊生于紫府,覺花繽放,法海淵深,直入玄都,永超陸地。所謂毛吞大海,芥納須彌,木馬嘶鳴,石人唱和,此皆開悟後覺,不得已而爲言。是道也,用之以順,兩儀序而百物和;行之以逆,六位傾而五行亂。非夫至極玄妙,其孰能與于此乎?于是略叙玄文,删爲節要云耳。"

重陽全真集九卷

咸陽王嚞知明撰。范懌《序》曰:"全真之教大矣哉!謂真者至純不雜,浩刼常存,一元之始祖,萬殊之大宗也。上古之初,人有純德,性若嬰兒,不牧而自治,不化而自理。其居于自適自得,莫不康寧享壽,與道合其真也。降及後世,人性漸殊,道亡德喪,樸散純離。情酒慾殽蠹于中,愁霜悲火魔于外,性隨情動,情逐物移,散而不收,迷而弗返,天真盡耗,流浪死生,逐境隨緣,萬刧不復,可爲長太息也。重陽憫化妙行真人博通三教,洞曉百家,遇至人于甘河,得知友于東海,化三州之善士,結五社之緣,①行化度人,利生接物。聞其風咸敬憚之。② 杖履所臨,人如霧集,有求教言,來者不拒。詩章詞曲,疏頌雜文,得于自然,應酬卽辦。大率誘人還醇返樸,靜息虛凝,養亘初之靈物,見真如之妙性,識本來之面目,使後之于真常,③歸之于妙道也。或問真人者曰:'人生天地間,雖曰最靈,亦萬物中之一物耳,孰能逃陰陽之數?孰能出造化之機?有始必有終,有生必有死,此自然之常理也。不稟異氣,仙不可求;不契夙緣,道不可學。豈可苦身約己,如繫影捕風、鏤冰彫朽,爲必不得之事,求難成之效哉?'真人喟然歎曰:'長生妙理,人具仙材,孰不可求?有怠而弗成者,顯而至多;有勤而取驗者,隱而甚少。世人以多見爲信,以不見爲疑,遂以仙事茫茫爲不可期也。試以物理驗之:鑛之鍛鍊,可以爲鐵;鋼之點化,可以爲金。魚超呂梁而爲龍,雉入大水而化蜃。冰之易消者也,藏之可以度夏;草之易衰者也,覆之可以越冬。人能割愛去貪,守雌抱一,游心于恬淡,食氣于虛無,亦可以高擧遠致,躡景登虛,逍遥乘禦寇之風,往來應飛真之錫,騎鯨而游滄海,跨鳳而上青冥。千年化兮如遼東之鶴,望日朝兮如葉縣之鳧。與安期、羨門之流,洪崖、洞玄之

---

①　"緣"前,《續修四庫全書》本《金文最》卷十九有"良"字,底稿於此處空一格。

②　"風"後,《續修四庫全書》本《金文最》卷十九有"者"字。

③　"後",《續修四庫全書》本《金文最》卷十九同。文物出版社、上海書店、天津古籍出版社 1988 年影印《道藏》本作"復"。

屬，同列仙班爲難矣。古今得道輕舉者不可勝數，子謂無徵，
如聾者不聞有絲竹之音，瞽者不知有丹青之色。彼淺見諛
聞，烏足以語道哉？'問者屏息汗顔而退。真人開方便門，示
慈悲海，出人于炎炎火宅，提人于浩浩迷津。識性命之祖宗，
和氣神之子母。有無會于一致，空色泯于兩。① 使入是門者，
如南柯夢覺；由是路者，似中山之酒醒。返我之真，無欠無
餘，復入于混成；歸我之宗，不墜不失，復同于太始。真一之
性，湛然圓明，變化感通，無所而不適也。真人羽化之後，門
人衰集遺文，約千餘篇。辭源浩博，旨意宏深，涵泳真風，包
藏妙有，實真修之根柢，②度人之梯航也。京兆道衆，聚財發
槧，雖已印行，而東洲奉道者多因去版路遙，欲購斯文，不易
得也。長生劉公，教門標的，仙宗羽儀，爲一代之師真，作四
方之教主。謂全真之風，起于西，興于東，徧于中外，其教廣
矣大矣。乃命曹瑱、來靈玉、徐守道、劉真一、梁通真、翟道清
等化緣，特詣吾鄉，求序于懌。以真人文集分爲九卷，載開版
印行，廣傳四方。俾後人得是集者，研窮其詞，如鑿井見泥，
去水不遠；鑽木見煙，知火必近。使人人早悟而速成，實仁者
之用心也。噫！自古修真之士，或跰足尋師而師不遇，或斷
臂問法而法不知，至于皓首窮年，莫知所措，虛過一生，深可
惜也。今全真文集散落人間，妙用玄機昭然易見。學者宗
之，大修則大驗，小求則小得。士之志于道者，適遇斯時，何
其幸也！"

金關玉鎖訣一卷

王喆撰。

---

① "兩"字後，《續修四庫全書》本《金文最》卷十九有"忘"字。
② "真修"，《續修四庫全書》本《金文最》卷十九作"修真"。

重陽授丹陽二十四訣一卷

王嚞撰。以上二種見《補元史藝文志》。

重陽教化集三卷

寧海馬鈺宜甫撰。范懌《序》曰:"丹陽先生遇重陽真人,顧不異哉?真人一性靈明,夙悟前知。自吾鄉,[①]地之相去三千餘里,不辭徒步之遠,而有知己之尋。大定丁亥中元後一日,真人抵郡,竹冠檞衣,攜笠策杖,徑入于余姪明叔之南園,憩于遇仙亭。丹陽先生馬公繼踵而至,不差頃刻,可謂不期而會焉。二人相見,禮揖而罷,問應之餘,歡若親舊。坐中設瓜,惟真人從蒂而食,衆皆異之。丹陽先生先題詩于亭壁,有'沉醉無人扶'之句。真人讀而笑曰:'吾不遠數千里而來,欲扶醉人耳。'又問如何是道,對曰:'大道無形無名,出五行之外,是其道也。'清談終晷,坐者聽之,纚纚忘倦,使人榮利之心、驕氣淫志頓然失去。先生邀真人就城而館之,待以殊禮,日益恭敬,卒至于成。因命所安庵 曰'全真'。究其相遇之由,若合符節,苟非夙緣仙契,孰能至于是哉!先生系出扶風,累世青紫,吾鄉顯族也。生而異稟,識度不羣。其所居之第,□范二街相對,與余世爲姻家,有朱、陳之好。幼同嬉戲,長同講習,在郡庠數十年間,花時月夕,把酒論文,未嘗不相從爲樂也。先生資豐厚,[②]輕財好施,故能捨巨萬之富,揖真一之風。真人遂以方便,誘夫婦入道,尚恐未成,[③]乃出神入夢,以天堂、地獄警之,俾斯悟焉。至于鎖庵百日,密付玄機,謂石火光陰,難得易失,如不早悟,虛過一生,下手速修,猶太遲

---

① "自"後,《續修四庫全書》本《金文最》卷十九有"終南至"三字。
② "資"後,《續修四庫全書》本《金文最》卷十九有"産"字。
③ "成",《續修四庫全書》本《金文最》卷十九作"從"。

也。謂攀緣妄想，動成罪業，索梨分而送之，兼以栗芋賜之，使知其難分而立遇也。謂不捨冤親，煩惱不斷，去邑里之冗，爲雲水之游，則鄉好離也。凡詩詞往來，賡唱迭和，皆予一一目覩而親見之。雖片言隻字，無非發揮至奧，冥合于希夷之游也。[1] 是以收聚所藏，編次至三百餘篇，分爲三帙，共成一集。丹陽門人虛真子朱抱一欲鐫版印行，廣傳四方，屬予爲序。予忘其固陋，卽其意而序之。卽美其至人相遇之異，又美其仙風勝概，可垂勸于後人。使修真樂道之士，玩詠斯文，豈小補哉？”國師尹《序》曰：“甚哉！高尚至人，世不常也。[2]譬如景星變雲，[3]非遇聖朝昌運，豈泛泛而見？自太上出關之後，有關令尹喜傳襲其道，下逮鍾離處士、呂洞賓、陳圖南者，皆相繼而出。于今得重陽真人及丹陽先生，亦接踵于世。噫！寥寥乎幾千百年之間，此數君者，未易多得，可謂高尚至人，世不常有者也。丹陽先生馬宜甫，本冠裳大姓，富甲寧海。自童稚時，其仙風道骨，洒落不凡，已爲閭里欽重。長從鄉校，積學爲文，便能入第一等。忽遇重陽真人，以一言悟意，棄金帛如敝屣，視妻子如路人，幅巾杖履之外，一無所有。澹如孤雲，悠然西邁，以爲物外之游，意將不受幻化。倘非夙緣定分悟生死者，[4]其孰能與于此？先生入道之後，凡述作賦詠，僅數百篇，一一明達至理，深得真詮。門人高第等命同其議，哀綴成集。門人虛真子朱抱一命工鏤板，將行于世，乃屬本府醫學博士韓宬同扶風馬川訪予求序，淳淳懇至。適有客在座，聞之則掀髯抵掌，捨席趨進而問曰：‘道家者流，嘲弄風

---

①　“游”，《續修四庫全書》本《金文最》卷十九作“趣”。

②　“常”後，《續修四庫全書》本《金文最》卷二十有“有”字。

③　“變”，《續修四庫全書》本《金文最》卷二十作“慶”。

④　“悟”前，《續修四庫全書》本《金文最》卷二十有“了”字。

月,固當如是乎?'予卽應之曰:'噫嘻!子亦誤矣。且如明眼禪和欲傳妙道,亦必垂一則語以示後之學者。矧□高尚志人,力欲恢宏正道,闡揚家風,必以言語訓誡發爲文章,而啓迪迷人,庶有覺悟。況此冷淡生活,本是道人風味,其間無一字無塵凡氣,殆非吟詠風月者,無用之空言也。子無誚焉。'客乃醒然改容,悚報請退曰:'僕誠淺陋,言且過矣。其徒所請既堅,子盍序之?'予因作此俚語以書卷首。"趙抗《序》曰:"仁人之用心也大矣哉!身已適于正也,欲天下之人皆去僞而歸真矣。吾鄉丹陽先生之徒,行是道者也。先生舊爲寧海著姓,祖宗皆以通儒顯宦。自弱冠之年游庠序,工詞章,不喜進取,好虛無,樂恬淡,已深悟玄玄之理。一日,重陽真人自終南徒步而來,一見而四目相視,移時不已。及開談笑語,如舊交夙契。或對月臨風,或游山玩水,或動作閒晏,靡不以詩詞唱和,皆以性命道德爲重。謂人生于電光石火,如駒隙朝露,①不思治身,妄貪名利,倘修之不早,若一入異境,則雖悔可追。常以是而深切勸勉,冀一悟而超脱塵世。顧丹陽依違而未決,乃歎曰:'下手遲也。'遂入環堵,令丹陽自親饋一食,自十月朔而處。所須惟文房四寶,布衣草履,枕石而席海藻。隔窗牖而求詩詞者接跡,舉意卽就,略無思索。當隆冬積雪之際,和氣滿室,居百日而方出。嘗入夢于丹陽,而警之以天堂、地獄。又索梨栗芋,每十日而分賜之,自一以至五十五,爲陰陽奇偶之數,皆以詩詞往復酬和而顯其旨意。于是丹陽夫婦開情,厭塵俗而樂雲水,書誓狀,願師事于真人。茲分梨十化之由也。自此易氌衣,分三髻,日從事于重陽。視富貴如浮雲,棄子孫如敝屣,忻然違鄉里,西游梁、汴之間,盡傳其

---

① "駒隙",《續修四庫全書》本《金文最》卷二十作"隙駒"。

道。不久而真人蜕昇，遂西入關陝，至終南重陽舊地，築環堵以居焉。無塵事之縈，無火院之累，尊心致志，以精窮內事，雖祁寒酷暑，不易常服。或忽然長嘯而自歌自舞，已得希夷之真趣，故人心歸向，無賢不肖皆願爲門弟子。吾邦之士素慕其明德，不憚數千里之遠，往而求見者無虛日。斯見離五行之外而超俗出世者也。豈不曰好離鄉乎？凡當時之一篇一詠，不徒然而發，皆所以勸戒愚蒙，免沉溺于愛河慾海，非專爲于己也。故門人裒聚二先生之詩詞，分爲三集，上曰《教化下手遲》，次曰《分梨十化》，又其次曰《好離鄉》，共三百餘篇。玩其文、究其理者，則全真之道思過半矣。自丹陽得遇，殆今一紀有餘，闡揚其教，四民瞻禮，多入道而從。《下手遲》三集，雖關中已鏤版印行，以通途遼遠，傳于山東者，百無一二，而樂道之士，罕得聞見。一日，丹陽門人虛真子朱抱一訪予曰：‘先生因重陽真人之誘掖而棄俗，究重陽真人之詩詞而悟道。或以篇章，或以言說，廣行其教，欲人人咸離迷津，超彼岸，得全真之理，豈肯獨善其身哉？玆見仁人之用心也廣大矣。況此三集，皆在吾鄉所作，有目有耳者，皆親聞見之。實丹陽發跡之根柢，而得道超脫之因，盡在是也。欲命工重雕印造，以廣其傳，俾世人皆得以披覽稽考，知趨正而歸真矣。’求余爲文，以序其事。予老矣，昔與丹陽鄰里，同在郡庠，又相友好。不惟常仰丹陽之道高德重，抑又見門人之仁心宏遠也。雖才學淺陋，不足以形容其事，然于義固不可辭，姑以當時之親見，以道其實。其在他出處之跡、顯異之行，前數公序之詳矣，此不復載。”劉孝友《序》曰：“有生最靈者人，人生至重者命。性命之真，弗克保全，其爲人也，末如之何。語所以保全性命之真，非大道將安之乎？世之人徒慕乎高爵之貴以爲榮，豐貲之富以爲富，^①謂可以滋益性命于永久，而不知富貴之中，美食華衣饒結于口體，繁聲豔色侈奉于視聽。心猿易放，情竇難窒，嗜慾耽荒，皆因以萌，驕奢淫佚，靡所不至。而勞神憊氣、戕性賊命之患，舉在于是，良可鄙也。豈侔乎邁世違凡，栖心傃道，黜聰明，去健羨，所樂者淡薄，所守者清净，紛華弗容蠹于外，情欲無所啓于内，純純悶悶，專棄致柔。久而靈臺湛然，神明自得，全真契妙，仙昇太清，不其韙歟？達是理者，今吾鄉丹陽先生其人也。先生本儒官名家，金穴豪士，自幼讀書，聰敏之性異于髫豎輩。迨冠，染翰摛藻，衡視秀造，吾儕亦咸所推重。每于暇日，親朋宴集間，多笑發名談，雅有方外趣。鄉黨以是知先生亦習道念之深也。大定丁亥，有重陽真人自終南而來，一見先生，謂宿有仙骨，可與爲閬苑蓬壺逍遙侶。乃温顔青眼，傾蓋交游，^②勸其遠俗脱塵，亟探道妙。先生初以家貲廣貯，妻孥愛深，未之遽從。迨重陽多方警化，屢示以詩詞，激切勸諭，識其玄機微旨，皆神仙語。忽爾覺悟，願執弟子禮，從真人游。將所示篇什，依韻賡酬，以形服教進退、永矢弗渝之意。已丑歲，重陽西返，道徒從焉。先生乃蜕然捐産捨家，違妻離子，顛髻體褐，躡後而徑入梁、汴間，栖泊朞月。重陽謂吾道之玄微授先生者已竟，乃蟬蜕仙去。先生復挈徒西上，之終南訪重陽舊庵所，築環堵而居。遵師踵武養道闡教，居人及鄰州，不以長幼，歆慕而宗師者無慮千餘輩。閱禩逾紀，至壬寅仲夏，先生默想鄉邦遐僻之地，意其苦海愚迷，喪真積蠹者衆，即振策東歸。深

---

① “以爲富”，《續修四庫全書》本《金文最》卷二十作“以爲樂”。
② “游”，《續修四庫全書》本《金文最》卷二十作“談”。

慈悲之念，躬拯化之勤，庶人人悟過修真，①俱登道岸。杖屨
所至，亦靈異之徵屢昭。臨井覽泉而泉卽變甘，救旱祈雨而
雨遽應降。修醮儀而彩雲集于庵上，焚魚綱而海市見于臘
天。餘多異跡，謂非顯然衆所共見者，難以縷形。遂致遠邇
之人，咸欽風服化，其卆髮緇袍願受教爲門弟子者，日差肩而
前，不可數計。先生既化行如是，復想其遇師得道之始，與重
陽唱和詩詞數百篇，皆發揮道妙，足以爲破迷解惑、超凡度世
之梯航。要廣傳于世，俾玩詞味旨者，率醒心明道，遠塵勞之
苦，全性命之真，異時俱爲丹臺籍客也。曩者雖門人已嘗編
集，分卷命名，印施陝右，尚慮其傳之未周，及知其中多有舛
誤字句。由是門人再行編集，詳加讐正。欲于鄉中募工鏤
版，普傳四方，委丹陽門人虛真子朱抱一辦其事。一日，朱公
惠臨圭竇，諭予作序。予自商坤汙椎魯，奚足以發揚玄旨？
固辭弗可，遂勉摭先生遇師得道闡化之崖略，濡毫燥吻，作澁
泚下俚語，姑酬其請云。"梁棟《序》曰："嘗聞之：得其道則仙
可成，遇其人則道可得。以此知仙之難成，道之難得，而人之
尤難遇也。彼道家者流，例多不遇至人，徒學般運嚥嗽，區區
屑屑，殊可笑也。夫至人之道，其甚易知，其甚易行，所傳于
人者，豈徒然哉？必視乎有仙風道骨，又知乎聯夙昔之契，雖
去數千里之遠，必勤勤懇懇，付之道而後已。此有以見重陽
之于馬公也。重陽早遇至人，口傳至道，乃結廬于甘水之上。
既而，雲游山東，直抵寧海，蓋預知有人可以傳道也。一見馬
公，情契道合，其一語一言，未嘗不以下手速修爲喩。然馬公
寧海鉅族，家貲千萬，子孫詵詵，雖素樂恬淡，亦未易猛拚也。
重陽乃于孟冬之首，鎖庵百日，出神入夢，以天堂、地獄爲之

----

① "庶"後，《續修四庫全書》本《金文最》卷二十有"使"字。

警動。又嘗以賜馬公梨一枚、詩一篇。其後十日,索梨一枚,
分而爲二,又賜以芋栗,各有其數。冥合陰陽奇偶之妙,無非
託物以諭意,微言而明理焉。公一旦開悟,以所賜詩頌,依韻
賡和,欣然棄家,易于去敝屣矣。于是師重陽,西游汴、梁之
間。重陽既傳道于馬公,屬以後事,遂尸解仙去。馬公果能
敷暢玄風,發揚妙理,遠近奉教者,不可勝數。其前日賡唱詩
頌,有欲願見而不可得者,門人遂收散亡,共三百餘篇,欲鏤
板印行,傳之四方。偉哉!用心之廣也。一日,馬公門人虛
真子朱抱一携《下手遲》集,以求序于余,曰:'某欲刊行此文,
意使棲心向道之士,諷其書辭,味其旨趣,以之破迷解惑,皆
知石火光中雖務速修,猶太遲也。'余聞是言,加以素慕全真
之風,兼目睹其實,不能以鄙陋爲拒,姑叙其大概云。"劉愚之
《序》曰:"夫全真之教妙矣。其道以無爲爲本,以清净爲宗,
其旨易知,其實易從。然世之人,類履之而無終,行之而鮮久
者,何哉?以其信之不篤,執之不固,抱兒女子之惑,無烈丈
夫之志,徒眷眷于火宅,不能高蹈遠引而去故也。丹陽先生
其能終始是道,而得至于仙者與!先生世居東皐,資産鉅萬,
貌偉神秀,無一點塵俗氣。自總角知書,淡乎無仕進意,混處
閭里,德不外耀,鄉人以是慕之。已而,重陽真人徒步出關,
直造寧海,且謂與先生有宿昔之契,因警之以詩,悟之以詞,
要與俱游乎八極之表。先生始而疑,中而信,又終而從,遂執
弟子之禮而師焉。一旦撥置家務,棄去井邑,而偕爲汴、梁之
行,無復有繫著念。雖使陟危陷傾,①冒艱履困,竟志類鐵石,
確然而不之變也。以是而盡能傳重陽公之道。若夫陰陽造
化之理,性命保全之術,點化傳度之訣,無爲清净之旨,靡不

---

①　"陷",《續修四庫全書》本《金文最》卷二十作"蹈"。

洞索而通明之。以至于重陽歸真，卒赴其託，而主其教焉。故全真之風于公廣行，無智愚賢不肖，願從而歸之者，惟恐其後。先生事師凡四年而師終，師終凡十餘年而又不返，則先生離鄉之志可知矣。然先生之離鄉，豈徒然哉？蓋有説在焉。僕爲先生里人，乃得其詳。方先生之遇也，心雖許之從，而身未之逮也，姑以私第南館，名其庵而居。一日，重陽真人指先生而誨之曰：'子知學道之要乎？要在于遠離鄉而已。遠離鄉則無所係，無所係則心不亂，心不亂則欲不生，無欲欲之是無爲也，無爲爲之是清净也。以是而求道，何道之不達？以是而望仙，何仙之不爲？今子之居是邦也，私故擾擾，不能息于慮；男女嗷嗷，不能絶于聽；紛華種種，不能撿于視。① 吾懼終奪子之志，而無益于吾之道也。子其計之！'先生乃攫而悟，顧而笑，即日拂袖去，用能斷宿緣，剔塵染，寂然與物無著，杳然與物無累，乘雲馭風，飄飄爲神仙中矣。先生自受師前言而至于了達，然不敢默默自蓄于胸中。特取疇昔唱和三帙，舉其一以名之曰《好離鄉》。庶覺諸未悟者，必式此以爲進道之階。噫！先生之用心，可謂仁且大矣，僕敢不竭慮而讚揚之？因丹陽門人虛真子朱抱一求序，姑序其萬一云。"又有王滋德務《後序》曰："太上有言曰：'吾所以有大患者，爲吾有身。及吾無身，吾有何患？'蓋古之至人，尚且以身爲累，況于其身之外者乎？且家盈百口，徒益勞生，家累千金，難逃化物，可不諦□泡幻，漸遠世緣。故當滌去塵根，獨露全體。其有寂心暫住，熱境未除。火宅炎炎，徒起亡家之念；仙都杳杳，妄興脱屣之懷。不念玉藥金蓮，豈産行尸之腹？瑤臺絳

---

① "撿"，《續修四庫全書》本《金文最》卷二十同。文物出版社、上海書店、天津古籍出版社 1988 年影印《道藏》本作"掩"。

闕，肯容舐痔之人？自非澡雪神情，捐棄塵累，則何足仰膺師
訓，深造道樞，從乎汗漫之游，達彼逍遙之趣？惟我丹陽真
人，冰清玉立，淵渟谷虛，視富貴如涕洟，等聲名于桎梏。當
遇重陽真人，親授祕旨，所謂目擊心會，色授神與者矣。而重
陽公又復著爲詩詞，發明真要，丹陽公隨機酬和，仰音應聲。
前後僅數萬言，辭質而義明，言近而指遠，其勤勤懇懇若此
者，蓋欲指示學徒，易爲開覺故也。其門人虛真子朱抱一等，
相與裒集編次，計三百餘篇，釐爲三卷。嘗請諸其師而名之
曰《下手遲》，曰《分梨十化》，曰《好離鄉》。集既成，一時修真
之士共珍祕之，惟恨得見之晚。一日，其門人虛元先生衛公
携所謂虛真子朱抱一者，奉是集而來。謂予曰：‘此吾之師重
陽、丹陽二真人唱和集，今好事者傳寫之不暇。竊此編真詮
妙論，了見古人直截下手處，實屬昏衢之指南。倘獨擅于己
而不廣其傳者，不惟有負吾師著述之意，亦豈仁人之用心哉！
有志于道者，誠所不忍也。吾將刊木以貽諸同志。前此雖已
有總序，子其爲我各爲之引。’滋辭以不敏，非特不足以發揚
玄異，恐適以爲贅疣之累耳。況此集一出，將見如夜光尺璧、
紫芝瑞雲，璀璨灼爍，人爭先覩之爲快，又豈復俟滋爲之引而
後顯耶？衛公曰：‘有是玄哉！且子亦嘗游吾師之門牆，聆吾
師之論議者屢矣。吾且以子爲頗造其閫閾者，竊謂子必喜爲
之。而吾與子復有平昔之好，故以吾爲介，期子之不我拒也。
豈其過自謙抑，誠非所望焉。雖然，必強爲我著之。’既不獲
請，滋乃伏而思曰：惟二師之教，章章然著在人耳目，故不待
傳而傳矣。念衛公者，昔以詩書世其家，實好學能文之士。
方少年時，藉藉然有聲于場屋間。晚節養高自晦，甘于恬退，
不委然諾。今從丹陽公游，鄉里所共好之，滋亦嘉其道之篤。
而虛真子朱先生意復益堅，故不敢復讓，勉習其所謂《好離鄉

集》，再四披繹，大率皆以刳心遺形、忘情割愛、嗇神挫鋭、體虛觀妙爲本。其要在拯拔迷徒，出離世網，使人人孤雲野鶴，飄然長往，擺脱種種習氣，俾多生歷刼，攀緣愛念，如冰消瓦解，離一切染著，無一絲頭許凝滯，則本來面目自然出現。此全真之大旨也。而凡夫之性，計我我，數人人，蓬心蒿目，認賊爲子，不識本原，徒自執著，虛妄流轉，觸途患生，無有窮已，爲可憐憫。故因目是集爲《好離鄉》，將使學人因文解義，離其所染著，離其所愛戀，徧離一切諸有，以至于離無所離之離，真清真静，無染無著，至實相境界，則舉足下足，無非瑶池閬苑矣。有之于是，則前所謂吾有何患者，果何有哉？愚之妄意，以爲如此。因摭此而勉爲之序。其他則備見于後總序，此不復紀。"案此諸序，其文皆爲丹陽作，則書實馬氏撰。《補元史藝文志》乃隷于王喆下，未是。殆鄭樵所云見名不見書與？

金丹口訣一卷

馬鈺撰。

洞玄金玉集十卷

馬鈺撰。

丹陽神光燦一卷

馬鈺撰。有筠溪野叟寧師常《序》。其《序》云："道在邇而求諸遠、事在易而求之難者，此世之常情。至于目擊而存，不言而喻，此上士之趣，實丹陽先生得之也。先生以先覺之明，開發愚徒，穎悟後進，其有不逮者，又從而指示之。誠猶皓月流天，纖悉皆蒙顯焕；心燈在體，熱腦咸得清凉。先生又作《神光燦》百首，俾使歌揚紬繹，互相警策云爾。嗚呼！先生其化人之心也深，念人之意也重，豈不若菩提寶樹，布清影于恒沙；般若神舟，濟塵勞于苦海者歟！姑以鄙言序其端首。"

重陽分梨十化集二卷

馬鈺撰。馬大辨爲之《序》曰："丹陽先生系出扶風，大辨之宗親也。家貲巨萬，子孫詵詵。自幼業儒，不爲利祿誘。性好恬淡，樂虛無。嘗謂其人曰：'我因夢遇異人，笑中得悟。'大定丁亥秋，果有重陽真人別終南，游海島，欲結知交，同赴蓬萊，共禮本師之約。東抵寧海，首往范明叔之遇仙亭。丹陽繼至，參謁真人，一見躍然相傾蓋，目擊而道存。知丹陽夙有仙契，遂丁寧勸以學道修真。丹陽識其諄誨，敬請真人偕至郡城，居以南庵，命其名曰'全真'。日夕與之講道于其中，必欲丹陽夫婦速修持，棄家緣，離鄉井，爲雲水游。其初夫婦弗從也，真人誓鎖庵百日，自孟冬初吉賜一梨，命丹陽食之。每十日索一梨，分送于夫婦，自兩塊至五十五塊。每五日又賜芋栗各六枚。及重重入夢，以天堂、地獄十犯大戒罪警動之。每分送，即作詩詞，或歌頌，隱其微旨。丹陽悉皆酬和，達天地陰陽奇偶之數，明性命禍福生死之機。由是屛俗累，改衣冠，焚誓狀，夫婦信嚮而師焉。逮已丑歲，從真人西歸，至汴、梁間。居閱歲，真人蟬蛻仙去，丹陽盡傳其道。乃與其徒西走終南，訪真人舊隱，築環堵而居之十稔，宗闡其教，徒弟雲，[①]不可勝數。歲在壬寅，丹陽飛錫東來，復還鄉邦。一日，語諸門人曰：'真人平昔著述，已有《全真》前後集。又其游吾鄉時所著，類皆玄談妙理，裒集得三百餘篇，分爲三帙，上曰《下手遲》，中曰《分梨十化》，下曰《好離鄉》。此集關西雖已刊印，然傳至鄉者何其罕耶！'門人共對曰：'真人向寧海化師父，實其根始。他處且刊行，況鄉中乎？當重加校證編次，亦作三帙，命工鏤版，以廣其傳。'丹陽門人虛真子朱抱一攜是

---

① "雲"後，《續修四庫全書》本《金文最》卷二十有"集"字。

集訪余，謂余曰：'鄉老先生范、劉、趙三公已作總序，每帙別求爲序引。'余答曰：'僕方且對燈窗，事雕篆，以謀進身，繼箕裘之緒，能無愧于忘名利、出塵世者乎？'然自謂爲兒童時，素識丹陽，有慕道之心，又親睹其人鎖庵勸化之事，不能以淺陋辭。因習其《分梨十化》一帙，故樂出是書，庶使四方嚮道之士，知全真之教有利于人也大矣。若夫二先生戒勸之文、神異之跡，其他記序歌誦載之已詳，姑叙其丹陽夫婦出家入道之本末云。"

西嶽華山志一卷

王處一子淵撰。劉大用器之《序》曰："凡古之士合作神藥，必入名山福地，不止小山之中。何則？小山無正神爲主，多是木石之精，千歲老物，此輩蘊邪之氣，不念爲人作福故也。謹按《山經》云：'可以精思合作神藥者，華山、泰山、霍山、恒山、嵩山。'餘係中州，或在諸侯五服之外，三閒稱名山者以百數，乃不以遍舉。此皆有正神或隱地仙之人，又生芝草。若有道者登之，則此山神助之爲福，其藥必成矣。吾鄉金城千里，控壓三河，川英嶽秀，太華位焉。夫太華者，坐抱三公，抗衡四嶽，終南、太白卻立而屏息，首陽、王屋不敢以爭雄。西觀昧谷之稍昏，東顧扶桑之已白。更無峻極，惟戴高穹。蓋得太乙之元精，秉金天之爽氣，作成萬物，分主兌方。預之于十大洞天之中，則極其爲號，含藏日月，吐納雲煙，生象外之樓臺，匪人間之風物。目之于十八水府之數，則車箱有澤，東南江海，地脈潛通，載祀典而爲常經，投金龍，進玉簡。若夫仙掌雲空，蒼龍日出，千山捧嶽，嵐氣川流，翠撲客衣，經時不落。已而斜陽映日，蓮峯弄色，如金如碧，匪丹匪青，奇麗萬千，不可名狀。松生琥珀，夜卽有光，地出醴泉，爲國之瑞。固宜降五靈元老，隱函谷真人。或星冠羽衣，乘雲而謁帝王者有之。

或寶車羽蓋，駕龍而觀大羅者有之。招邀真聖，總集仙靈，
則此又華山爲一都會也。吾友王公子淵，先覺而守道，獨立
而全和。每語人曰：‘我欲曳杖雲林，舉觴霞嶺，斯志積有年
矣。方畢婚嫁，棄家入名山，終鍊金液。不有太華，其孰留
意焉？’人曰：‘可矣。’公遂取舊藏《華山記》一通，慮有闕遺，
更閱本郡圖經及劉向《列仙》等傳，有載華山事者，悉採拾而
附益之。俾各有分位，不失其叙。以山水觀之，則峯穴林
谷、巖龕池井、溪洞潭泉之境，可得而見；以祠宇觀之，則宮
殿寺廟、藥鑪拜壇、諸神降現之處，可得而知。語其所產藥
品，則茯苓、菖蒲，細辛、紫柏，俱中炎帝之選；録其所出仙
人，則清虛、裴君、白羊公、黄初平十六真人，盡與玉皇之游
宴而不與下界相關乎。噫！華山仙蹤聖跡于是大備，無不
包也。其文僅七十餘篇，命工鏤板，務廣流傳，則豈曰小補
之哉？既成，請余以文冠其首。余或拒且賀曰：‘余才乏卿
雲，無力挽千鈞之筆，然喜見公之志卽我之志也。我亦欲入
名山，合作神藥，未知明指。會公有此，乃成我之志也歟！’
大凡入名山之中合作神藥，必有所依。書曰：‘爲巫者鬼必
附之，設象者神必主之。’況修仙藥而入名山，豈山之正神而
不佑我耶？其藥之成，可立而待也。但勿謂青天空闊，白龍
來遲，一旦造玄洲，會羣仙，翔紫霄，朝太一，聽鈞天之樂，享
九芝之饌，行亦未昧。其他有諸天之隱語，空洞之靈章，約
與公異日道也。”案，此書或有入史部地理者，《提要》則列之
道家存目，今從之。《皕宋樓藏書志》有舊抄本，題金蓮峯逸
士王處一編。

雲光集四卷

王處一撰。案，此與《全真》諸集似可入集部，今從《補元史藝
文志》。

長生真人至真語録一卷

劉處玄撰。虛白道人韓士倩彥廣《序》曰："我聞道在域中，所宜馴致，仙居象外，不可苟求。故樂天詩云：'若非金骨相，不列丹臺名。'非種百千劫善根，得三五一真之氣，安能至此境哉？今長生子劉先生賦是相，籍是名。昔遇重陽王真人濟度點化，出俗入道，的識慧性，了達疏通。昨被宣詔見，有詩曰：'昔年陝右先皇詔，今日東萊聖帝宣。'再歲告歸，官僚索詞云：'飄飄雲水卻東萊，大微仙伴星冠士。'正是陳希夷昔承宋眷，辭返華山。詔答云：'玉堂金闕，暫喜于來朝；岫幌雲耕，遽求于歸隱。'此二大士之不羈各一，明朝之擅美兼營，道同年，易地則然。自先生躬還故里，觀住太微，箋注諸經，祖述三聖，以文章練放，以翰墨嬉游。著編籍，演教法，遵釋氏重輕之戒，造玄里衆妙之門，服宣父五常之行，緝田宅，發梨棗，申申如也。凡有述作，競雕鏤以流傳。新視聽于衆庶，諷誦于人口，薰陶乎民風，知見者歸依，頑鄙者悛改。一日，先生門人徐、李二師遠來垂訪，過溪館，入愚齋，息杖屨亡勞，醜水陸之味。[1]　良久，出示先生《至真語録》一帙，懇求序引，義不復辭。余乃洗心徧覽，令人警誡覺悟，欲割俗緣出業障耶。始終列八十款，問答踰一萬言。包羅揆叙，引證論評，根天地之化，迹陰陽之用，示死生之説，明禍福之報，談真空之相，懲貪瞋之欲。以至苦樂之由，情偽之作，清濁之源，高下之本，若此者甚衆，無不究竟。皆引用黄、老奥義斷之，天下之事畢矣。可使衆生判疑歸正，渙然冰釋，爲鑿大昏之墉，闢靈照之户，軀解脱矣。于是得超苦海，登覺岸，除三有五濁之穢，證

---

[1]　"亡勞醜"，《續修四庫全書》本《金文最》卷二十一同，粵雅堂本《金文最》卷四一作"之勞饋"。

三昧一空，去十二類舊染之污，受三千界更生之樂。信出自真語啓迪，導化法緣所致也，豈不偉歟！"

續列仙傳二十卷

翰林學士梁有修撰。見《絳雲樓書目》，陳少章注引《金臺集》。

大丹直指

棲霞邱處機撰。《自序》曰："《仙經》曰：'觀天之道，執天之行，盡矣。體天法象，則而行之，可也。'天地本太空一氣，静極則動，變而爲二：輕清向上，爲陽爲天；重濁向下，爲陰爲地。既分而爲二，亦不能静，因天氣先動，降下以合地氣，至極復升。地氣本不升，因天氣混合，引帶而上，至極復降。上下相須不已，化生萬物，天化日月星辰，地化河海山嶽，次第而萬物生。蓋萬物得陰陽升降之氣方生，得日月精華錬煮方實。日月運行周回，自有經路，不得中氣，斡旋不轉。蓋中氣屬北斗所居，斗柄破軍，對指天罡，逐時轉移，日月星辰，隨指自運。《斗經》云'天罡所指，晝夜常輪'是也。天地升降，日月運行，不失其時，爲物化生，無有窮已。蓋人與天地，禀受一同，始因父母二氣交感，混合成珠，内藏一點元陽真氣，外包精血，與母命蒂相連。母受胎之後，自覺有物，一呼一吸，皆到彼處，與所受胎玄之氣相通。先生兩腎，其餘臟腑次第相生。至有胎圓氣足。未生之前，在母腹中，雙手掩其面，九竅未通，受母氣滋養，混混沌沌，純一不雜，是爲先天之氣。才至氣滿，神具精足，臍内不納母之氣血，與母命蒂相離。神氣向上，頭轉向下降生，一出母腹，雙手自開，其氣散于九竅，呼吸從口鼻出入，是爲後天也。臍内一寸三分所存玄陽真氣，更不曾相親，迷忘本來面目，逐時耗散，以致病夭、憂愁思慮、喜怒哀樂。但臍在人身之中，名曰中宮命府、混沌神室、

黃庭丹田、神氣穴、歸根竅、復命關、鴻濛竅、百會穴、生門、太
乙神爐,本來面目,異名甚多。此處包藏精髓,貫通百脈,滋
養一身,凈躶躶、赤洒洒,無可把蓋。常人不能親者,被七情
六慾所牽迷,忘本來去處。呼吸之氣止到氣海往來,既不曾
得到中宮、命府,與元氣、真氣相接,金木相間隔,如何得龍虎
交媾,化生純粹。又不知運動之機,如何是氣液流轉,以鍊神
形。蓋心屬火,中藏正陽之精,名曰汞木龍。腎屬水,中藏元
陽真氣,名曰鉛金虎。先使水火二氣,上下相交,升降相接,
用意句引,脫出真精真氣,混合于中宮,用神火烹鍊,使氣周
流于一身。氣滿神壯,結成大丹,非特長生益壽,若功行兼
修,可躋仙位。謹詳述于後。"

三教入易論一卷

郝大通撰。

示教直言一卷

郝大通撰。以上二種見范圓曦《太古集序》。

太微仙君功過格

又玄子撰。其姓名不可考。《序》曰:"《易》曰:'積善之家,必有
餘慶;積不善之家,必有餘殃。'道科曰:'積善則降之以祥,造惡
則責之以禍。'故儒、道之教,言無異也。古者聖人君子,高道之
士,皆著盟誠。內則洗心鍊行,外則誨訓于人,以備功業矣。余
于大定辛卯之歲仲春二日子正之時,夢游紫府,朝禮太微仙君,
得授功過之格,令傳信心之士。忽然夢覺,遂思功過條目,歷歷
明了。尋乃披衣正坐,默而思之,知是高仙降靈,不敢疎慢。遂
整衣戴冠,滌硯揮箋,走筆書之,不時而就,皆出乎無思,非干于
用意。著斯《功格》三十六條,《過律》三十九條,各分四門,以明
功過之教。付修真之士,明書日月,自紀功過。一月一小比,一
年一大比,自知功過多寡,與上天真司考校之數,昭然相契,悉

無異焉。大凡一日之中,①書功下筆乃易,書過下筆的難,卽使
聰明之士,明然頓悟罪福因緣、善惡門户,知之減半,慎之全無。
依此行持,遠惡遷善,誠爲真誠,去仙不遠矣。”

混成篇

延安趙抱淵撰。張子獻《延安路趙先生本行記》:“道號還玄
子,平行述作,集爲《混成篇》傳于世。”見《甘水仙源録》。抱
淵亦重陽弟子也。

常清静經注

驪山侯先生撰。其名字未詳。有毛麾《序》。其文曰:“源之未
發,流無不清;風之未扇,物無不静。及乎流以汩之,則清者濁
矣;吹而散之,則静者動矣。此理之常也。道之生物,自然之
性,何書不湛然而清,寂然而静,感而遂通。性以情遷,失其天
真,逐而忘返。至于流浪生死,常沈苦海,顧不哀哉! 太上以大
慈悲、大方便接引迷途,②將與復其本原,使得見道。謂道雖不
可以言傳,而目擊道存之士且幾何人。斯謂道雖不可以象教,
而得魚忘筌之喻若有所待,故經之所以作也。是經諄諄明誨,
始曰:‘清者濁之源,静者動之基。人能常清静,天地悉皆歸。’
繼而:③‘人神好清而心擾之,人心好静而欲牽之。常能遣其欲
而心自静,澄其心而神自清。’又繼之曰:‘內觀其心,心無其心;
外觀其形,形無其形;遠觀其物,物無其物;湛然常寂,寂無所
寂,卽是真静,真静應物,漸入真道。’復曰:‘雖名得道,實無所
得,爲化衆生,名爲得道。’此真經之大旨歟。蓋自西王母授之,
仙人葛元等傳之,太玄真人贊之,世世尊奉。奈何愚者有終身

---

① “中”,《續修四庫全書》本《金文最》卷十九作“終”。

② “途”,《續修四庫全書》本《金文最》卷十九作“徒”。

③ “而”後,《續修四庫全書》本《金文最》卷十九有“曰”字。

不靈，惑者有終身不解，鮮克仰副太上慈悲方便之意。今驪山侯公先生，游方之外者也。念經之言，能悟之者，可傳聖道。乃卽其說爲之訓解，辭簡而甚易明，理達而甚易行，神而明之。自遺欲而滅三毒，由觀心而識無空。屛執著之妄心，誠貪求之煩惱。祖述聖作，以開以明。其間有云：'悟而無爲者是，得而有作者非。'有云：'大道中無文字，文字中無大道，天文玉訣，須憑師匠口耳相傳。'有云：'不執空爲空，不著有爲有。'云：'抱出靈華潔，回還一體光。'[①]學者倘于是經誦持不退，當得造于目擊之玄，不有待于忘筌之後也。"

右道家

君事實辨二卷

王若虛撰。

臣事實辨三卷

王若虛撰。

論議辨惑一卷

王若虛撰。

著述辨惑一卷

王若虛撰。

雜辨一卷

王若虛撰。

謬誤雜辨一卷

王若虛撰。以上諸書，皆見《滹南遺老集》。案，名家之學，以辨析是非爲尚。此數種得正名辨物之義，故列其篇目，以備一家云。

右名家

---

① "云"前，《續修四庫全書》本《金文最》卷十九有一"有"字。

大定編制一卷

任邱齊伯顏士元撰,見《畿輔通志》引《任邱縣志》。案,此與《泰和律義》似當入史部法令類,今從《通志》。"大定",一作"人定"。

刑統賦删要

李祐之撰。賦爲宋傅霖作。《提要》云:"其後注者不一,金泰和中李祐之有《删要》。"

右法家

叢辨十卷

翰林修撰熊岳王庭筠子端撰。自號黃華山主,大定十六年甲科,《金史》入《文藝傳》。元好問作《墓碑》云:"山居前後十年,得悉力經史,務爲無所不闚。旁及釋老家,尤所精詣。學益博,志節益高,而名益重。有《叢辨》十卷。"

無隱論

汾陽軍節度使交河許安仁子静撰。安仁,大定七年進士,《金史》有傳。本傳云:"作《無隱論》上之,凡十篇:曰本朝,曰情欲,曰養心,曰田獵,曰公道,曰養源,曰冗官,曰育材,曰限田,曰理財。"

公論二十五卷

蕭貢撰,見《中州集》。此書今無傳本。《敬齋古今黈》引云:"《魏書》郭祚語李彪曰:'爾與宋弁心交,豈能饒爾,而獨怨我乎?'此則今人所云'饒你饒人'之出也。饒,優也,僅見于此,故録之。"蓋一雜記書也。《歸潛志》云:"又著《蕭氏公論》數萬言,評古人成敗得失,甚有理。"

筆録

閻長言撰。其書不傳。《續夷堅志》:"參政梁公肅舉子時,祈

仙問前途，仙批云：'六十入相而已。'閣内翰子秀《筆録》記公
臨終前二日，言'上帝召我爲北面大王'，遂卒。張狀元甫唱
第前，夢人以物易其首，手自捫之，乃玉也。初甚惡之，繼有
是應。閣子秀《筆》記其事。"案，筆下當脱録字。據此，則是書乃
雜録異聞者耳。

鳴道集説一卷

李純甫撰。《自序》云："天地未生之前，聖人在道；天地既生
之後，道在聖人。故自生民以來，未有不得道而爲聖人者。
伏羲、神農、黄帝之心見于大《易》；堯、舜、禹、湯、文、武之心
見于《詩》、《書》，皆得道之大聖人也。聖人不王，道術將裂。
有老子者，游方之外，恐後世之人塞而無所入，高談天地未生
之前，而洗之以道德；有孔子者，游方之内，恐後世之人眩而
無所歸，切論天地既生之後，而封之以仁義。故其言不無有
少相齟齬者。雖然，或吹或嘘，或挽或推，一首一尾，一東一
西，玄聖、素王之志，亦皆有歸矣。其門弟子恐其不合，而遂
至于支離也。莊周氏沿流而下，自天人至于聖人；孟某氏泝
流而上，自善人至于神人，如左右券，内聖外王之説備矣。惜
夫四聖人殁，列禦寇駁而失真，荀卿子雜而失純，揚雄、王通
僭而自聖，[1]韓愈、歐陽氏蕩而爲文。聖人之道如綫而不傳
者，一千五百年矣。而浮屠氏之書從西方來，蓋距中國數千
萬里。證之文字詰曲，侏儒重譯而釋之，至言妙理，與吾古聖
人之心，魄然而合，顧其徒不能發明其旨趣耳。豈萬古之下、
四海之外，聖人之跡竟不能泯滅耶！諸儒陰取其説，以證吾
書。自李翱始，至于近代，王介甫父子倡之于前，蘇子瞻兄弟和
之于後。大《易》、《詩》、《書》、《論》、《孟》、《老》、《莊》皆有所解。

① "王通"後，《續修四庫全書》本《金文最》卷二十一有"氏"字。

濂溪、涑水、横渠、伊川之學,踵而興焉。上蔡、龜山、元城、横浦之徒,又從而翼之。東萊、南軒、晦庵之書,曼衍四出,其言遂大。小生何幸,見諸先生之議論,心知古聖人之不死,大道之將合也。恐將合而又離,篆其未合于古聖人者,曰《鳴道集説》云。"耶律楚材《湛然集》有《序》曰:"屏山居士年二十有九,閱《復性書》,知李習之亦二十有九,參藥山而著書,①大發感歎。日抵萬松老師,深攻急擊,宿禀生知,一聞千悟。注《首楞嚴》、《金剛般若》、《贊釋迦文》、《達摩祖師夢語》、贊談、《翰林佛事》等數十萬言。② 會三聖人性理之學,要終指歸佛祖而已。"黄溍《序》曰:"屏出先生李公,其庶幾古之立言者乎? 先生諱之純,字純甫,宏州人,金章宗承安間進士,仕至尚書右司都事。資識英邁,天下書無不讀,其于莊周、列禦寇、左氏、《戰國策》爲尤長,文亦略能似之。三十歲後,徧觀佛書,既而取道學諸家之書讀之。一旦有會于心,乃合三家爲一,取先儒之箋説,其義相合者,著爲成書,所謂《鳴道集説》。觀其爲説,前無古人,誠卓然有所自見,學術不苟于衆人,而惟道是合也。遺山元公常以中州豪傑稱之,謂其庶幾古之立言之君乎? 豈不信乎?"文見《王禕忠文集》。《提要》從《永樂大典》著録作一卷,據《士禮居題跋》有鈔本三卷。案,此書今未見,國初當有刊本。汪琬嘗爲作序,載《鈍翁文録》。

續古今考九卷

元好問撰。此書《金史》本傳不載,藏書家亦未著録。《提要》云:"舊本題金元好問撰。考好問著述存者,有《遺山集》、《中州集》、《續夷堅志》,佚者有《壬辰雜編》,此外諸家著録別無

---

① "而"後,《四庫全書》本《湛然居士集》卷十四有"退"字。
② "贊談",《四庫全書》本《湛然居士集》卷十四作"贅談"。

他書,此編莫省所自來。前有永樂四年解縉序,詞意凡鄙,殊不類縉文。其論《晉書》以十六國爲載記,不若《東都事略》以遼、金、夏爲附録,決非金人之言。中間屢引《困學紀聞》、《文獻通考》。"案,王應麟生于宋寧宗嘉定十四年辛巳,其作《困學紀聞》,據袁桷《序》,應麟時年五十餘歲,當在咸淳末年。好問卒于憲宗七年丁巳,即宋理宗寶祐五年,是《困學紀聞》書成在其殁後二十年。《通考》雖成于宋末元初,其刊行于世,則在元英宗至治二年,在好問殁後又六十餘年。皆不應預爲徵引。至解《論語》"有婦人焉",引來集之《樵書》,又引顧炎武語,皆明末國初之人。解《中庸》"屋漏",引陳司業之説,今見陳祖范《經咫》中。祖范薦舉經學,賜國子監司業銜,事在乾隆十六年。則此書直近時人所爲,本可不著于録,以其託名古人,故存而辨之,不使售欺焉。據此,則書非好問作。然《提要》于雜家附存其目,故今亦聞疑載疑云。

壁書叢削十二卷

欒城李治仁卿撰。治登金進士第,調高陵簿,未上辟,知鈞州事。歲壬辰,城潰,微服北渡,流落忻崞間。聚書環堵,人所不堪,處之裕如。晚家元氏,買田封龍山下,學徒益衆。元世祖欲處以清要,以老病懇求還山。至元二年再以學士召,復以老病辭去,卒于家。事詳《元史》本傳。今據《禮耕堂叢説》辨正爲金儒,故取其所著諸書載于此志。

泛説四十卷

李治撰。

敬齋古今黈十一卷

李治撰。施國祁《舊鈔本敬齋古今黈説》云:"《永樂大典》一書,顛倒篇章,割裂文句,誠淺夫之所作也。然其時舊本已亡,搜采殊富,故今人多從此伐山而拾瀋焉。梓而傳之,率世所罕覯者,卽如金儒李仁卿《敬齋古今黈》一書。聚珍版刻凡八卷,先時讀之,驚其上下千古,博極羣書,欣所未見。而《名臣事略》不詳卷目,比在吳門張訒庵家,得見元書,係舊鈔足本,凡十一卷,前後序跋皆無,爲明萬曆庚子武陵書室蔣德盛梓行者。終以仁卿生于閒代,祇見諸元遺山《桐川》、《太白》等詩,其行事罕詳。爲告之曰:'元人蘇天爵《名臣事略》所引碑文記序,載李文正事甚備,且考其名而重有慨焉。'仁卿生于大定庚子,至正大庚寅登收世科,已五十有一歲,授高陵主簿,辟推鈞州。金亡北渡,講學著書,祕演算術,獨能以道德文章確然自守,至老不衰。卽其中統召拜後,與翰林諸公書云云,其本意大可見,蓋在金則爲收科之後勁,在元則占改曆之先幾。生則與王滹南、李莊靖同爲一代遺民,沒則與楊文獻、趙閒閒竝列四賢祠祀。嗚呼! 其學術如是,其操履又如是,何後人不察,謬改其名,呼治爲冶,乃與形雌意蕩之女道士李季蘭相溷。吁! 可悲已。今其言具在,其名亦正,倘能付諸剞劂,傳示後世,庶使抱殘守闕者,得見全璧,豈非大惠後學哉!案,如此説,則《元史》"治"作"冶",殊誤。且稱爲金儒,則其著述當次入金代,蓋治亦金之遺老也。至《古今黈》"黈"字本傳作"難",未是。顧其書史作四十卷,今足本亦止十一卷,豈"四十"二字爲"十一"二字之倒誤與?《皕宋樓藏書志》有舊鈔本十二卷。

右雜家

百斛珠

楊圃祥撰。《補元史藝文志》云:"金章宗時蜀人。"

屏山贅談

李純甫撰。《歸潛志·周嗣明傳》:"《屏山贅談》,晦之序也。"

王若虚《復之純交説·序》云："之純嘗爲《交説》以見譏。今《贅談》中以'若虚'名篇者是也。其初本自爲一首,蓋辭氣意旨,出于莊、列,可謂奇作。使其處身果能如此,雖古之達者無以過也,而何其取怒之多與! 予讀而悲之,乃復以是説云。"見《滹南遺老集》。觀此,則書雖散亡,然序爲周氏所作,與其篇目,略可考矣。

續夷堅志四卷

元好問撰。宋无子虚《跋》云:"遺山,中原人,使生宋熙豐間,與蘇、黃諸人同時,當大有聲。不幸出完顏有國日,雖偏方以文飾戎事,用科舉選人。惜又在貞祐前後,不當掌其賤牘文柄,故故閒居著述。[①] 觀其文與詩詞,宏肆軼宕,及所傳其國人,號《中州集》。人有各集,[②]其顛叙其行業、仕隱,詩則一聯不遺。宋士夫淪陷其國者,概見于末。文有史法,其好義樂善之心蓋廣矣。所續《夷堅志》,豈但過洪景盧而已? 其自序可見也。惡善懲勸,纖細必録,可以知風俗而見人心,豈南北之有間哉? 北方書籍,率金所刻,罕至江南。友人王起善見之,亟鈔成帙,其學富筆勤,又可知矣。持以示予,時日將夕,讀至丙夜,盡四卷,深有啟于予心。以病不能鈔,姑識卷末而歸之。"石巖民瞻《跋》曰:"吳中王起善,博學且勤,人有異書,必手鈔之,此其一也。按,《續夷堅志》乃遺山先生當中原陸沈之時,皆耳聞目見之事,非若洪景盧演史寓言也。其勸善戒惡,不爲無補。吾知起善推廣之心,即遺山之心也。"又皆窊叟《跋》云:"子思子云:'國家將興,必有禎祥;國家將亡,必有妖孽。'洪景盧《夷堅志》多政宣事,元好問《續志》多泰和、

---

① "故故",《續修四庫全書》本《續夷堅志·原跋》作"故"。
② "集",《續修四庫全書》本《續夷堅志·原跋》作"傳"。

貞祐事，其視平世有間耳。"此外復有吳道輔《景文詩》一首，
孫道明明叔、王東起善兩跋，皆紀傳鈔之由。其末則嘉慶戊
辰余集跋，文不備録。據宋氏説，此書有自序，今無之，而《遺
山集》亦不載。並《金史》本傳列其所著書，闕此種，則其幸存
者乃王起善、孫明叔兩人鈔録之功也。余所見爲海豐吳氏石
蓮庵本，蓋取張穆陽泉山莊覆刻者。

右小説家

平遼議三卷

張守愚撰。《補遼金元藝文志》作三篇，云："國子監齋長承安
二年進。"

北新子

馬餌撰。《中州集·高永傳》："奉聖馬餌升公敢爲大言，著書
十萬言，號《北新子》。大略以談兵爲主，且曰：'古人兵法非
不盡，但未有如《北新子》五十里火雨耳。'"

右兵家

傷寒論註十卷

聊攝成無己撰。嚴器之《序》曰："夫前聖有作，後必有繼而述
之者，則其教乃得著于世矣。醫之道源自炎黄，以至神之妙，
始興經方。繼而伊尹以元聖之才，撰成《湯液》，俾黎庶之疾
疢咸遂蠲除，使萬代之生靈普蒙拯濟。後漢張仲景又廣《湯
藥》爲《傷寒卒病論》十數卷，然後醫方大備。兹先聖、後聖若
合符節。至晉太醫令王叔和，以仲景之書，撰次成叙，得爲完
帙。昔人以仲景方一部，爲衆方之祖，蓋能繼述先聖之所作，
迄今千有餘年不墜于地者，又得王氏闡明之力也。《傷寒論》
十卷，其言精而奥，其法簡而詳，非寡聞淺見所能賾究，後雖

有學者，又各自名家，未見發明。僕忝醫業，自幼徂老，耽味仲景之書五十餘年矣。雖粗得其門，而近升乎堂，未入于室，^①常爲之歉然。昨天眷閒西樓，邂逅聊攝成公，議論該博，術業精通，而又有家學，注成《傷寒論》十卷，出以示僕。其三百九十七法之內，分析異同，彰明隱奧，調陳脉理，區別陰陽，使表裏以昭然，俾汗下而灼見。百一十二方之後，通明名號之由，彰顯藥性之主，十劑輕重之攸分，七精制用之斯見，別氣味之所宜，明補瀉之所適。又皆引《内經》，旁牽衆説，方法之辨，莫不允當。實前賢所未言，後學所未識，是得仲景之深意者也。昔所謂歉然者，今悉達其奧矣。親覩其書，誠難默默，不揆荒蕪，聊序其略。"魏公衡《序》曰："張仲景所著《傷寒論》，聊攝成無己爲之注解。言意簡詣，援引有據，直本仲景之注，^②多所發明，非醫家傳釋比。^③未及刊行，而成君不幸去世，此書間關流離，積有歲年，竟自致于退翁先生，若成君之靈，婉轉授手。然退翁既愛重其書，且憤舊注之淺陋蕪駁也，遽欲大傳于世，顧其力有所不贍，又不忍付非其人苟以利爲也。每用歉悒，事與願違，俯仰逾紀。近因感念，慨然謂所知曰：'吾年逾從心，後期難必，誠恐一旦不諱，因循失墜，使成公之志，湮没不伸，吾亦抱恨泉壤矣。'遂斷意力爲之，經營購募，有所不避，歲律迄周，功始克究。噫！是書之成也，成君得所附託，退翁私願獲畢，相與不朽矣！此其所以屬予爲序歟？不然，則退翁清節素著，其筆耕餘地，足樂終身，豈以遲暮之年，遑遑爲庶人計哉？退翁，道號也，姓王，名鼎，字大

① "未"前，《續修四庫全書》本《金文最》卷十八有"然"字。
② "仲景之注"，《續修四庫全書》本《金文最》卷十八作"仲景之旨"。
③ "醫家"後，《續修四庫全書》本《金文最》卷十八有"餘書"二字。

來,詩筆之妙,莫不推仰,至于內行過人,世未必盡知也。"王
緯《序》曰:"古有言曰:'百病之急,莫急于傷寒;傷寒之書,莫
出于仲景。'蓋仲景之書,意深理奧,非夫明經絡、曉運氣、達
藥性于運氣之用者,則莫得而擬議也。如晉之王叔和,止叙
次而已;^①唐之孫思邈,亦間或引用,而必欲尋其發明之意,皆
不可得矣。又如宋謝復古之注,則疑信未明;朱奉議之集,則
簡略不備。今者聊攝成無己先生注解,內則明人之經絡,外
則合天之運氣,中間説藥之性味,深造運氣之用,錯而綜之,
以釋其經。由是,仲景之意,較然大著。噫!若先生早生于
世,豈特使向之注集者閣筆,抑亦使病者不致橫夭,百數年
間,可勝紀哉!今此書既已鏤板,好事君子,宜探其命工刊行
之本意焉,無忽爲幸。"王鼎《序》曰:"此書乃前宋國醫成公無
己四十餘年方成,所謂萬全之書也。後爲權貴挈居臨潢,時
已九十餘歲矣。僕曩緣訪尋舍弟,親到臨潢,寄迹鮑子□大
夫 百有餘日,^②目擊公治病,百無一失。僕嘗求此書,公云:
'未經進,不能傳。'既歸,又十七年,一鄉人自臨潢遇恩放還,
首遺此書,不覺驚歡。復自念平日守一小學,于世無毫髮補,
欲力自刊行,竟不能就。今則年逾從心,晚景無多,兼公別有
《明理論》一編,十五年前已爲邢臺好事者鏤版流傳于世,獨
此書沈墮未出。僕是以日夜如負芒刺,食息不遑。遂于辛卯
冬出謁故人,以干所費,一出而就,何其幸也!或曰:'非子之
幸,世之幸也。'醫者得以爲矜式,好事君子得之,亦可與醫家
商略,使病人不伏枕而愈。乃此書駕説《難》、《素》之功,于書
豈小補哉!"案,成己《金史·方伎》無傳,或以爲宋人則非是。

① "叙",《續修四庫全書》本《金文最》卷十八作"銓"。
② "大夫"後,《續修四庫全書》本《金文最》卷十八有"書房"二字。

雖王鼎《序》稱爲前宋國醫，然言爲權貴挈居臨潢，蓋由宋而
入金者也。元陶宗儀《輟耕録》叙歷代醫家，列無己于金代，
所見誠正。《提要》云："無己，聊攝人，生于宋嘉祐治平間，後
聊攝入于金，遂爲金人。至海陵王正隆丙子，年九十餘尚存。
見開禧元年歷陽張孝忠《跋》中。明吴勉學刻此書，題曰宋
人，誤也。"是亦力辨之矣。《讀書敏求記》于《明理論》後云序
稱成公，不知誰何，蓋北宋時人，殆未詳考耳。

傷寒明理論三卷

成無己撰。張孝忠《跋》云："于襄陽訪得《明理論》四卷，因爲
刊板于彬山，其言四卷者，蓋並論方而數之也。"嚴器之有
《序》，其文曰："余嘗思歷代明醫，迴骸起死，祛邪愈疾，非曰
生而知之，必也祖述前聖之經。才高識妙，探微索隱，研究義
理，得其旨趣，故無施而不可。且百病之急，莫急于傷寒，或
死或愈，止于六七日之間、十日以上。故漢張長沙感往昔之
淪喪，傷横夭之莫救，撰爲《傷寒論》一十卷，三百九十七法，
一百一十三方，爲醫門之規繩，治病之宗本。然自漢逮今，千
有餘年，惟王叔和得其旨趣，後人皆不得其門而入，是以其間
少于注釋，闕于講義。自宋以來，名醫間有著述者，如龐安常
作《卒病論》，朱肱作《活人書》，韓祗和作《微旨》，王實作《證
治》。雖皆互有闡明之義，然而未能盡張長沙之深意。聊攝
成公，家世儒醫，性識明敏，記問該博，譔述傷寒義，皆前人未
經道者。指在定體，分形析證，若同而異者明之，似是而非者辨
之，釋戰慄有内外之診，論煩躁有陰陽之别。讝語鄭聲，令虛實
之灼知；四逆與厥，使淺深之類明。始于發熱，終于勞復，凡五
十篇，目之曰《明理論》。所謂真得長沙公之旨趣也。使習醫之
流，讀其論而知其理，識其症而别其病，智次了然而無惑，顧不
博哉！余家醫業五十載，究旨窮經，自幼迄老，凡古今醫書，無

不涉獵。觀此書義理燦然,不能默默,因序其略。"

論方一卷

成無己撰。

附廣肘後方八卷

汴京國子監博士楊用道撰。《自序》曰:"昔伊尹著湯液之論,
周公設醫師之屬,皆所以拯救民疾,俾得以全生而盡年也。
然則古之賢臣,愛其君以及其民者,蓋非特生者遂之而已。
人有疾病,坐視其危苦,而無以救藥之,亦其心有所不忍也。
仰惟國家受天成命,統一四海,主上以仁覆天下,輕稅損役,
約法省刑,蠲積負,柔遠服,專務以德養民。故人臣奉承于
下,亦莫不以體國愛民爲心。惟政府內外宗公,協同輔翼,以
共固天保無彊之業,其心則又甚焉。于斯時也,蓋民罷兵火,
獲見太平。邊境寧而盜賊息矣,則人無死于鋒鏑之慮;刑罰
清而狴犴空矣,則人無死于桎梏之憂;年穀豐而畜積富矣,則
人無死于溝壑之患。其所可虞者,獨民之有疾病夭傷而已。
思亦有以救之,其不在于方書矣乎? 然方之行于世者多矣,
大編廣集,奇藥羣品,自名醫貴胄,或不能以兼通而卒具,況
可以施于民庶哉? 于是行省乃得乾統間所刊《肘後方》善本,
卽葛洪所謂'皆單行徑易,約而已驗,籬陌之間,顧昐皆醫,①
家有此方,可不用醫者也'。其書經陶隱居增修而益完矣。
既又得唐慎微《證類本草》,其所附方,皆沿見精取,切于救
治,而卷帙尤爲繁重,且方隨藥著,檢用卒難。乃復摘録其
方,分以類例,而附于《肘後隨證》之下,目之曰《附廣肘後
方》。下監俾更加讎次,且爲之序而刊行之。方雖簡要,而該病
則衆;藥多易求,而論效則遠。將使家自能醫,人無夭橫,以溥

―――――――――

① "醫",《續修四庫全書》本《金文最》卷十八作"藥"。

濟斯民于仁壽之域，以上廣國家博施愛物之德，其爲利豈小補哉？"案，如《序》言，此書似非用道作。然《提要》云："金楊用道又取唐愼微《證類本草》諸方，附于《肘後隨證》之下，爲《附廣肘後方》。元世祖至元間有烏某者，得其本于平鄉郭氏，始刻而傳之，段成己爲之序。"則書本葛洪作，爲陶宏景所增修，而附廣之者，則用道也。《補三史》諸志未列其目，失之。

素問病機氣宜保命集三卷

河間劉完素守眞撰。完素《金史》列《方伎傳》，自號通玄處士。嘗遇異人陳先生，以酒飮，守眞大醉，及寤，洞達醫術，若有授之者。其治病好用涼劑，以降心火益腎水爲主。此書完素有《自序》，其文曰："夫醫道者，以濟世爲良，以愈疾爲善。蓋濟世者憑乎術，愈疾者仗乎法，故法之與術，悉出《內經》之玄機。此經固不可力而求，智而得也。況軒、岐問答，理非造次，奧藏金丹寶典，深隱生死玄文，爲修行之徑路，作達道之天梯。得其理者，用如神聖；失其理者，似隔水山。其法玄妙，其功深固，非小智所能窺測也。若不訪求師範，而自生穿鑿者，徒勞皓首耳。余年二十有五，志在《內經》，日夜不輟。殆至六旬，得遇天人，授飮美酒，若橡斗許，面赤若醉。一醒之後，目至心靈，大有開悟。衍其功療，左右逢原，百發百中。今見世醫多賴祖名，倚約舊方，恥問不學，特無更新之法，縱聞善說，反怒爲非。嗚呼！患者遇此之徒，十誤八九，豈念人命死而不復者哉？仁者鑒之，可不痛歟！以此觀之，是未知陰陽變化之道。況木極似金，金極似火，火極似水，水極似土，土極似木，故經曰：'亢則害，承迺制。'謂已亢極，反似勝己之化，俗流未知，故認似作是，以陰爲陽，失其本意。經所謂'誅罰無過，命曰大惑'。醫徒執迷，反肆傍識，縱用獲效，終無了然之語，其道難與語哉！僕見如斯，首述玄機，刊行于世者,已有《宣明》等三書,革庸醫之鄙陋,正俗論之舛訛,宣揚古聖之法則,普救後人之生命。今將余三十年間,信如心手,親用若神,遠取諸物,近取諸身,比物立象,直明真理治法方論,裁成三卷三十二論,目之曰《素問病機氣宜保命集》。此集非崖略之説,蓋得軒、岐要妙之旨,故用之可以濟人命,捨之無以活人生。得乎心髓,秘之篋笥,不敢輕以示人。非絕仁人之心,蓋聖人之法,不遇當人,未易授爾。後之明者,當自傳焉。"又有楊威《序》曰:"天興末,予北渡,寓東原之長清。一日,過前太醫王慶先家,于几案間得一書,曰《素問病機氣宜保命集》。試閲之,乃劉高尚守真先生之遺書藥也。其文則出自《内經》中,摭其要而述之者,朱塗墨注。凡三卷,分三十二門。門有資次,合理契經,如原道則本性命之源,論脈則盡死生之説,攝生則語存神存氣之理,陰陽則講抱元守一之妙,病機則終始有條有例,治病之法,盡于此矣。本草則驅用有佐有使,處方之法,盡于此矣。至于解傷寒論氣宜説,曲盡前聖意,讀之使人廓然有所醒悟,恍然有所發明,使六脈十二經、五臟六腑、三焦四肢,目前可得而推見之也。後二十三論,隨論出證,隨證出方,先後加減,用藥次第,悉皆蘊奧,精妙入神。嘗試用之,十十皆中,真良醫也!雖古人不是過也!雖軒、岐復生,不廢此書也!然先生有序,序已行藏,言幼年已有《直格》、《宣明》、《原病式》三書,雖義精確,猶有不盡聖理處,今是書也復出,與前三書相爲表裏,非日後之醫者龜鏡歟?至如平昔不治醫書者得之,隨例驗證,度己處藥,則思亦過半矣。予謂是書雖在農夫、工販、緇衣、黄冠、儒宗,人人家置一本可也。若己有病,尋閲病源,不至亂投湯劑,況醫家者,流者哉!惜哉!先生卒,書世不傳,使先生之道竊入小人口,以爲己書者有之。予憫先生之道,屏翳于茅茨荆棘中,故存心精校,今數年矣。命工鏤板,擬廣世傳,使先生之道,出于茅茨荆棘中,亦起世膏肓之一端也。"案,此書《提要》以爲張元素作,謂金末楊威始得本刊行,而題爲河間劉完素所著。明初寧王權重刊,亦沿其誤,并僞撰完素序文詞調于卷首,以附會之。至李時珍作《本草綱目》,始糾其謬,而定爲出于元素之手,于序例中辨之甚明,今特爲改正,其僞託之序,亦並從删削。如其言,是此書作者姓名不當稱劉氏矣。然《金文最》録完素與楊氏序,並不加辨,故今從不知蓋闕之例,而附《提要》説于此,使學者自審焉。考《補遼金元藝文志》亦入完素著述中。

運氣要旨論一卷

劉完素撰。

精要宣明論五卷

劉完素撰。以上二書見《金史》本傳。

傷寒直格三卷

劉完素撰。無名氏《序》曰:"習醫要用《直格》,迺河間高尚先生劉守真所述也。守真深明《素問》造化陰陽之理,比嘗語予曰:'傷寒謂之大病者,死生在六、七日之間。經曰:人之傷于寒也,則爲病熱,古今亦通謂之傷寒熱。病前三日。太陽陽明少陽受之,熱壯于表,汗之則愈。後三日太陰少陰厥陰受之,熱傳于裏,下之則痊。六經傳自淺至深,皆是熱證,皆非陰寒之病,古聖訓陰陽爲表裏,惟仲景深得其旨。厥後朱肱奉議作《活人書》,尚失仲景本意,將陰陽字作爲寒熱,此差之毫釐,失之千里,而中間誤罹横夭者,蓋不少焉,不可不知也。'予語守真曰:'先生之論如此,何不闡此説以暴耀當世,以革醫流之弊,反忍而無言,何耶?'守真曰:'世之所集各異,人情喜温而惡寒,恐論者不詳,反生疑謗。'又曰:'欲編書十卷,尚未能就,故弗克耳。'今太原書坊劉生,鋟梓以廣其傳,深有益于世。如宵行冥冥,迷不知徑,忽遇明鐙巨火,正路昭然。若有執迷而不知信行者,固不足言,而聰明博雅君子,能于此者,原始反終,研精覃思,則其所得又何待予之喋喋也。"據《皕宋樓藏書志》,此書有元刊本,附《後集》一卷、《續集》一卷、張子和《心鏡》一卷。《後集》瑞泉野叟鎦洪輯編,臨川華蓋山樵葛雍校正;《續集》平陽馬宗素撰述,臨川葛雍校正;《心鏡》門人饒陽常惪仲明編。《士禮居題跋》亦載《後集》數卷,《補元史藝文志》則以《心鏡》爲別集。

治病心印一卷

劉完素撰。

河間劉先生十八劑一卷

劉完素撰。以上二種見《補元史》、《補遼金元》兩志。

素問要旨論八卷

劉完素撰。完素《自序》云:"天地之道,生一氣而判清濁。清者輕而上升爲天,濁者重而下降爲地。天爲陽,地爲陰,乃爲二儀。陰陽之氣,各分三品,多寡不同,故有三陰、三陽之六氣。然天非純陽,而亦有三陰;地非純陰,而亦有三陽。故天以各有三陰、三陽,總之以十二矣。然天之陰陽者,寒暑、燥濕、風火也;地之陰陽者,木火、土金、水火也。金火不同其運,是故五行彰矣。然天地氣運升降,不以陰陽相感,化生萬物矣。其在天則氣結成象,以爲日月星辰也;在地則氣化爲形,以生人爲萬物也。然人爲萬物之靈也,非天垂象而莫能測矣。其我機理歸自然也,其非聖意而宣悟玄元之理。故有祖聖伏羲,占天望氣,及視龍馬靈龜,察其形象,而密解玄機,無不符其天理。乃以始爲文字畫卦,造六甲曆紀。命曰《太始天元册文》,垂示之于後人也。以謂神農昭明其道,乃始令人食穀,以嘗百藥,而制《本草》矣。然後黃帝命其岐伯及鬼區臾,以發明太古靈文,宣陳造化之理,論其疾苦,以著《内經》焉。凡此三皇三經，命曰三墳，通爲教之本始，爲萬法宗源，誠爲天之候也。若論愈病疾濟苦，保命防危，非斯聖典，則安得致之矣。然經之所論，玄機奧妙，旨趣幽深，習者卒無所悟，而悟得其意者鮮矣。完素愚誠，輒考聖經，撮其樞要，積而歲久，集就斯文，以分三卷，敘爲九篇，勒成一部，乃號《内經運氣要旨論》。爾乃以設圖彰奧，綺貫紀倜，襲句注辭而敷其言，意或可類推者。以例旁通，例成而陳精粹之文。訓詁難明者□□□□□，兼義釋字音以附之于後。雖言辭鄙陋，所乘從俗，而庶覽者易爲悟古聖之妙道矣。"又有馬宗素一《序》，其文曰："夫三皇設教，上帝垂慈，愍羣生有困篤之疾，救黎庶有夭傷之厄。遂談運氣，説太始之册文；開榮醫鑑，彰太素之妙門。先聖既遺規範，《素問》、《靈樞》二經共爲一十八卷。其理奧妙，披會難明。今有劉守真先生者，曾遇陳先生，服仙酒，醉覺，得悟《素問》玄機，如越人遇長桑君飲上泉水，隔腹觀病之説也。然先生談《元病式》一卷、《宣明論》五卷、《要旨論》三卷。其《原病式》者，明病機本説六氣病源。《宣明論》者，精要醫方、五運六氣用藥，古往及今，淵奧妙旨，莫越于此也。《要旨論》者，《素問》隱微，天地大紀，人身通應，變化殊途，其理簡易，其趣深幽，惟此經釋爲龜鏡者也。然九篇三卷者，猶後之學者尚難明矣。宗素自幼習醫術，酷好《素問》、《内經》、《玉册》、《靈文》，以師事先生門下，麤得其意趣。釋《要旨論》九篇，分作八卷，入式運氣，載設圖輪，開明五運六氣，主客勝復，太過不及，淫邪反正。重釋《天元玉册》、《金匱靈文》、《素問》、《靈樞》，撮其隱奧運氣之旨也。主藥當其歲，味當其氣，性用燥静，力化淺深，四時主用。制勝扶客主，須安一氣失所，餘遁更作，藏府淫并，危敗消亡，君臣佐使，明病標本，安危盛衰。若不知年之所加，氣之盛衰，不可以爲攻矣。□若不推其《素問》，曉達玄機，天地有運氣之升沈，人身有血氣之流轉，周天度數，榮衞循環，通應人身，晝夜不息。《素問》者，五太之名也。太者，大之極也；素者，形質潔白，非華綺之問也。《素問》者，問答形質之始也，形質具而疴療由是萌生。然啓元子詮注朱書，其文間，其理隱奧，習之者濫觴，其説遺而不解者，實其多矣。今時太古《靈文》，乃《素問》之關鑰也，究其源流，發明解惑耳。後之學者，識天地之大紀，變化之殊邈。妙哉！太素，視如深淵，如迎浮雲，莫窮其涯際，玄通隱奧，不可測量，若非劉氏，孰可發明，用釋玄機，敬資昭告。"案，其書據《皕宋藏書志》有元刊元印本，目上有新刊圖解四字，題金劉完素撰。馬宗素重編，並謂各家書目罕見著錄，則誠醫家祕笈矣。

素問玄機原病式二卷

劉完素撰。本傳云："慮庸醫或出妄説，又著《素問玄機原病式》，特舉二百八十八字，注二萬餘言。"《自序》曰："夫醫教者，源自伏羲，流于神農，注于黃帝，行于萬世，合于無窮，本乎大道，法乎自然之理。孔安國序《書》曰：'伏羲、神農、黃帝之書，謂之三墳，言大道也；少昊、顓頊、高辛、唐、虞之書，謂之五典，言常道也。' 蓋五典者，三墳之本也。[①] 非無大道，但專明治世之道。三墳者，五典之本也。非無常道，但以大綱爲體，常道爲用，天下之能事畢矣。然而玄機奧妙，聖意幽微，浩浩乎不可測，使之習者，雖賢智明哲之士，亦非輕易可得而悟矣。洎乎周代，老氏以精大道，專爲道教；孔子以精常道，專爲儒教，由是儒、道二門之教著矣。歸其祖，則三墳之教一焉。儒、道二教之書，比之三墳之經，則言象義理，昭然

---

① "本"，《續修四庫全書》本《金文最》卷十八作"末"。

可據，而各得其一意也。故諸子百家，多爲著述，所宗之者，庶博知焉。嗚呼！余之醫家，自黃帝之後，二千五百有餘年。漢末之魏，有南陽太守張機仲景，恤于生民多被傷寒之疾，損害橫夭，因而輒考古經，以述《傷寒卒病方論》一十六卷，使後之學者，有可依據。然雖所論未備諸病，仍爲道要，若能以意推之，則思過半矣。且所述者衆，所習者多，故自仲景至今，甫僅千歲，凡著述醫書過往古者八八九倍矣。① 夫三墳之書者，大聖人之教也。法象天地，理合自然，本乎大道。仲景者，亞聖也。雖仲景之書未備聖人之教，亦幾于聖人，文亦玄奧，以致今之學者，尚爲難焉。故今人所習，皆近代方論而已，但求其末，而不求其本。況仲景之書，復經晉太醫王叔和撰次遺方，唐開寶中節度使高繼冲編集進上。雖二公操心用智，自出心意，廣其法術，雜于舊說，亦有可取。其間或失仲景本意，未符古聖之經，愈令後人學之難也。況仲景之世，四升乃咀湯劑，有異今時之法，故今人未知其然，而妄謂時世之異，以爲無用，而多不習焉。唯近世朱奉議多得其意，遂以本仲景之論，而兼諸書之說，編集作《活人書》二十卷。其門多，其方衆，其言直，其類辨，使後學者易爲尋檢施行，故今之用者多矣。然而，其間亦有未合聖人之意者，往往但相肖而已。由未知陰陽變化之道，所謂木極似金，金極似火，火極似水，水極似土，土極似木者也。故經曰：'亢則害，承迺制。'謂已亢過極，則反似勝己之化也。俗未之知，認似爲是，以陽爲陰，失其意也。嗟夫！醫之妙用，尚在三墳。觀夫後所著述者，必欲利于後人，非但矜衒而已，皆仁人之用心也，非不肖者所敢當。其間互有得失者，由乎言本求其象，象本求其意，

① "八八"，《續修四庫全書》本《金文最》卷十八作"八"。

意必合其道,故非聖人而道未全者,或盡其善也鮮矣。豈欲自涉非道,而亂聖經以惑人志哉? 自古如祖聖伏羲畫卦,非聖人孰能明其意? 二萬餘年,至周文王,方始立象演卦,而周公述爻。五百餘年,[①]孔子以作《十翼》,而《易》、《書》方完。然後易爲推究,所習者衆,而注説者多。其間或所見不同,而互有得失者,未及于聖,竊窺道教故也。《易》教體乎五行八卦,儒教存乎三綱五常,醫家要乎五運六氣,其門三,其道一,故相須以用,而無相失,蓋本教一而已矣。若忘其根本,而求其華實之茂者,未之有也。故《經》曰:'夫五運陰陽者,天地之道也。萬物之綱紀,變化之父母,生殺之本始,神明之府也,可不通乎?'《仙經》曰:'大道不可以籌算,道不在數故也。可以籌算者,天地之數也。若得天地之數,則大道在其中矣。'《經》曰:'天地之至數,始于一而終于九。數之可十,推之可百,數之可千,推之可萬,萬不之不可勝數,[②]然其要一也。'又云:'知其要者,一言而終;不知其要,流散無窮。'又云:'至數之機,迫迮而微,其來可見,其往可追。敬之者昌,慢之者亡。無道行私,必得天殃。'又云:'治不法天之紀、地之理,則災害至矣。'又云:'不知年之所加,氣之興衰,虚實之所起,不可以爲工矣。'由是觀之,則不知運氣求醫,無失者鮮矣。今詳《内經》、《素問》,雖已校正、改誤、音釋,往往尚有失古聖之意者,愚俗聞之,未必不曰:'爾何人也,敢言古昔聖賢之非?'嗟夫! 聖人之所爲,自然合于規矩無不中其理者也。雖有賢哲而不得自然之理,亦豈能盡善而無失乎? 況經秦火之殘文,世本稀少,故自仲景之後,有缺第七一卷,天下至今

---

① "五百"前,《續修四庫全書》本《金文最》卷十八有"後"字。

② "不之",《續修四庫全書》本《金文最》卷十八作"之不"。

無復得其本。然雖存者布行于世，後之傳寫鏤板，重重差誤，不可勝舉。以其玄奧而俗莫能明，故雖舛訛而孰知之？故近代敕勒孫奇、高保衡、林億等校正，孫兆改誤。其《序》有言曰：'正謬誤者六千餘字，增注義者二千餘條。'若專執舊本，以謂往古聖賢之書，而不可改易者，信則信矣，終未免泥于一隅。及夫唐王冰次注，《序》云：'世本紕謬，篇目重疊，前後不備，文義懸隔，施行不易，披會亦難。歲月既淹，習以成弊，或一篇重出而別立一名，或兩論併合而都爲一目，或問答未已而別樹篇題，或脫簡不書而云世缺。重合經而冠鍼服，併方宜而爲欬篇，隔虛實而爲逆從，合經絡而爲要論，節皮部而爲經絡，退至道以先針，如此之流，不可勝數。'又曰：'其中簡脫，文義斷不相接者，搜求經論，有所遷移，以補其處；篇目墜缺、指事不明者，詳其意趣，加字以昭其義；篇論吞併、義不相涉、缺漏名目者，區分事類，別目以冠篇首；君臣請問，義理乖失者，考校尊卑，增益以光其意；錯簡碎文，前後重疊者，詳其旨趣，刪去繁雜，以存其要；辭理秘密，難粗論述者，別撰玄珠，以陳其道。凡所加字，皆朱書其文，使今古必分，字不雜糅。'然則豈但僕之言哉？設若後人或恕王冰、林億之輩，言舊有紕謬者，弗去其注，而惟攻其經，則未必易知而過其意也。然而王冰之注，善則善矣，以其仁人之心而未備聖賢之意，故其注或有失者也。由是校正改誤者，往往證當王冰之所失，其間不見其失，而不以改證者，不爲少矣。雖稱校正改誤，而或自失者亦多矣。嗚呼！不惟注未盡善，而王冰遷移加減之經，亦有臆説，而不合古聖之意者也。雖言凡所加字，皆朱書其文，既傳于後，卽世文皆爲墨字也。凡所改易之間，或不中其理者，使智哲以理推之，終莫得其真意，豈知未達真理而不識其偽所致也。近世所傳之書，若此説者多矣。然而

非其正理，而求其真意者，未之有也，但略相肖而已。雖今之
經與注，皆有舛訛，比之舊者，則亦易爲學矣。若非全元起本
及王冰次注，則林億之輩，未必知若是焉。後之知者，多因之
也。今非先賢之説者，僕且未能知之，蓋因諸舊説而方入其
門，躭翫既久而粗見得失。然諸舊失而今有得者，非謂僕之
明也。因諸舊説之所得者，以意類推而得其真理，自見其僞，
亦皆古先聖賢之道也。僕豈生而知之者哉？夫別醫之得失
者，但以類推運氣造化之理，而明可知矣。觀夫世傳運氣之
書多矣，蓋舉大綱乃學之門户，皆歌頌鈴圖而已，終未備其體
用，及互有得失而惑人志者也。況非其人，百未得于經之一
二，而妄撰運氣之書傳于世者，是以矜己惑人而莫能彰驗，致
使學人不知其美，俾聖經妙典，日遠日疏，而習之者鮮矣。悲
夫！世俗或以謂運氣無徵，而爲惑人之妄説者；或但言運氣
爲大道玄機，若非生而知之，則莫能學之者，由是學者寡而知
者鮮。設有攻其本經而後有注説、雕寫之誤也。況乎造化玄
奧之理，未有比物立象，略得其意。惜乎天下尚有未若僕之
知者。據乎所見，而輒伸短識，本乎三墳之聖經，兼以衆賢之
妙論，編集運氣要妙之説十萬餘言，九篇三卷，勒成一部，命
曰《内經運氣要旨論》，備見聖賢經之用矣。然妙則妙矣，以
其妙道乃爲對病臨時處方之法，猶恐後學未精貫者，或難施
用。復宗仲景之書，卒參聖賢之説，推夫運氣造化自然之理，
以集傷寒雜病、脈證方論之文，一部三卷，十萬餘言，目曰《醫
方精要宣明論》。凡有世説之誤者，詳以此證明之，庶令學者
真僞自分，而易爲得用。且運氣者得于道同，蓋明大道之一
也。觀夫醫者，唯以別陰陽虚實最爲樞要。識病之法，以其
病氣歸于五運六氣之化，明可見矣。謹率經之所言二百餘
字，兼以語辭二百七十七言，緒歸五運六氣而已。大凡明病

陰陽虛實，無越此法。雖已並載前之二帙，復慮世俗多出妄說，有違古聖之意，今特舉二百七十七字，獨爲二本，名曰《素問玄機原病式》。遂以比物立象，詳論天地運氣、造化自然之理，注二萬餘言，仍以改證世俗謬說。雖不備舉其誤，其意足可明矣；雖未備論諸疾，以此推之，則識病六氣、陰陽、虛實，幾于備矣。蓋求運氣言象之意，而得其自然神妙之情理。《易》曰：'書不盡言，言不盡意。'然則聖人之意，其不可見乎？子曰：'聖人立象以盡意，設卦以盡情僞，繫辭焉以盡其言。變而通之以盡利，鼓之舞之以盡神。'《老子》曰：'不出戶見天下，不窺牖見天道。其出彌遠，其知彌少，蓋由規矩而取方員也。'夫運氣之道者，猶諸此也。嗟夫！僕勉述其文者，非但欲以美于己而非于人，矜于名而苟于利也，但貴學者易爲曉悟，而行無枉錯耳。如通舉《內經運氣要旨論》及《醫方精要宣明論》者，欲令習者求其備也。其間或未臻其理者，幸冀將來君子以改正焉。但欲同以宣揚古聖之妙道，而普救後人之生命爾。"又有程道濟《序》曰："夫梓人之巧，不能逃繩墨之式；冶者之工，不能出規模之制。故繩墨規模者，天下之通用，古今之不易，本聖人所制作者也。且醫道幽微，玄之又玄，典人性命，非聖人孰能與于此？原自伏羲得河圖之象，始畫八卦，引而伸之，觸類而長之，天下之能事畢矣。因而重之爲六十四卦，則天地三才之道，萬物之象備焉。故軒轅得之，謂人壽命本道統天地陰陽造化而生，其壽夭修短，莫不有數。能持而守之者，得盡終其數；不能持守，恣情縱欲、憂患所傷以致夭亡者，不爲少矣。故與天師岐伯參酌天地三陰三陽六氣行運一歲十二月之間，分布在人爲手足三陰三陽十二經左右之要會，作八十一篇，垂爲世範，名曰《內經素問》，至今用之，而爲醫家繩墨規模者也。故知其要者，一言而終；不知其

　　要者，流散無窮，蓋知要之人鮮矣。粵自守真先生者，本河間人也，姓劉，名完素，字守真，夙有聰慧。自幼年耽嗜醫書，千經百論，往往過目無所取，皆謂非至道造化之書。因披翫《素問》一經，朝勤夕思，手不釋卷，三五年間，廢寢忘食，參詳其理，至于意義深遠，研精覃思，期于必通。一日于静室中，澄神宴坐，沈然畢露，探索《難》、《素》之義，[①]神識杳冥似寤寐間，有二道士者，自門而入，授先生美酒一小盞，若橡椀許，咽而復有，如此三二十次，咽不能盡。二道者笑曰：‘如厭飫，反吐于盞中。’復授道者，倒于小葫中。道者出，恍然一醒，覺面赤酒香，杳無所據，急于内外追之不見，而後目至心靈，大有開悟。此説幾乎誕妄，默而不言。以僕爲知言，先生故以誠告。與夫史稱扁鵲遇長桑君飲藥，以此視病，盡見五臟癥結，特以診脈爲名，亦何異焉？因著醫書《内經運氣要旨論》、《醫方精要宣明論》二部，總爲一十七萬餘言，精微浩汗，造化詳悉，而又述《習醫要用直格》並藥方，已板行于世。外又作《素問玄機原病式》並注二萬餘言，特採摭《至真要大論》一篇病機氣宜之説，撮其樞要，自成一家，精貫古今，無非神授。蓋天之未喪斯文也，復生其人，發明醫道，乃今時五宗教之師，以至于此，莫不效驗，直明五運六氣之至要，傷寒雜病之指歸。其言簡，其理明，易爲披究，足以察陰陽二證之隱顯，醫家前後之得失。如《式》中所説，木極似金、火極似水之類，謂亢則害，承迺制，鬱極迺發，變化之理，大爲要妙，非智者焉能及此？可謂旨意昭昭，萬舉萬全，神聖工巧，能事畢矣，真知要之書也。但見今之醫人，竊用先生諸藥得效者衆多，以今十數年，猶絀其名，恥言凉藥，謂去熱藥爲非。不稱其人，反

---

　　①　“難素”，《續修四庫全書》本《金文最》卷十九作“難解”。

或毀謗，其道難行也如此，哀哉哀哉！是知中人以下，不可以語上，信矣。僕自幼年氣弱多病，醫書脈證廳明，所以天德四年在中都監修大内，正患腰腳疼痛之疾，殆時二十，[①]服食湯藥，皆薑、附、硫磺種種燥熱之藥，中脘臍下，艾炷十數，終無一效，愈覺膝寒胃冷，少力多睡，飲食日少，精神日衰。詢諸名醫，衆口一辭，僉曰腎部虛寒，非熱藥不能療，及自體究，亦覺惡寒喜暖，但知此議爲是。因諮後醫董系者，彼云腎經積熱，氣血不通故也。洎與談論，惟舉五行旨略黔斷語，言用藥治病祇五七方而已，其餘醫書脈訣一無所有。僕意寡學不通之人，不能信之，及試用通經涼藥，但藏府滑利，伏困愈甚，以至捨而不問。後相識數月，見治諸人傷寒雜病，止用寒涼疏通，平醫十醫十愈，其應如神。貧者酬勞，辭而不受，及有周急之者。以此漸漸信之，日加敬重，似有所得。再論腳疾，彼陳五行造化、勝負伏造真理，始似喚醒，灑然不疑，方肯聽信。再用辛甘寒藥，瀉十二經之積熱，日三四服，通利十餘。行數十日後，覺痛減，飲食有味，精力爽健，非舊日之比。心神喜悦，服藥不輟，迤邐覺熱，熱勢滋甚。自後飲食服餌，皆用寒涼，數年之間，疾去熱除，神清體健。以此知平昔將攝失宜，醫藥差錯之過也。舉世醫工，亦未嘗語此。自爾處病用藥，治身治家，及其他親識外人，但來求醫，不避巇危，意無圖報，專一治療，無不全愈。大率計之，三十有餘年間，所療傷寒，三二日至五六日間，使之和解痊安者，可四五千人；汗前汗後，諸般惡證，危篤至死，衆醫不救者，活及二百餘人。百發百中，千不失一，率因董始以傳授，[②]次得《玄機原病式》，大明

---

① "十"，《續修四庫全書》本《金文最》卷十九作"年"。
② "董"後，《續修四庫全書》本《金文最》卷十九有"醫"字。

終始,開發良多。在後親見守真先生,詳加請益,推惟要妙,愈究愈精。始知董氏之學,始得先生《原病式》簡要之書施用,[①]兼傳澤承覗者,迺先生門下高弟子,真良醫也,並已過世,同爲一家,與世醫可謂冰炭。自天德五年以後,董氏醫名大著,傳聞遠近,病者生,危者安,士夫之家,極爲推重。十數年間,所獲數萬,其舉薦稱揚,僕有力焉。僕自是應歷任所,不惜此書,教授諸醫,復與開説《素問》要妙至理,使之解悟,改革前非,以救生靈之疾病。至于士人有求問學醫者,僕皆一一直與傳授,使知要妙治法及方。伊等雖不能通明造化,但能用藥治病得驗者,亦不下百數。大定二十一年,予自京兆運使移邢臺,下車視事之餘,擢醫者數人,與説《素問》,兼授以知要之法。衆中有孫執中者,尤爲好事,一日請求《原病式》,欲爲之開板,廣傳于世,庶幾普救生民夭橫之厄,兼證醫家從來所傳相習之非。予憫其仁者之用心,欣而授之,非唯得截要治法歷行于世,兼以揄揚先生特達奇才,獨得要妙造化之理,著成方書,流行于世,豈非規模繩墨者歟?又非《活人書》之較焉。嗚呼!自秦越人、張仲景之後,迄今千有餘年,此道湮淪,苟非斯人,真僞混淆,似是而非,觸目而已。有孫子復告予,願爲之後序,故不揆狂斐,而作是語,聊以旌表先生事業之萬一云。"

宣明方論十五卷

劉完素撰。

傷寒直格論方三卷

劉元素撰。《提要》云:"《前序》一篇,不知何人所撰。馬宗素《傷寒醫鑑》引平城翟公宵行遇燈之語,與此序正相合,殆

---

① "施用"後,《續修四庫全書》本《金文最》卷十九有"故也"二字。

卽翟公所撰歟?"案,《傷寒直格》有無名氏《序》,卻有宵行之說,可知《前序》爲翟公作。然如此,則是書與《傷寒直格》似爲一書,且卷數亦符。惟《補元史藝文志》兩列其目,故今從之。

傷寒標本心法類萃二卷

劉完素撰。

傷寒醫鑑一卷

劉完素撰。據《讀書敏求記》及《提要》,皆稱馬宗素作。然如《補遼金元》與《補元史》兩志,均題完素名,今亦本之以著錄焉。

六經傳變直格

劉完素撰。《提要》據《醫鑒》云:"完素著《六經傳變直格》一部,計一萬七千零九字。"則完素又著此書矣。

傷寒類證

劉完素撰。宋雲公《序》云:"竊聞天地師道以覆載,聖人立醫以濟物,道德、醫藥,皆源于一。醫不通道,無以知造物之機;道不通醫,無以盡養生之理。然欲學此道者,必先立其志。志立則格物,物格則學專。學雖專也,必得師匠,則可入其門矣。更能敏惠愛物,公正無私,方合其道。夫掌命之職,其大矣哉!且聖智玄遠,自有樞要,强欲穿鑿,徒勞皓首。僕于常山醫流張道人處,密受《通玄類證》,乃仲景之鈐法也。彼得之異人,而世未有本。切念仲景之書,隱奧難見,雖有上士,所見博達,奈以一心日應衆病,萬一差誤,豈不憂哉?今則此書,總其微言,宗爲直說,使難見之文明于掌上,故曰舉一綱而萬目張,標一言而衆理顯。若得是書以補廢志,其濟于人也不亦深乎!故命工開版,庶傳永久。"案,此書本不言撰人,觀《序》謂《通玄類證》,以守眞自號通玄處士,爰題劉氏姓名云。

張子和汗下吐法

太醫睢州考城張從正子和撰。《金史·方伎傳》云："精于醫，貫穿《難》、《素》之學，其法宗劉守真，用藥多寒涼，然起疾救死多取效。古醫書有《汗下吐法》，亦有不當汗者，汗之則死；不當下者，下之則死；不當吐者，吐之則死，各有經絡脈理，世傳黃帝、岐伯所爲書也。從正用之最精，號《張子和汗下吐法》。妄庸淺術，習其方劑，不知察脈原病，往往殺人，此庸醫所以失其傳之過也。其所著有六門二法之目，存于世云。"《歸潛志》："張子和初名從正，爲人放誕，無威儀，頗讀書作詩，嗜酒。久居陳，游余先子門，後召太醫院，旋告去，隱然名重。東州麻知幾九疇與之善，使子和論説其術，因爲文之有六門三法之目，將行于世。會子和、知幾相繼死，迄今其書存焉。"據《提要》，子和又號戴人。

治病撮要一卷

張從正撰。據《士禮居題跋》有金刊本《撮要圖》一卷。

傷寒心鏡一卷

張從正撰。

祕録奇方二卷

張從正撰。案，此當即《世傳神效名方》，見《士禮居題跋》。但彼止一卷耳。

儒門事親三卷

張從正撰。此書《補遼》、《金》、《元》諸志皆作十五卷，《士禮居題跋》作三卷，並云潛研老人《元史藝文志》有補金藝文者，取證目驗金張從正之書，多所脗合。唯《儒門事親》十五卷尚襲傳訛之多耳。幸有原書，可正其誤，則書本是三卷矣。

張氏經驗方二卷

張從正撰。見《國史經籍志》。

直言治病百法二卷

張從正撰。

十形三療三卷附雜記一卷

張從正撰。

治法雜論一卷

張從正撰。以上二種見《士禮居題跋》。並于此書下注云：
"附劉河間先生《三消論》。"

傷寒纂類四卷

洛人李慶嗣撰。《金史·方伎傳》云："少舉進士不第，棄而學醫，讀《素問》諸書，洞曉其義。天德間，歲大疫，廣平尤甚，貧者往往闔門臥病。慶嗣携藥與米分遺之，全活者衆。慶嗣年八十餘，無疾而終。所著《傷寒纂要》四卷、[①]《改證活人書》二卷、《傷寒論》三卷、《針經》一卷，傳于世。"

改證活人書二卷

李慶嗣撰。

傷寒論三卷

李慶嗣撰。案，此書《絳雲樓書目》有之。

針經一卷

李慶嗣撰。

醫學啓元

李慶嗣撰。案，本傳不載此目，今見《補遼金元》、《補元史》兩志。

集注難經五卷

醫學博士泰安紀天錫齊卿撰。《金史》天錫入《方伎傳》。

---

① "要"，中華書局點校本《金史》卷一百三十一作"類"。

《傳》云:"早棄進士業,學醫,精于其技,遂以醫名世。集注《難經》五卷,大定十五年上其書,授醫學博士。"《補元史藝文志》注:"一作三卷。"

流注指微鍼賦一卷。

南唐何若愚撰。此書《補元史藝文志》列入元代,未是。有閻明廣《序》稱:"近有南唐何公","又近于貞元癸酉年間,收何公所作《指微鍼賦》一道。"貞元癸酉,爲海陵王貞元元年。張金吾曰:"明若愚爲金人可知,則《補志》以爲元人者,足正其誤矣。"明廣《序》云:"竊以幼習醫業,好讀《難》、《素》,辨理精微,妙門隱奧,古今所難而不易也。是以鍼刺之理,尤爲難解,是以博而寡效,勞而少功。窮而通之,積有萬端之廣。近世指病真刺,不務法者多矣。近有南唐何公,務法上古,撰《指微論》三卷,探經絡之原,賾鍼刺之理,明榮衛之清濁,別孔穴之部分,然未廣傳于世。又近于貞元癸酉年間,收何公所作《指微鍼賦》一道,叙其首云:'皆按《指微論》中之妙理,先賢祕隱之樞機,復增多事,凡一百餘門,悉便于討閱者也。'非得《難》、《素》不傳之妙,孰能至此哉! 廣不度荒拙,隨其意韻,輒伸短説,採摭羣經,爲之注解。廣今復採《難》、《素》遺文,賈氏井滎六十首法,布經絡往還,附還刺孔穴部,欽括圖形,集成一集,[①]名之曰《流注經絡井滎圖歌訣》,續于賦後,非顯不肖之狂述,故明何氏之用心,致念于人也。自懍未備其善,更俟明者,仍懇續焉。"

指微論三卷

何若愚撰。

---

① "還刺"、"一集",《續修四庫全書》本《金文最》卷十八分別作"鍼刺"、"一義"。另,"部"後,有"分"字。

流注經絡井滎圖歌訣

常山閭明廣撰。其《自叙》曰："夫流注者，爲刺法之深源，作鍼術之大要。是故流者，行也；注者，住也。蓋流者要知經脈之行流也。注者謂十二經脈各至本時，皆有虛實、邪正之氣注于所括之穴也。夫得時謂之開，失時謂之闔。夫開者鍼之必除其病，闔者刺之難愈其疾，可不明兹二者？況于經氣内干五藏，外應支節，鍼刺之道，經脈爲始。若識經脈，則知行氣部分、脈之短長、血氣多少、行之逆順，袪逐有過，補虛瀉實，則萬舉萬痊。若夫經脈之源而不知，邪氣所在而不辨，往往病在陽明，反攻少陰；疾在厥陰，卻和太陽。遂致賊邪未除，本氣受弊。以此推之，經脈之理，不可不通也。昔聖人深慮此者，恐後人勞而少功也。廣因閒暇之際，爰取前經，以披舊典，緣何摘葉，採摭精華，以明流注之幽微，庶免討尋之倦怠。不揣荒拙，列圖于後。凡我同聲之者，見其違闕，改而正之，不亦宜乎？"

鍼經指南一册

太師竇傑漢卿撰，見《絳雲樓書目》。張金吾云："金之漢卿，仕至太師，即撰《鍼經指南》者。"《菉竹堂書目》作一册，今本之。

標幽賦

竇傑撰。見《絳雲樓書目》。

流注通玄指要賦

竇傑撰。見《述古堂書目》。

雲庵妙選方

袁從義撰。見元遺山《藏雲先生袁君墓表》。《表》云："雅好醫術，病者來，以藥請，賴以全濟者甚衆。"則從義固長于醫者也。

小兒痘疹方論一卷

和安郎判太醫局兼翰林良醫陳文中撰。《自序》曰："嘗謂小兒病證雖多,而瘡疹最爲重病。何則? 瘡疹之病,蓋初起疑似難辨,投以他藥,不惟無益,抑又害之。況不言受病之狀,孰知畏惡之由? 父母愛子,急于救療,醫者不察,用藥差舛,鮮有不致夭橫者。文中每思及此,惻然于心,因取家藏已驗之方,集爲一卷,名曰《小兒痘疹方論》,刻梓流布,以廣古人活幼之意,顧不韙歟!"

素問標注

趙秉文撰。劉祁《書證類本草後》云:"後居大梁,得閑閑趙公家《素問》善本,其上有公標注,夤緣一讀。"

注叔和脈訣十卷

易州張元素潔古撰,見《國史經籍志》。《金史·方伎傳》:"八歲試童子舉,三十七試經義進士,①犯廟諱下第,乃去學醫,無所知名。夜夢有人用大斧長鑿,鑿心開竅,納書數卷于其中,自是洞徹其術。治病不用古方,其說曰:運氣不齊,古今異軌,古方新病不相能也,自爲家法云。"

潔古本草二卷

張元素撰。亦見《國史志》。

雜經注

張元素撰。《絳雲樓書目》載之。

潔古老人醫學啓源三卷

張元素撰。《讀書敏求記》:"潔古治病,不用古方,刻期見效。劉守真嘗病傷寒,潔古診其脈,而知其用藥之差,守真大服。自是名滿天下。是書採輯《素問》五運六氣、《內經》治要、《本草》藥性而成。其門下高弟李明之請蘭泉張建吉甫序于首卷。"

---

① "三",中華書局點校本《金史》卷一百三十一作"二"。

治法機要三卷

張元素撰。《補遼金元》、《補元史》兩志于《病機氣宜保命集》下皆注云"一名《治法機要》",爰立其目。惟"治法",《補元史志》作"活法"。至《儀顧堂題跋·書元槧濟生拔萃方後》云"東垣之《活法機要》,今皆不傳",則"治法"固有作"活法"者。

潔古珍珠囊一卷

張元素撰,見《濟生拔萃方》、《補遼金元藝文志》。後人易其書爲韻語,以便誦習,謂之《東垣珍珠囊》,非原書也。

潔古雲岐鍼法

張元素撰。

潔古家珍一卷

張元素撰。以上二書見《濟生拔萃方》。

風科集驗名方二十八卷

北京太醫趙大中撰。《讀書敏求記》:"此書乃趙大中編修。值金亂,遁于吳山,覃懷趙子中傳習之。虛白處士趙素才卿獲原本于湖湘,訂譌補缺,釐爲二十八卷,得成全書。"據《儀顧堂題跋》有元槧本。

內外傷辨惑論三卷

鎮人李杲明之撰。杲自稱東垣老人,《元史》入《方伎傳》。世以貲雄鄉里。杲幼歲好醫學,時易人張元素以醫名燕趙間,捐千金從之學,不數年盡傳其業。其學于伤寒癰疽眼目病尤長,事詳本傳。然杲爲金末遺民,自宋濂等誤列元代,而《補遼金元》諸志遂承其謬,此非知人論世之義。自《提要》正其乖舛,而箸錄家因有標爲金人者,今亦理而董之。此書有《自序》,今録其文曰:"僕自幼受《難》、《素》于易水張元素先生,

講論既久，①稍有所得。中年以來，更事頗多，諸診治坦然不
惑，②曾撰《內外傷辨惑論》一篇，以證世人用藥之誤。陵谷變
遷，忽成老境，神志既惰，嬾于語言，此論束之高閣十六年矣。
崑崙范尊師曲相獎借，屢以活人爲言，謂此書果行，使天下之
人不致夭折，是亦仁人君子濟人利物之事，就令著述不已，精
力衰耗，書成而死，不愈于無益而生乎？予敬受其言，謹力疾
就成之，雖未爲完備，聊答尊師慈憫之志。師，宋文正公之
後也。"

蘭室祕藏六卷

李杲撰，《補遼金元藝文志》作五卷。《提要》云："其曰《蘭室
祕藏》者，蓋取黃帝藏諸靈蘭之室語。此書載所自製諸方，動
至一二十味，而君臣佐使，相制相用，條理井然，他人罕能效
之者。"

李氏脾胃論三卷

李杲撰。有元裕之《序》曰："天之邪氣，感則害人五臟。八風
之邪，中人之高者也。水穀之寒熱，感則害人六腑。謂水穀
入胃，其精氣上注于肺，濁留于腸胃，飲食不節而病者也。地
之濕氣，感則害人皮膚筋脈，必從足始者也。《內經》說百病
皆由上中下三者，及論形氣兩虛，卽不及天地之邪。乃知脾
胃不足爲百病之始。有餘、不足，世醫不能辨之者，蓋已久
矣。往者遭壬辰之變，五六十日之間，爲飲食勞倦所傷而沒
者，將百萬人，皆謂由傷寒而沒。後見明之《辨內外傷及飲食
勞倦傷》一論，而後知世醫之誤。學術不明，誤人乃如此，可
不大哀耶！明之既著論矣，且懼俗獘不可以猝悟也，故又著

---

① "論"，《續修四庫全書》本《金文最》卷二十三作"誦"。
② "諸"後，《續修四庫全書》本《金文最》卷二十三有"所"字。

《脾胃論》丁甯之。上發二書之微，下袪千載之惑。此書果行，壬辰藥禍當無從而作。仁人之言，其意溥哉！"案，此序《遺山集》不載，蓋張德輝類次時失收耳。書有《東垣十書》及《濟生拔萃》本。

飲食勞倦傷論

李杲撰，見上元遺山《序》。其曰"上發二書之微"，則此與《內外傷辨惑論》各爲一書矣。

藥性賦二卷

李杲撰。書載《醫經萃録》、《格致叢書》。

東垣試要效方九卷

李杲撰。

內外傷寒辨三卷

李杲撰。以上二種見《國史經籍志》。《補遼金元志》入潔古著書後，誤。

用藥法象一卷

李杲撰。

醫學發明九卷

李杲撰。《補遼金元志》云："發明《本草》、《素》、《難》脈理。"

此事難知二卷

李杲撰。《提要》稱元王好古作。謂杲之議論，賴此以存一二，今本《東垣十書》竟屬之杲，殊爲謬誤。其說是矣。然《補遼金元》、《補元史》兩志皆入杲著述中，故仍録之。

傷寒會要

李杲撰。《遺山集》有《序》，其文曰："往予在京師，聞鎮人李杲明之有國醫之目，而未之識也。壬辰之兵，明之與余同出汴梁，于聊城、于東平，與之游者六年，于今然後得其所以爲國醫者爲詳。蓋明之世以貲雄鄉里，諸父讀書，喜賓客，所居竹里，名士日造其門。明之幼歲好醫藥。時易州人張元素以醫名燕趙間，明之捐千金從之學，不數年，盡傳其業。家既富厚，無事于技，操有餘以自重，人不敢以醫名之。士大夫或病其資高謇，少所降屈，非危急之疾、有不得已焉者，則亦未始謁之也。大概其學如傷寒、氣疝、眼目病爲尤長。傷寒，則著《會要》三十餘萬言。其説曰：‘傷寒家有經禁、時禁、病禁。此三禁者，學醫者人知之，然亦顧所以用之爲何如耳。’《會要》推明仲景、朱奉議、張元素以來備矣。見證得藥，見藥識證，以類相從，指掌皆在。倉猝之際，雖使粗工用之，蕩然如載司南，以適四方，而無問津之惑，其用心博矣。于他病也以古方爲膠柱，本乎七方十劑之説，所取之學，特以意增損之。一劑之出，愈于託密友而役孝子，他人蓋不能也。北京人王善甫，爲京兆酒官，病小便不利，目睛凸出，腹脹如鼓，膝以上堅硬欲裂，飲食且不下，甘淡滲泄之藥皆不效。明之來，謂衆醫言：‘疾深矣！非精思不能處。我歸而思之。’夜參半，忽攬衣而起曰：‘吾得之矣。《内經》有之：膀胱者，津液之府，必氣化乃出焉。渠輩已用滲泄之藥矣，而病益甚，是氣不化也。啓玄子云：無陽者，陰無以生；無陰者，陽無以化。甘澹滲泄雖陽藥，獨陽無陰，欲化，得乎？’明日以羣陰之劑投，不再服而愈。西臺掾蕭君瑞，二月中病傷寒，發熱。醫以白虎投之，病者面黑如墨，本證遂不復見。脈沈細，小便不禁。明之初不知用何藥也，及診之，曰：‘此立夏以前誤用白虎之過。得無以投白虎耶？白虎大寒，非行經之藥，止能寒腑臟。不善用之，則傷寒本病隱曲于經絡之間。或更以大熱之藥救之，以苦陰邪，則它證必起，非所以救白虎也。有溫藥之升陽行經者，吾用之。’有難者云：‘白虎大寒，非大熱何以救？君治之，奈何？’明之曰：‘病隱于經絡間，陽大升，則經不行，經行而本證見矣。本證又何難焉。'果如其言而愈。魏邦彥之夫人，目翳暴生，從下而上，其色綠，腫痛不可忍。明之云：'翳從下而上，病從陽明來也。綠非五色之正，殆肺與腎合而爲病耶？'乃就畫工家，以墨調膩粉，合而成色，諦視之，曰：'與翳色同矣，肺、腎爲病無疑矣。'乃瀉肺腎之邪，而以入陽明之藥爲之使。既效矣，而他日病復作者三，其所從來之經，與翳色各異。乃復以意消息之，曰：'諸脈皆屬于目，脈病則目從之，此必經絡不調。經不調則目病未已也。'問之果然。因如所論而治之，疾遂不作。馮内翰叔獻之姪櫟，年十五六，病傷寒，目赤而頓渴，脈七八至，醫欲以承氣下之。已煮藥，而明之適從外來。馮告之當用承氣。明之切脈，大駭曰：'幾殺此兒！《内經》有言：在脈諸數爲熱，諸遲爲寒。今脈八九至，是熱極也。而《會要大論》云病有脈從而病反者，何也？脈至而從，按之不鼓，諸陽皆然。此傳而爲陰證矣。趣持薑、附來，吾當以熱因寒，用法處之。'藥未就，而病者爪甲變，頓服者八兩，汗尋出而愈。陝帥郭巨濟病偏枯，二指著足底不能伸，迎明之京師。明之至，以長鍼刺委中，深至骨而不知痛。出血二三升，其色如墨。又且謬刺之。如是者六七，服藥三月，病良愈。裴擇之夫人病寒熱，月事不至者數年，以喘嗽矣。醫者率以蛤蜊、桂、附之等投之。明之曰：'不然，夫病陰爲陽所搏，温劑大過，故無益反害，投以寒血之藥，則經行矣。'已而，果然。宣德侯經歷之家人，病崩漏，醫莫能效。明之切脈，且以紙疏其證，多至四十餘種，爲藥療之。明日而二十四證減，前後五六日，良愈。侯厚謝而去。明之設施皆此類也。戊戌之夏，予將還太原。其子執中持所謂《會要》者來，求爲序引。迺以如上事冠諸篇，使學者知明之之筆于書，其已試之效，蓋如此云。"

校評崔真人脈訣一卷

李杲撰。《提要》云："宋以來諸家書目不載，焦竑《國史經籍志》始載之。《東垣十書》取以冠首。李時珍已附入《瀕湖脈學》中。至其旁注之評語，真出李杲與否，則無可徵信矣。"今亦録之，以存疑云。

外科精義二卷

李杲撰。此書本元齊德之作，《提要》謂李杲平生不以外科著。原本附《東垣十書》之末，蓋坊刻裒合之本，取以備十書之數。與所載朱震亨書均爲濫入。孫一奎《赤水玄珠》引之，竟稱《東垣外科精義》，不考甚矣。然即此可見古人已以爲杲作，故仍列其目，而附《提要》説于此。

元氏集驗方一卷

元好問撰。有《自叙》曰："予家舊所藏多醫書，往往出于先世手澤。喪亂以來，寶惜固護，與身存亡，故卷帙獨存。壬寅冬，閒居州里，因録予所親驗者爲一編，目之曰《集驗方》。付搏、拊輩使傳之。且告之曰：'吾元氏由靖康迄今，父祖昆弟仕宦南北者，又且百年。官無一廛之寄，而室乏百金之業。其所得者，此數十方而已，可不貴哉！'"文見《遺山集》。

素問注疑難二十卷

澂澤王翼輔之撰。李俊民《莊靖集》有《王公輔之墓誌銘》，其略曰："因感疾，遂留意于醫。與名輩張全道、趙子華友講究《難》、《素》及《本草》物性。藥證病源，以拯濟爲務。平生著述，有《素問注疑難》二十卷，《本草傷歌括》各一卷。"[①]

本草歌括一卷

王翼撰。

---

① "傷"後，《四庫全書》本《莊靖集》卷九有"寒"字。

傷寒歌括一卷

王翼撰。

素問注

封仲堅撰。仲堅,《金》、《元史》無傳,此見《二妙集·封仲堅挽詞注》。蓋與段克己、成己兄弟往來者,是亦金之遺民也。仲堅當是字,其名與里居,則不可考矣。

右醫家

天象傳

司天臺長行張翼撰。

懸象賦一篇

楊雲翼撰。

五星聚井辨一篇

楊雲翼撰。以上二書見《遺山集》及《金史》本傳。

天文精義賦三卷

司天大夫湯陰岳熙載壽之撰。據《金文最》,天一閣有藏本。《提要》作四卷,云:"舊題管句天文岳熙載撰並集注,而不著其時代。注中多引《宋史·天文志》,當爲元末人。"蓋偶未深考耳。

天文祥異賦一卷

岳熙載撰。

天文主管釋義三卷

岳熙載撰。以上三書皆見《絳雲樓目》,惟不著撰人。

注李淳風天文類要四卷

岳熙載撰。《讀書敏求記》:"《天文占書類要》四卷,李淳風撰,岳熙載注,鈔本中之佳者。"則此書久無刊本矣。故《提要》惜其未見。

校正天文主管一卷

司天臺少監臨渙武亢撰。《提要》云："首題明昌元年司天臺
少監賜紫金魚袋臣武亢重行校正。蓋金章宗時經進之書。
按《金史・百官志》，司天少監秩從六品，而武亢姓名不見于
紀傳。惟王鶚《汝南遺事》曰：'哀宗天興二年，右丞仲德奏
前司天臺管句武禎男亢原注徐州人氏。習父之業，精于占候。
上遣人召之，既至，與語大悦，即命爲司天長行。亢數言災
咎，動合上意。是年九月，敵人圍蔡，亢預奏，十二月初三日
攻城。及期果然。上復問何日當解，亢曰：直至明年正月十
三日，城下無一人一騎。明年正月城陷，十三日撤營去，其
數精妙如此云云。'則亢乃哀宗末人，不應章宗時已爲司天
臺少監。校正此書，疑其出于託名，故時代舛異也。其書諸
家皆未著録，惟晁氏《寶文堂書目》有之，所載恒星及五星次
舍占説，皆頗明析，而繪圖舛錯者多。末附《周天立象賦》一
篇及《五星休咎賦》各一篇，題曰李淳風撰。其詞亦不類唐
人。"如其説，亢之長于占驗與此書大體略可考見。然亢爲
武禎子，《提要》謂不見紀傳，未是。《金史・方伎傳》即附禎
傳末，並言亢于天興正月十三日以蔡州既元兵退，[①]亢是日
赴水死，則亢亦金之忠義士也。

右天文家

金大明曆十卷

無撰人，見《書録解題》。陳氏云："金大定十三年所爲也。其
術疏淺無足取。積年三億以上，其拙可知。然統天、開禧改

---

① 文淵閣《四庫全書》本《金史》卷一百三十一云："甲午正月十日，蔡州破，十三
日大元兵退，是日亢赴水死。"

曆皆緣朝論。以北曆得天爲疑，貴耳賤目，由來久矣，寔不然也。"考《金史·曆志》："天會五年司天楊級始造《大明曆》，十五年春正月朔，始頒行之。其法以三億八千三百七十六萬八千六百五十七爲曆元，五千二百三十爲日法，然其所本，不能詳究。或曰因宋《紀元曆》而增損之也。"據此則《大明曆》其始爲楊級作，至《遂初堂書目》則稱《金國大明日曆》。

重修大明曆

司天監趙知微撰。《金史·曆志》："正隆戊寅三月辛酉，司天言日當食而不食。大定癸巳五月壬辰朔，日食，甲午十一月甲申朔，日食，加時皆先天。丁酉九月丁酉朔，食乃後天。由是占候漸差，乃命司天監趙知微重修《大明曆》，十一年曆成。"

改定太一新曆

張行簡撰。

乙未元曆

耶律履履道撰。《元文類》元好問《耶律公神道碑》："以《大明曆》積微浸差，乃取金國受命之始年，撰《乙未元曆》云。"

揲蓍說

耶律履撰。《神道碑》又云："論者獨推其《揲蓍說》，蓋不階師授而獨得之者。"

句股雜說

楊雲翼撰。

積年雜說

楊雲翼撰。

算術一卷

王翼撰。見《莊靖集·王公輔之墓銘》。

如積釋瑣細草

元好問撰。莫子偲《遺山詩集跋》："又精九數天元之學，曾因

劉汝諧撰《如積釋璅》，爲之細草，以明天元，見祖頤序朱世傑
《四元玉鑑》。"蓋遺山自弱冠受知楊雲翼、趙秉文，晚又善李
治、張德輝，號龍山三友。楊、李皆曆算宗工，故亦能兼通之，
尤古來文章家所未有。惜其書不傳，史傳亦不載。

律曆志十卷

杜瑛撰。此書已見經部，今以《補三史藝文志》既列律吕于
樂，又載之天文，故仍録其目于此。

測圓海鏡十二卷

李治撰。《自序》曰："數本難窮，吾欲以力强窮之。彼其數不
惟不能得其凡，而吾之力且憊矣。然則，數果不可以窮邪？
既已名之數矣，則又何爲而不可窮也？故謂數爲難窮斯可，
謂數爲不可窮斯不可。何則？彼其冥冥之中固有昭昭者存。
夫昭昭者，其自然之數也。非自然之數，其自然之理也。數
一出于自然，吾欲以力强窮之，使隸首復生，亦未如之何也
已。苟能推自然之理以明自然之數，則雖遠而乾端坤倪，幽
而神情鬼狀未有不合者矣。予自幼喜算數，恒病夫考圖之術
例出牽强，殊乖于自然。如古率、徽率、密率之不同，截弧、截
矢、截背之互見，内外諸角，析會兩條，莫不各自名家，與世作
法。及反覆研究，率卒無以當吾心焉。老大以來，得洞淵九
容之説，日夕玩繹，而鄉之病我者，始礐然落去而無遺餘。山
中多暇，客有從余求其説者，于是乎又爲衍之，遂累一百七十
問。既成編，客復目之《測圓海鏡》，蓋取夫'天臨海鏡'之義也。
昔半山老人集《唐百家詩選》，自謂廢日力于此良可惜。明道先
生以上蔡謝君記誦爲玩物喪志。夫文史尚矣，猶之爲不足貴，
況九九賤技能乎？嗜好酸鹹，平生每痛自戒敕，竟莫能已。類
有物憑之者，吾亦不知其然而然也。故嘗私爲之解曰：'由技進
乎道者言之，石之斤、扁之輪，庸非聖人之所予乎？'覽吾之編，

察吾苦心，其憫我者當百數，其笑我者當千數。乃若吾之所得，
則自得焉耳，甯復爲人憫笑計哉？”

益古衍段三卷

李治撰。

右曆算家

人倫大統賦二卷

张行簡撰。有元皇慶二年秋潭薛延年壽之《序》，曰：“夫閱人
之道，氣色難辨，骨法易明。骨法者，四體之幹，有形象，列部
分，一成而不可變。欲識貴賤、貧富、賢愚、壽夭，章章可驗
矣。至于氣色通于五臟之分，心爲身之君，志爲氣之帥。心
志有動，氣必從，氣從則神知，神知則色見，如蜂排沫、蠶吐
絲，隱現無常。欲別旺相，定休咎于氣色則見矣，非老于是者
不能。若精是術，必究是書。是書蔓延于世甚夥，苟不抉擇，
而欲遍覽，猶入海算沙，成功幾日？善乎！金尚書張行簡《人
倫大統賦》與芟諸家之冗繁，撮百世之機要，提綱挈領，不三
二千言，囊括相術殆盡，條目疏暢而有節，文辭華麗而中理，
其心亦勤矣。是以初入其門者，未免鑽仰之勞。僕觸僭竊之
非，以蚊聞管見，附注音釋其下，仍括諸家之善以解之，目之
曰《音注集解》，庶使學者有所依藉。然而知面部分，莫知適
從，亦徒勞耳。面圖世傳者多，指龜爲鱉。近獲郃陽簿李廷玉
所圖，面部凡六，其部分行運、氣色、骨法、紋痣至真，且悉其
義愈明而意愈彰，可爲發蹤指示之標的也。故弁諸賦首，庶
學者披圖按賦，相爲表裏，決人吉凶，如示諸掌，可謂胸中天
眼不枯矣。豈無補哉？雖然，獲兔魚必由筌蹄，能樂學必興
其藝，有心于是，而欲齊唐舉之肩，接許負之踵，諒亦不能不
自此始爾。”《提要》云：“《金史》本傳不載是書之目。黃虞稷

《千頃堂書目》有《人倫大統賦》一册,亦不著撰人姓名。惟《永樂大典》所錄,皆題行簡所撰,且有薛延年字壽之者爲之注,《序》末稱'皇慶二年'。皇慶乃元仁宗年號,與金時代相接,所言當必不誤,蓋本傳偶然脫漏也。"余藏有《十萬卷樓》重刊本。

青烏先生葬經注一卷

丞相兀欽仄撰。《自序》云:"先生漢時人,精地理陰陽之術,而史失其名。晉郭璞《葬書》引經曰爲證者,卽此是也。先生之言,簡而嚴,約而當,誠後世陰陽之祖書也。郭氏引經不全在此書,其文字而不全,豈經年代久遠,脫落遺佚與?亦未可得而知也。"

氣數雜説

楊雲翼撰。案,此書當卽《象數雜説》,《補遼金元藝文志》載之,故據以著錄。

大六壬玉連環一字訣

徐次賓撰。其人《金史》無傳,有大定辛丑王頤《序》。其《序》曰:"《老子》云:'禍兮福所倚,福兮禍所伏。'孰知其極,是禍福也,聖人猶難,況元元之衆,豈能喻前期之得失,察品物之情狀哉?此陰陽者流,所以關于世也。黃帝軒轅氏以中式開天下之聾瞶,雖傳其書,而得其妙用者實寡。近世徐次賓,潛心斯道,爲人稽吉徵凶,委曲詳悉,遂本所得,述成一書,題曰《一字訣》,十六門互相發揮,循環不已,又曰《玉連環》。室之九逸仙人見其簡略,慨然詳注,覽之者尋源討流,不待《金匱玉函》已造會要矣。"

圖解地理新書十五卷

平陽畢履道撰。履道《自序》云:"宅葬者,養生送死之大事也。自司馬史分陰陽家流,至唐迄宋,屢詔儒臣典領司天監,屬出秘閣之藏,訪草澤之術,胥參同異,校覈是非,取舍于理,

而裁祥有稽者，留編太常，即今之頒行《地理新書》是也。俾
世遵用，以裨政治，保生命躋于壽域，惠亡者安于下泉，示愛
民廣博之道，不甚韙歟！兵火之後，失厥監本，于是俗所傳
者，甚有訛謬。至于辭約而理乖，名存而實革，既寖差誤，觸
起凶災。僕深患斯文之弊，遂質諸師說，訪求善本，參校以正
之者，僅千餘字；添補遺闕者，幾十數處。兼有度刻步尺之差
者，則以算法考而改之；有陰陽加臨之誤者，則以成法推而定
之。至若四方正位，詳說其準繩，表臬求影于星，取中之法四
折，曲路細畫其角，斜正方合句股。入穴之圖，山水列其吉凶，
祭事分于壇墠。發揮經義，注釋禮文，歲餘方畢。藏之于家，以
俟同道之能者，踵門而採擇焉。庶亦知予攻業之不忽也。"

校正地理新書十五卷

張謙撰。自稱古戴鄙夫。其《自序》曰："僕叨習地理，忝慕
陰陽，雖專二宅，[①]而取則于此書。伏覩古唐、夷明、蒲坂等
處，前後印賣新書，未嘗有不過目收覩者，終莫能見其完本。
惟我先師馮公傳授，亦遺地圖一篇。繼有平陽畢先生者，留
心考覈，可無失，而又增加圖解等法度，真得其旨趣矣。自
是更訪求名士家藏善本，比對差互甚多。今據從來板內遺
闕者，並以補完；元差互者，校讎改正；一兩疑未詳者，乃各
存之；及其間寫雕錯誤，亦以校定。其卷首四方定位之法，
圖解已是詳備。竊見營造取正，定平制度，亦可爲式外，五
姓聲同而虛實音異者，今以纂出。地下明鑑，立成傍通。三
鑑六道，繼叙輪圓。又校正禽交步分及民庶合用營田參定
傳符雜忌等述，□論呂才言宅葬經書之弊，各布列本篇之
下，總二萬餘言，以廣見聞。僕恐未能專擅，遂誠心修集，以

---

① "專"後，《續修四庫全書》本《金文最》卷十九有"述"字。

俟同道之能者幸改易焉,庶幾我輩易爲遵用。審觀此書之
興也,始自唐代吕才删定,名以《地理》。至于宋朝,三歷數
主,重復詔下有司,始終計有百年,方以定用,頒行于世。今
野俗之流,而有專執星水之法,或只習一家偏見之文,又有
不經隨代進用頒行,旁門小説不根之語。或與官書相害者,
執而行之,兼又不能與五姓參用,而專排斥五音姓利,良可
罪哉! 僕今見平陽數家印賣此書,雖有益于世,竟未有完
者,恐久墜斯文,莫能從善。不敢欺隱,遂將正文插入,又附
以亂談舛駁之辭,短拙不揆尤甚,輒以俗言紀其事迹。"此書
據《經眼録》有金刊本,標爲《圖解改正》。觀《序文》有畢先
生者,增加圖解等法度語,則作圖解者爲畢履道,而謙又重
爲之校正也,故分别編列之。

金德運議一册

無撰人。見《菉竹堂書目》。此編爲當時尚書省集議之文,
《續文獻通考》次史部故事類,未是。案,五德終始之説創
自戰國鄒衍,《漢書》列陰陽家,故入之于此。其書則《通
考》作《大金德運圖説》一卷,近錢氏《守山閣叢書》有
刻本。

六壬袪惑鈐六卷

司天判官張居中正之撰,見耶律楚材《湛然集》。楚材《序》
曰:"予故人張正之,世掌羲和之職,通經史百家之學,尤長于
三式,與予參商且二十年矣。癸巳之春,既克汴梁,渠入覲于
朝,形容變盡,惟語音存耳。乘間,因出書一編,曰《六壬袪惑
鈐》。予再四繹之,引式明例,皆有所據。或有隱奧人所未通
者,釋以新説,蓋採諸經之所長,無所矛盾者,取其折中爲一
家之書,近代未之有也。求傳寫者既衆,其同列請刊行,以廣
其傳,余忻然爲引,以題其端。"案,《序》有"入覲于朝"語,似

居中或仕于元，然《補遼金元藝文志》固次金代，在兀欽仄《葬經注》之前，則居中實金人也。惟袪惑《志》作無惑，《提要》亦有《大六壬無惑鈐》一卷，云不著撰人名氏。

右五行家

石鼓辨

馬定國撰。《中州集》云："石鼓自唐以來無定論，子卿以字畫考之，云是宇文周时所造，作辯餘萬言。出入傳記，引據甚明，學者以比蔡正甫《燕王墓辯》。"

品第法書名畫記五百五十卷

王庭筠、張汝芳撰。

雪溪堂帖十卷

王庭筠撰。遺山《王黃華墓碑》："嘗被旨與舅氏宣徽公汝霖品第秘府書畫，因集所見及士大夫家藏前賢墨跡，古法帖所無者，摹刻之，號《雪溪堂帖》，一十卷。"

琴辨

平陽苗秀實彥實撰。元好問與耶律楚材皆有《序》。元《序》曰："彥實苗君，平陽人。童丱中，爲鄉先生喬孟州宸君章所器，命其子河東按察轉連使宇德容與同研席。君章文學深博，兼通音律，教彥實與德容琴事。初授指法，累錢手背，以輕肆爲禁，至一聲不敢妄增損。彥實後以雅重見稱，有自來矣。弱冠應明經舉選，三赴廷試。至論知琴，亦與德容相後先。當熙宗守成之際，惟弄琴爲樂而已。琴工衛宗儒者，一日鼓琴，不成聲。問之故，曰：'山後苦寒，手拮據耳。'卽賜之貂鼠帳，熾炭其前，使鼓之。世宗好此藝，殊有父風，寢殿外設琴工幕，次鼓至夜分，乃罷。嘗言：'吾非好琴，人主心無住，則營建、征伐、田獵、寵嬖，何所不有？吾以琴繫著吾心耳。'一侍從鼓琴東宮,衣著華麗,上以輕浮,敕不得入宮。至顯宗,又妙于琴事者也。三四十年之間,此道大行,而彥實出于其時。近臣有薦于章廟者,因得待朝翰林,居京師。未久,而聲譽籍甚,至廢舉業不就。南渡後,日從楊、趙游。閑閑嘗有詩推敬,故詩人止以高士目之。公藝既專,又漸于敦朴之化,習與性成。其分別古今操弄執雅、執鄭,猶數一二而辨黑白也。嘗選古人所傳操弄百餘篇有古意者纂集之,將傳于世。危急存亡之秋,良未暇也。長子名某,字君瑞,嘗仕為省郎。閑居燕中,恨雅道之將廢,而先意之不究,將鋟木以傳,請予題端,且以卜當傳與否也。予謂君瑞言:'子第傳之。山谷有云:枯木嵌空微暗淡,古器雖在無古絃,袖中正有《南風》手,[①]誰為聽之誰為傳。東坡有云:琴裏若能知賀若,詩中定合愛陶潛。漢大司空宋宏薦桓譚文學,可比前世揚雄、劉向父子,光武拜為議郎。帝每讌,輒令鼓琴,好其繁聲。宏聞之不悅,悔于薦舉。伺譚内出,正朝服,坐府上,遣吏召。[②]譚至,不與席而讓之曰:吾所以薦子者,願令輔國家以道德也,而今數進鄭聲,以亂雅頌,非忠正者也。能自改耶?會相舉以法乎?譚頓首謝。良久,乃遣之。後大會羣臣,帝使譚鼓琴。譚見宏,失其常度。怪而問之,宏乃離席免冠謝曰:臣所以薦桓譚者,謂能以忠正導主,而今朝延耽悅鄭聲,臣之罪也。帝改容謝之,譚遂不得給事中。'予竊謂《南風》手不可得,而今世愛陶詩者幾人?果如坡、谷所言,唯當破此琴為烹鶴之具耳。光武好繁聲,舉朝亦好之,乃有宋司空。謂宋宏之後,遂無宋宏,則彥實此書何從出哉?夫八音與政通為難,

---

① "手"字,據《續修四庫全書》本《金文最》卷二十二補。
② "召"後,《續修四庫全書》本《金文最》卷二十二有"之"字。

審音以知政，居今而行古又爲難。合是二難，始有此書。乃欲藏之名山，以待其人乎？司空表聖最爲通論，云：'四海之廣，豈無賞音？固應不待五百年耳。'請以此爲之引。"耶律《序》曰："古唐棲巖老人苗公，秀實其名，彥實其字，博通古今，尤長于《易》。應進士舉，兩入御闈而不捷，乃拂袖去之。公善于琴事，爲當今第一。嘗游于京師士大夫間，皆服其高妙。泰和中，詔天下工于琴者，侍郎喬君舉之于朝，公待詔于祕書監。余幼年刻意于琴，初受指于待詔郢大用。每得新譜，必與棲巖商榷妙意，然後彈之。朝廷王公大人，邀請棲巖者無虛日，予不得與渠對指傳聲，每以爲恨。壬辰之冬，王師濟長河，破潼關，涉京索，圍汴梁，予奏之朝廷，索棲巖于南京，得之，達范陽而棄世。其子蘭，絜遺譜而來，凡四十餘曲，予按之，果爲絕聲。大率署令衞宗儒之所傳也。予今録之，以授後世，有知音博雅君子，必不以予爲徒說云。"惟《琴辨》，《湛然集》作《琴譜》，蓋各就所見耳。

故物譜

元好問撰。《自叙》云："予家所藏，書，宋元祐以前物也；法書，則唐人筆跡及五代寫本爲多；畫，有李、范、許、郭諸人高品。就中薛稷《六鶴》最爲超絕，先大父銅山府君，官汲縣時，官賣宣和內府物也。銅碌兩小山，以酒沃之，青翠可摘，府君部役時物也。風字大硯，先東巖君教授鄉里時物也。銅雀研，背有大錢一，天禄一，堅重緻密，與石無異，先隴城府君官冀州時物也。貞祐丙子之兵，藏書壁間，得存。兵退，予將奉先大人南渡河，舉而付之太原親舊家。自餘雜書及先人手寫《春秋》、三史、《莊子》、《文選》之等，尚千餘册，並畫百軸，載二鹿車自隨。三研則瘞之鄭村別墅。是歲，寓居三鄉。其十月，北兵破潼關，避于女几之三潭。比下山，則焚蕩之餘，蓋無幾矣。今此數物，多予南州所得，或向時之遺也。往在鄉里，常侍諸父及兩兄燕談。每及家所有書，則必枚舉而問之，如曰某書買于某處，所傳之何人，藏之者幾何年，則欣然志之。今雖散亡，其綴緝裝褙、籤題印識，猶夢寐見之。《詩》有之：‘維桑與梓，必恭敬止。’以予心忖度之，知吾子孫却後，當以不知吾今日之爲恨也。或曰：‘物之閱人多矣，世之人玩于物而反爲物所玩，貪多務取，巧偷豪奪，遺簪敗履，惻然興懷者，皆是也。李文饒志平泉草木，有‘後世毀一樹、一石，非吾子孫之語’，歐陽公至以庸愚處之。至于法書、名畫，若桓玄之愛玩、王涯之固護，非不爲數百年計，然不旋踵，已爲大有力者負之而趨。我躬之不可必，奚我後之卹哉！’予以爲不然。三代鼎鐘，其初出于聖人之制，今其欸識故在，不曰‘永用享’，則曰‘子子孫孫永寶用’，豈爲聖人者，超然遐覽，而不能忘情于一物耶？抑知其不能必爲我有，而固欲必之也？蓋自莊周、列禦寇之説盛，世之誕者遂以天地爲逆旅，形骸爲外物，蓋聖哲之能事，有不滿一笑者，況外物之外者乎？雖然，彼固有方内、外之辯矣。道不同不相爲謀，使渠果能寒而忘衣，飢而忘食，以游于方之外，雖眇萬物而空之，猶有託焉爾。如曰不然，則備物以致用，守器以爲智，惟得之有道，傳之無愧，斯可矣。亦何必卽空以遺累，矯情以趨達，以取異于世耶？乃作《故物譜》。”

右藝術

羣書會要

鄭昌時撰。《絳雲樓書目》列其目，不言作者何人。

泰和編類陳言文字二十卷

完顏綱、喬宇、宋元吉等撰。

增廣分門類林雜說十五卷

平陽王朋壽魯老撰。《皕宋樓藏書志》有影寫金刊本。朋壽《自序》曰：“傳記百家之學，率皆在補于時，然多散漫不倫，難于統紀。故前賢有區別而爲書，號曰《類林》者，其來尚矣。惜乎次第失序，門類不備。予因暇日，輒爲增廣，第其次序，將舊篇章之中添入事實者加倍，又復增益至一百門，逐篇係之以贊，爲十五卷，較之舊書，多至三倍。若夫人君之聖智聰明，臣子之忠貞節義，父子兄弟之孝慈友愛，將相之權謀大體，卿士之廉潔果斷，隱遁之潛德幽光，文章之麗藻清新，風俗之好尚，陰德之報應，酒醴之耽沉，恩怨之報施，形軀之長短，容貌之美惡，男子之任俠剛方，婦人之妍醜賢愚，神仙之清修，鬼神之情狀，宮室之華麗，屋宇之卑崇，天地之運移，日星之行度，山海之靈潤，醫筮之精專，^①草木之奇秀，金玉之純良，蠻夷之頑獷，禽魚之巨細，凡六合之内所有，無不概舉。雖不可謂之知所未知，^②亦可謂之具體而微矣。其于善者，不敢加以褒飾，惡者不敢遂有貶斥，姑取其本所出處，芟其繁節其要而已。覽者味其雅正，則可以爲法；視其悖戾，則可以爲戒。豈止資談柄而詫多聞，不爲無可取也。鄉人李子文一見曰：‘專門之學，不可旁及。至如此書，無施不可，好學通變之士之所願見。我爲君刊鏤，以廣其傳，如何？’予謹應之曰：‘諾。’于是舉以畀之，併爲之序。”

校補兩漢策要

同知岳陽常彥修撰。王大鈞《序》曰：“皇朝專尚詞賦取士，限以五經、三史出題，惟東西漢二書，最爲浩汗，學者披閱，如涉

---

① “筮”，《續修四庫全書》本《金文最》卷十九作“生”。
② “可”，《續修四庫全書》本《金文最》卷十九作“敢”。

淵海,卒莫能際其畔岸。大抵菁華無出策論書疏而已,可取
而爲題者,十蓋八九,真科舉之急用也。先是吾鄉常同知彥
修宅取舊本《兩漢策要》摹搭刊行于世,其間錯謬及有不載
者,僅數十篇,殆爲闕典。彥修痛恨遺脱,嘗欲增廣,方經營
間,不幸早世。今二孫克家,不墜箕裘之緒,皆業進士。乃承
意繼志,遂再爲編次,時向者遺脱,一一校證添補附入,命工鋟
木,用廣傳布,且索序引。予喜其不負乃祖之意,使斯文號爲完
書,是可嘉也,姑直書所以題其端首云。"據《序》文,此書爲彥修
孫所作,但其名不可考,且有"不負乃祖"語,故仍標彥修名耳。

右類纂家

楞嚴外解

李純甫撰。《湛然集》有《序》曰:"昔洪覺範有言:'天台智者
禪師聞天竺有《首楞嚴經》,旦暮西向拜,祝願此經早來東土,
續佛慧命,竟不得一見。'今板鬻遍天下,有終身不聞其名者,
因起法輕信劣之數。[1] 若夫徵心辨見,證悟窮魔,明三界之
根,深七趣之本,[2]原始要終,廣大悉備,與禪理相爲表裏,雖
具眼衲僧,不可不熟繹之也。余故人屏山居士牽引《易》、《論
語》、《孟子》、老氏、莊、列之書與此經相合者,輯成一編,謂之
《外解》,實漸消吾儒不信佛書者之餅也。[3] 吾儒中喜佛乘者,
固亦多矣,其全信者鮮焉。或信其理而棄其事,或信其理事
而破其因果者,或信經論而誣其神通者,或鄙其持經,或訊其
建寺。[4] 塵沙之世界,以爲迂闊之言;成壞之劫波,反疑駕馭

---

① "數",《四庫全書》本《湛然居士集》卷十三作"嘆"。
② "深",《四庫全書》本《湛然居士集》卷十三作"探"。
③ "餅",《四庫全書》本《湛然居士集》卷十三作"餌"。
④ "訊",《四庫全書》本《湛然居士集》卷十三作"譏"。

之説。亦何異信吾夫子之仁義，詆其禮樂；取吾夫子之政事，舍其文學者邪！或有攘竊相似之語，以爲皆出于吾書中，何必讀經，然後爲佛？此輩尤可笑也。且竊人之財猶爲竊，況竊人之道乎？我屏山則不然，深究其理，不廢其事。其于因果也，則舉作善降祥之文，引羊祜、鮑靚之事。其于塵界也，則隘鄒子之説，婉禦寇之談。其神通也，則云左慈術士耳，變形于魏都，皆同物也，疑吾佛不能變千百億化身乎？其于劫波也，則云郭璞日者，卜年于晉室，若合符券，疑吾佛不能記百萬之多劫邪？其于持經也，則云佛日禪師因聞誦心經咒，言下大悟，田夫俚婦持念諸果者，^①詎可輕笑之哉？其于建寺也，則云阿蘭若法當供養，彼區區者尚以土木之功爲費，何庸望之甚耶？其品評三聖人理趣之淺深也，初云稍尋舊學，且窺道家之言，又繙内典，至其邃處，吾中國之書似不及也。晚節復云余以此求三聖人垂化之理，而後知吾佛之所以爲人，天師、無上大法王者非諸聖之所能侔也。學至于佛，則無可學者，乃知佛卽聖人，聖人非佛，西方有中國書，中國無西方書也。或問屏山何好佛之深乎？答云：'感恩之深則深報之，屏山所謂心不負人者矣。'渠又云：'吾佛之所誨人者，其實如如，不誑不妄，豈有毛髮許可疑者邪？'噫！古昔以求篤信佛書之君子，^②未有如我屏山之大全者也，近代一人而已。泰和中，屏山作《釋迦文佛贊》，不遠千里以《序》見託于萬松老師。永長巨豪劉潤甫者，笑謂老師曰：'屏山兒時聞佛，以手加額，既冠，排佛。今復贊佛。吾師之《序》，可慎與之，庸詎知他日得不復似韓、歐排佛乎？'老師曰：'不然。今屏山信解入微，

① "果"，《四庫全書》本《湛然居士集》卷十三作"課"。
② "求"，《四庫全書》本《湛然居士集》卷十三作"來"。

如理而説,豈但悔悟于前非,亦將資信于來者。且兒時喜佛者,
生知宿稟也;既冠排佛者,華報蠱惑也;退而贊佛者,不遠而復
也。而今而後,世尊所謂吾保此木決定入海矣。'後果如吾師
言。余與屏山通家相與,爾汝曹不檢羈,其子阿同輩,待余以叔
禮。天兵既克汴梁,阿同挈遺橐來燕,寓居萬松老師之席。老
師助鋟木之資,欲廣其傳。阿同致書,請余爲引,余亦不讓,援
筆疾書,以題其端。不惟彰我萬松老師冥有知人之鑑,抑亦記
我屏山居士克終全信之心,且爲方來淺信竊道者之戒云。"

屏山居士金剛經別解

李純甫撰。《湛然集》有《序》一篇、《書後》一篇。其《序》云:
"佛法之西來也,二千餘祀,寶藏琅函,幾盈萬軸,可謂廣大悉
備矣!獨《金剛》一經,或明眼禪客,若脱白沙彌。上至學士
大夫,下及野夫田婦、里巷兒女子曹,無不誦者。以頻見如
閑,姑置而不問者有之;以至理叵測,望涯而退者有之。噫!
信其小而不信其大,[①]信其所見而不信其所未見,自是而非
他,執一而廢百者,比比然,又何訝焉。偉哉!屏山居士取
儒、道兩家之書,會運、裝二師之論,□□□牽引雜説,錯綜諸
經,著爲《別解》一編。莫不融理事之門,合性相之義,析六如
之生滅,剖四相之鍵關。謂真空不空,透無得之得,序圓頓而
有據,識宗説之相須。辨因緣自然,喻以明珠,諸佛衆生,譬
之圓鏡,若出聖人之口,冥契吾佛之心,可謂天下之奇才矣。
噫!此書之行于世也,何止化書生之學佛者偏見,衲僧無因
外道,皆可廢藥矣。昔余與屏山同爲省掾時,同僚譏此書以
爲餌餕餡之具,余尚未染指于佛書,亦少惑焉。今熟繹之,自

---

① "大"後,《四庫全書》本《湛然居士集》卷十三有"信其近而不信其遠,信其所聞
而不信其所未聞"十九字。

非精于三聖人之學者，敢措一辭于此書乎？吁！小人之言，誠可畏哉！"《書後》曰："孔子有云：'吾十有五而志于學，三十而立，四十而不惑。'是知學道未至于純粹精微之域，雖聖人亦少惑焉。昔樂天答制策稍涉佛教之譏，中年鄙海山而修兜率，垂老爲《讚佛發願文》，乃因起因張本，[①]其事見于本集。子瞻上萬言，頗稱釋氏之弊，晚節專翰墨，爲佛事。臨終作神咒浪出之偈，且曰著力卽差，其事見于年譜。退之屈論于大巔，而稍信佛書，《韓文公別傳》在焉；永叔服膺于圓通，而自稱居士，《歐陽公別傳》在焉。是知君子始惑而終悟，初過而後悛，又何害也？屏山先生幼年排佛説，殆不忍聞。未幾翻然而改，火其書作二解，以滌前非。所謂改過不吝者，余于屏山有所取焉。後之人立志未定，惑于初年者，當以此數君子爲法。"

屏山翰林佛事

李純甫撰。《歸潛志》："屏山南渡後，文字多褾禪語葛藤，或太鄙俚不文，迄今刻石鏤板者甚衆。又多爲浮屠作碑記傳贊，往往詆訾吾徒。諸僧翕然歸嚮，因集以板之，號《屏山翰林佛事》。"

成都大悲寺集三卷

李純甫撰。見《國史經籍志》。

金剛般若經注

張珣撰。見《補遼金藝文志》。

朝宗禪林記

濟州刺史任城李演巨川撰。《遺山集》有《讀李狀元朝宗禪林記》詩，其引云："李守濟州，城破不屈節死，贈鄉郡刺史。"考史演在貞祐初以任城受兵，被執不屈，見殺，故好問云然。

---

① "乃因"，《四庫全書》本《湛然居士集》卷十三作"乃云"。

浄髮須知二卷

無撰人。《補元史藝文志》列金萬壽《道藏目録》後，則是金人所作也。

右釋家

集　部

完顔勖集

完顔勖撰。《金史》本傳："大定二十年，詔曰：'太師勖諫表詩文，甚有典則，朕自卽位，所未嘗見，其諫表可入《實録》。其《射虎賦》詩文等篇什，可鏤板行之。'"是其集當時有刻本。

樂善老人集

豫王允成撰。《歸潛志》："豫王允中，世宗第四子也，好文善歌詩，有《樂善老人集》行于世。"案，允中當作允成，《志》誤，以《金史》爲正。《史》本傳："永成自幼喜讀書，晚年所學益醇，每暇日引文士相與切磋，接之以禮，未嘗見驕色，自號曰樂善居士，有文集行于世云。"

如庵小藁六卷

密國公璹仲寶撰，《金史》本傳："璹本名壽孫，世宗賜名，字仲寶，一字子瑜。平生詩文甚多，自删其詩，存三百首，樂府一百首，號《如庵小藁》。"《歸潛志》："自號樗軒居士。"惟其書《志》稱趙閑閑序之，行于世。今《滏水集》不載此序，當已佚。《遺山集》有《如菴詩文序》曰："密國公諱璹，字子瑜，越王長子,而興陵之諸孫也。明昌初已受,^①公以例授金紫光祿大夫。衞紹王時,除開府儀同三司。宣宗南渡後,封酢國公。哀宗正大初,進封密。自明昌初鎬、厲等二王得罪後,諸王皆置傅與司馬、府尉、文學,名爲王府官屬,而實監守之。府門啓閉,^②王子若孫及外人不得輒出入,出入皆有籍,訶問嚴甚。金紫若國公,雖大官,無所事事,止于奉朝請而已。密公班朝著者,如是四十年。初,燕都遷而南,危急存亡之際,凡車輅、宮縣、寶玉、祕器,所以資丕天之奉者,舟車輦運,國力不瞻,^③至汴者千之一耳。而諸王公貴主,至有脱身而去者。公家法書、名畫,連箱累篋,寶惜固護,與身存亡,故他貨一錢不得著身。方遷革倉卒,朝廷止以乏軍興爲憂,百官俸給,減削幾盡,歲日所入,大官不能瞻百指。而密公又宗室之貧無以爲資者,其落薄失次爲可見矣。元光以後,王薨,門禁緩,文士稍遂款謁,然亦不過三數人而止矣。公資稟簡重,而至誠接物,不知名爵爲何物。少日師三川朱巨觀學詩、龍巖任君謨學書,真積之久,遂擅出藍之譽。于書無所不讀,而以《資治通鑑》爲專門。馳騁上下,千有三百餘年之事,其善惡是非、得失成敗,道之如目前。穿貫他書,考證同異,雖老于史學者不加詳也。名勝過門,明窗棐几,展玩圖籍,商略品第顧、陸、朱、吳筆虛筆實之論,極幽眇。及論二王筆墨,推明草書學究之説,窮高妙,而一言半辭皆可紀録。典衣置酒,或終日不聽客去,爐薰茗椀,或橙蜜一杯,有承平時王家故態,使人愛之而不能忘也。字畫得于蘇、黃之間,參禪于善西堂,名曰'祖敬'。自題寫真,有'枯木寒灰亦自神,應緣來現酢公身。只

---

① "受"後,《續修四庫全書》本《金文最》卷二十二有"封"字。
② "閉"後,《續修四庫全書》本《金文最》卷二十二有"有時"字。
③ "瞻",《續修四庫全書》本《金文最》卷二十二作"贍"。下"大官不能瞻百指"句同。

緣苦愛東坡老,人道前身趙德麟'之句。舊制,國公祭山陵則
佩虎符、乘傳,號曰'嚴祭'。若上清儲祥宮,若太乙宮、五嶽
觀設醮,上方相藍大道場,則國公代行香,公多預焉。又有詩
自戲云:'借來羸馬鈍于牆,馬上官人病且痓。無用老臣還有
用,一年三五度燒香。'蓋實錄云。公詩五卷,號《如菴小藁》
者,汴梁鬻書家有之。樂府云:'夢到鳳凰山上,山圍故園週
遭。'又云:'咫尺又還秋也,不成長似雲閒。'識者聞而悲之。
予竊謂古今愛作詩者,特晉人之自放于酒耳。吟咏情性,留
連光景,自當爲緩憂之一物。在公則又以之遯世無悶,獨立
而不懼者也。使公得時行所學,以文武之材,當顓面正朝之
任,長轡遠馭,何必減古人?顧與槀項黃馘之士爭一日之長
于筆硯間哉!朝家疏近族而倚疏屬,其敝乃至于此,可爲浩
歎也。天興壬辰,曹王出質。公求見于隆德殿,上問叔父欲
何言。公奏:'孛德雖議和,①孛德不苦諳練,恐不能辦大事
者。臣請副之,或代其行。'上慰之曰:'南渡後,國家比承平
時有何奉養?然叔父則未嘗沾丐,②無事則置之冷地,無所顧
藉,緩急則置之不測。叔父盡忠固可,天下其謂我何?叔父休
矣。'于是君臣相顧泣下。未幾,公感疾,以其夏五月十有二日
薨,春秋六十一。後二十有六年,此集再刻于大名。"然則,觀
《序》言,密國藁本在金元之際,已一再刻矣。今無傳本,惟《中
州集》載其詩四十首,《中州樂府》載其詞七首,而文則《金文最》
止有《全真教祖》與《長真子譚真人仙跡》二碑而已。

宇文虛中文集

翰林學士承旨成都宇文虛中叔通撰。宋黃門侍郎,以奉使見
留。《金史》本傳云:"有文集行于世。"其文存者,僅有《證類本

---

① "孛"前,《續修四庫全書》本《金文最》卷二十二有"聞"字。
② "則",《續修四庫全書》本《金文最》卷二十二作"亦"。

草跋》一篇，詩有五十首，載入《中州集》。余又從王灼《碧雞漫志》録其《迎春樂詞》一闋，編之《全金詞》。

束山集十卷

建州吳激彦高撰。激，米芾婿，工詩能文，字畫俊逸，得芾筆意。將宋命至金，以知名留不遣，命爲翰林待制。皇統二年出知深州，到官三日卒。有《束山集》十卷行于世。束山，其自號也。《金史》列《文藝傳》。今其集已佚。余從《中州集·祝簡小傳》得其《贈李束美詩引文》一篇，並在集中得詩二十五首。又搜《陽春白雪》諸書，得其詞七首。輯爲一編，聊以存其概云。

吳彦高詩集

吳激撰。劉迎有《題吳彦高詩集》詩，則激之詩别有專集矣。

南游詩

祕書省著作漁陽張斛德容撰。斛《金史》無傳，《中州集》云："仕宋，爲武陵守。國初理索北歸，官祕書省著作郎。有《南游》、《北歸》等詩行于世。予嘗見其文筆字畫，皆有前輩風調，宇文大學甚激賞之。"集凡載其詩十八首。

北歸詩

張斛撰。《中州集》云："漁陽有《峒陽故詩》，中多及之，如《賦小孤山》云：'天圍秋漲闊，山背夕陽孤。岸樹晴猶溼，汀煙近却無。'《巫山對月》云：'雲開千里月，風動一天星。'《河池出郭》云：'細草沙邊樹，疎烟嶺外村。'《中江縣樓》云：'緑漲他山雨，青浮近市煙。'《中秋》云：'月色四時好，人心此夜偏。'《松門峽》云：'春水有秀色，[①]野雲無俗姿。'《賦禮部侍郎張浩然遼海亭》云：'晴光摇碧海，遠色帶滄洲。'又《賦臨漪亭》云：'雨聲喧暮島，水色借秋空。'《秋興樓》云：'碣石晚風催雁急，昭

---

① "水"，《四庫全書》本《中州集》卷一作"木"。

祁寒漲與雲平。'人多誦之。"然則此數詩雖非全篇,其卽北歸後
作耶?

蔡松年文集

尚書右丞相真定蔡松年伯堅撰。《金史》入《文藝傳》,云:"文
詞清麗,有集行于世。"《中州集》:"鎮陽別業有蕭閒堂,自號
蕭閒老人,薨諡文簡。"考松年今存者,有《蕭閒集》詞三卷。
其文不多見,有《蘇文忠公書李太白詩卷跋》在《式古堂書畫
彙考》,止此一篇而已。詩則《中州集》選存五十九首。

蔡珪文集五十五卷

蔡珪撰。《中州集》載其詩四十六首,《樂府》載其詞一首,《小
傳》並云:"國初文士,如宇文大學、蔡丞相、吳深州之等,不可不
謂之豪傑之士,然皆宋儒,難以國朝文派論之。故斷自正甫,爲
正傳之宗,党竹溪次之。禮部閑閑公又次之。自蕭戶部真卿倡
此論,天下迄今無異議云。"是珪爲金一代文章正宗,當時有定
論矣。惟其文寔不多覯,余所見者,有《蘇文忠書李太白詩卷
跋》載《書畫彙考》。《歸潛志》云:"周戶部德卿嘗論時人之文
曰:'正甫之文可敬,從之之文可愛,之純之文可畏也。'正甫名
珪,真定人,嘗爲省都事,有能聲。泰和南征,軍書羽檄,皆出其
手。爲文條暢有法,余嘗至欒城,縣署中有一遺愛碑,正甫筆
也,餘文不多見。在南京時,李屏山嘗云:'正甫文字全散失不
傳。'"若是,珪之文集在金末已無傳本矣。

蒙城集

翰林直學士高士談子文撰。《中州集》:"一字季默,宋韓武昭
王瓊之後。宣和末任忻州戶曹,仕國朝爲翰林直學士。皇統
初預宇文大學之禍。有《蒙城集》行于世。"今見于集者,有詩
三十首;見《樂府》者,有詞三首;又附和蔡松年韻者《好事近》
一首。士談,《金史》無傳,惟《宇文虛中傳》末云:"虛中、士談
俱有文集。"

薺堂集

馬定國撰。定國初學詩，未有入處，夢其父與方寸白筆，從是文章大進，自號薺堂先生。《中州集》録其詩三十一首，又《張子羽小傳》引《薺堂集》，載其師友六人：其一香嚴可道上人；其一鮮于可，字東父；其一高鷗化，字圖南；其一王景徽，字彥美；其一吳繽，字子長；叔翔亦其一也。則此集遺山蓋親見之。

宏道集六卷

徒單鎰撰。鎰本名按出，大定九年策女直進士，鎰等二十七人及第，鎰授兩官，爲中都路教授。宣宗卽位，進拜左丞相，封廣平郡王。《金史》本傳云：“鎰明敏方正，學問該貫。一時名士，皆出其門。多至卿相，有《弘道集》六卷。”其集今不傳，見于本傳者，止《乞通上下之情》、《論爲政之術》數篇已也。

嗚嗚集

太常丞兼直史館單父祝簡廉夫撰。《中州集》録其詩十二首，于《小傳》中載《詩説》一篇。簡，《金史》無傳。

霖堂集

三鄉朱之才師美撰。自號慶霖居士。《中州集》有詩十七首，《金史》無傳。

張行簡文章十五卷

張行簡撰，見《金史》本傳。《中州集》有詩三首並《小傳》，引楊之美《墓銘》云：“有集三十卷。”

三住老人集

翰林學士浦城施宜生明望撰。自號三住老人。宣和末爲潁州教官，在潁州日從趙德麟游，頗得蘇門沾丐。《金史》有傳。《中州集》有詩四首，其文則《書畫彙考》録其《蘇文忠公書李太白詩卷跋》，《蘇州集》録其《漁陽重修宣聖廟碑》，僅存此二篇而已。

田秀實集

潯陽田秀實唐卿撰。僑寓汴梁，嘗監杞縣酒。又佐南臺惠民局，構書齋榜曰"小眠"。蓄湖石，名雪嵒，自號雪嵒老人，又號東岫種玉翁。善鼓琴，音節抑揚，爲當時第一手。喜作梅詩，積數百篇，有集行于世。以其喜梅、琴，又稱雙清道人，見《明秀集》，魏道明注。《金史》無傳。

玉峰散人集

翰林直學士高平趙可獻之撰。可貞元二年進士，《金史》入《文藝傳》。《中州集》有詩三首，《樂府》又有詞十首，余又從《歸潛志》録其佚詞一闋。至本傳謂入翰林，一時詔誥多出其手。則無可見矣。惟《建炎以來繫年要録》載其《華州蒲城丞喬公墓誌》，亦殘缺不全。

西巖集

翰林供奉劉汲伯深撰。汲天德三年進士，自號西嵒老人。李之純作《序》云："人心不同如面。其心之聲，發而爲言，言中理謂之文，文而有節謂之詩。然則詩者，文之變也，豈有定體哉？故三百篇，什無定章，章無定句，句無定字，字無定音。大小長短，險易輕重，惟意所適。雖役夫室妾悲憤感激之語與聖賢相雜而無愧，亦各言其志也已矣。何後世議論之不公耶？齊、梁以降，病以聲律，類俳優。然沈、宋而下，裁其句讀，又俚俗之甚者。自謂靈均以來，此祕未覩，此可笑者一也。李義山喜用僻事，下奇字，晚唐人多效之，號西崑體。殊無典雅渾厚之氣，反詈杜少陵爲村夫子，此可笑者二也。黃魯直天資峭拔，擺出翰墨畦逕，以俗爲雅，以故爲新，不犯正位，如參禪著末後句爲具眼，江西諸君子翕然推重，別爲一派。高者雕鎪尖刻，下者模影剽竊。公言：'韓退之以文爲詩，如教坊雷大使舞。'又云：'學退之不至，即一白樂天耳。'此可笑者三也。嗟乎！此說既行，天下寧復有詩耶？比讀劉西嵒詩，質而不野,清而不寒,簡而有理,澹而有味,蓋學樂天而酷似之。觀其爲人,必傲世而自重者,頗喜浮屠邃于性理之說。凡一篇一詠,必有深意,能道退居之樂,皆詩人之自得,不爲後世論議所奪,真豪傑之士也。"汲,《金史》無傳,《中州集》載其詩十首,至屏山此《序》,亦見集中《小傳》。

攪寧居士集

史館編修亳州劉瞻嵒老撰。自號攪寧居士。天德三年南榜登科,党世傑、酈元輿、魏飛卿皆從之學。《金史》無傳,《中州集》有詩三首。

虚舟居士集

河東北路轉運使太原郝俁子玉撰。自號虚舟居士。正隆二年進士。《金史》無傳,《中州集》登其詩二十一首。

竹堂集

酈城令張公藥元石撰。《金史》無傳。《中州集》云:"宰相安簡公孝純永錫之孫,以父蔭入仕,詩號《竹堂集》。"並選其詩三首。

任詢詩數千首

易州任詢君謨撰。《金史》入《文藝傳》。詢正隆二年進士,書法爲當時第一。《中州集》有詩九首,《小傳》云:"平生詩數千首,君謨歿後,皆散失,今所錄皆得于傳聞之間。"至《樂府》中又載其《永遇樂》詞一首。考《山左金石志》有《奉國上將軍郭公神道碑》,則又文之僅存者。

馮子翼集

臨海軍節度使大定馮子翼士美撰。正隆二年進士。《中州集》云:"有詩、樂府傳于世。今載于集中者,僅詩七首,樂府亦止有詞一首。"子翼《金史》無傳。

史旭詩一卷

史旭景陽撰。第進士,歷臨真、秀容二縣令,《金史》無傳。《中州集》錄其詩三首,並言有詩一卷傳于世。

王礎詩

歸德府判大名王礎鎮之撰。自號退翁。《拙軒集·先君行
狀》:"性嗜書,卷未嘗去手。有詩百篇,平淡簡古,如其爲
人。"《中州集》于《王寂小傳》引《行記》,載其《雞山》一詩云:
"記得垂韶此地游,雞山孤立水平流。而今重過山前路,山
色青青人白頭。"遺山雖謂'詩固佳,恨依倣蘇才翁太甚',
然亦礎詩之幸存者。

曲全子詩集

王寂元輔撰。《拙軒集》有《序》文曰:"曲全子,予之母弟也。
少穎悟,天資孝友。以予有十年之長,兒時嘗受經于予,故事
予猶師也。性坦率,與人略無崖岸。當酒酣耳熱,視世間富
貴兒,皆卧之百尺樓下。然不喜場屋之學,人或勉之,笑而答
曰:'吾兄已世其家,吾親已享其禄,吾事濟矣。誰能踽踽從
原夫輩覓官耶?'識者以爲達。平居季孟間,把酒賦詩,對牀
聽雨,眷眷然不忍舍去。當是時,吾二親康健,歲時上壽,斑
衣羅拜,里人榮之,指以爲慶門。故牓其堂曰'雙橘'。一時
名卿、大夫、士爭相歌詠其事。自爾洊罹憂患,生寡食衆,貧
不能生,兄弟狼狽餬口于四方。渠亦儴俄赴調,得監亳州酤。
意愈不樂,自是日飲無何,似與世相忘者。未幾,疾作,竟不
起。平生所爲詩,無慮數百篇。既没之後,而二子方啼笑梨
栗,豈知乃父之遺文,當真賞深藏以保于不朽哉?已而旅櫬
北歸,予屢索于殘編斷藁中,了不可得。以是予與季弟每興
言及此,輒聲與涕俱出,蓋痛其不復見矣。況九原之恨,其能
已乎?大定己酉,予被命提點遼東等路刑獄事。閲再歲,會
以公集飯素于大清安禪寺,偶于稠人中得故人李仲佐,握臂
道舊,且復謂予曰:'元輔不幸,今十年矣。念一死一生之
際,未能忘情,時令人誦曲全子集製,如對晤語。'予驚聞
其説,懇請一見,既而得之。長篇短章,凡四十有七,惜乎

所得之不多也。雖然，嘗一臠，鼎味知矣，奚以多爲？吾弟
名案，字元輔，曲全子蓋道號云。"

拙軒集六卷

王寂撰，見《中州集》。惟不言卷數，並止録其詩七首，今從
《提要》著録。其書蓋由《永樂大典》刺出，然《菉竹堂書目》亦
僅作三册。

龍山集

都水監丞沃州劉仲尹致君撰。仲尹，正隆二年進士。《中州
集》有詩二十八首，《小傳》云："致君家世豪侈，而能折節讀
書。詩、樂府俱有蘊籍，有《龍山集》，嘗于其外孫欽叔處見
之，參涪翁而得法者也。"

南榮集

儀真令東平劉蹟撰，見《中州集・劉長言傳》。

漳川集

尚書左丞洺州董師中紹祖撰。師中，皇統九年進士。《金史》
有傳，惟此集不載，今見《中州集》，並録其詩一首。《小傳》又
云"有《燕賜邊部詩》傳于世"，未知即在集中否？其文自《金
史》本傳所載《諫北幸疏》外，又有《雞澤縣重修廟學碑》，見
《廣平府志》。

丹源釣徒集

山東路按察使高平李仲略簡之撰。《中州集》附見《李晏傳》，
蓋仲略爲晏之子。"丹源釣徒"者，其自號也。據《金文最》有
仲略《應州重建廟學碑》文一篇，爲石刻拓本。

山林長語

東萊劉迎無黨撰，自號無諍居士。《中州集》録詩七十六首，
《小傳》云："有詩、文、樂府，號《山林長語》，詔國學刊行。"今
其集久佚，至樂府亦僅有《烏夜啼》二首，載《中州樂府》。今
余又從《歷代詩餘》得《錦堂春》兩闋，抄入《全金詞》。

竹溪先生文集十卷

党懷英撰。《瀺水集》有《序》，其文曰："文以意爲主，辭以達意而已。古之人不尚虛飾，因事遣詞，形吾心之所欲言者耳。間有心之所不能言者，而能形之于文，斯亦文之至乎。譬之水不動則平，及其石激淵洄，紛然而龍翔，宛然而鳳蹙，千變萬化，不可殫究。此天下之至文也。亡宋百餘年間，惟歐陽公之文，不爲尖新艱險之語，而有從容閒雅之態，豐而不餘一言，約而不失一辭，使人讀之者，亹亹不厭。蓋非務奇之爲尚，而其勢不得不然之爲尚也。故翰林學士承旨党公，天資既高，輔以博學，文章沖粹，如其爲人。當明昌間，以高文大册，主盟一世。自公之未第時，已以文名天下。然公自謂入館閣後，接諸公游，始知爲文法，以歐陽公之文爲得其正。信乎！公之文有似乎歐陽公之文也。晚年五言古體，寄興高妙，有陶、謝之風。此又非可與誇多鬭麗者道也。近歲寇攘，喪亡幾盡，姑衷次遺文，僅成十卷，藏之翰苑云。"案，如序言，《竹溪集》爲閑閑鳩集，迄今又散佚不存。余欲取《中州集》所載詩六十五首、《樂府》所載詞五首以及見于《金文最》者，如《曲阜重修至聖文宣王廟碑》凡十數篇，彙爲一編，庶無文采磨滅之嘆，以繼閑閑哀輯之後耳。

党學士詩集一册

党懷英撰。見《菉竹堂書目》。題"學士"者，以懷英官翰林承旨也。然則在明時，殆詩集別有單行本矣。

黃華文集四十卷

王庭筠撰。《中州集》有詩二十八首，《樂府》又有詞十二首。《小傳》云："子端詩文有師法，高出時輩之右。平生愛黃華山水，居相下十年，自號黃華山主，有集傳于世。其文見《涿州志》者，有《涿州重修漢昭烈帝廟碑》；《墨緣彙觀》有《題李山風雪松杉圖詩跋》；見《河南通志·沂州志》者，有《五松亭

記》、《香林館記》。據《金史》本傳,庭筠自號澹游,並云爲文
能道所欲言,暮年詩律深嚴,七言長篇尤工險韻。

崑崙集

禮部郎中文登郭長倩曼卿撰。登皇統丙寅經義乙科,仕至祕
書少監,兼禮部郎中,修起居。與施明望、王無競、劉嵒老、劉
無黨相友善。[①] 所撰《石決明傳》,爲時輩所稱,有《崑崙集》行
于世。《金史》入《文藝傳》。其文有《文登縣廟學碑》,見《登
州志》。

鄭子聃詩文二千餘篇

鄭子聃撰。《金史·文藝傳》云:"子聃,英俊有直氣,其爲文
亦然,平生所著詩文二千餘篇。"考其詩載《中州集》者,止《卽
事》一首。若文之傳于今者,有《汝州香山觀音禪院慈照禪師
塔銘》一篇,見《寶豐縣志》。

滏水集二十卷

趙秉文撰。首有楊雲翼《引》,其文曰:"學以儒爲正,不純乎
儒非學也;文以理爲正,不根于理非文也。自魏、晉而下,爲
學者不究孔、孟之旨而溺異端,不本于仁義之說而尚夸辭,君
子病諸。今禮部趙公寔爲斯文主盟,近日擇其所爲文章,釐
爲二十卷,過以見示。予披而讀之,粹然皆仁義之言也。蓋
其學,一歸諸孔、孟,而異端不雜焉,故能至到如此,所謂儒之
正、理之正盡在是矣。[②] 天下學者,景附風靡,知所適從,雖有
狂瀾橫流,障而東之,其有功吾道也大矣。余生多幸,得從公
游,然聾瞽無與于視聽,故不足知公。後生可畏,當有如李之
尊韓、蘇之景歐者出。余雖老矣,猶幸及見之。"考《歸潛志》
云:"屏山嘗序其《閑閑集》云:'公詩往往有李太白、白樂天

---

① "施明望",《四庫全書》本《中州集》卷八作"施朋望"。

② "理之正",《四庫全書》本《滏水集·原序》作"理之主"。

語,某輒能識之。'又云:'公謂男子不食人唾後,當與之純、天英作真文字,亦陰讖云。'"若然,《滏水》一集,原有李屏山《序》,今本集無之。惟集中不載詞,余從《中州樂府》得詞七首,又從《南陽府志》等書輯佚文十餘篇、《續夷堅志》等書刺取佚詩數首合成一卷,以爲補遺云。

閑閑外集

趙秉文撰。遺山《墓銘》云:"生平文章號《滏水集》者,前後三十卷。公究觀佛、老之説,而皆極其指歸,嘗著論以爲害于世者其教耳。又其徒樂從公游,公亦嘗爲之作文章,若碑誌、詩頌甚多。晚年録生平詩文,凡涉于二家者不在也。"是閑閑爲釋、道兩家所作文字,特删定時去之耳。《歸潛志》云:"趙閑閑本喜佛學,然方之屏山,頗畏士論,又欲得扶教傳道之名。晚年自擇其文,凡主張佛、老二家者皆削去,號《滏水集》。首以中和誠諸説冠之,以擬退之原道性。楊禮部之美爲序。直推其繼韓、歐。然其爲二家所作文,並葛藤詩句另作一編,號《閑閑外集》。以書與少林寺長老英粹中,使刊之,故二集皆行于世。"則秉文《外集》當時並有刻本矣。今據以著録云。

常山集

員外郎真定周昂德卿撰。《金史》入《文藝傳》。《中州集》載其詩一百首。《小傳》云:"德卿傳其甥王從之文法云:'文章工于外而拙于內者,可以驚四筵而不可以適獨坐,可以取口稱而不可以得首肯。'又云:'文章以意爲主,以字語爲役,主强而役弱,則無令不從。今人往往驕其所役,至跋扈難制,甚者反役其主。雖極辭語之工,而豈文之正哉?'德卿初有《常山集》,喪亂後不復見,從之能記三百餘首,因得傳之。"是《常山》一集在金亡後已無傳本,然王若虛《詩話》:"史舜元作《吾舅詩集序》。"則原集並有史氏序文矣。

黃山集

禮部郎中東平趙渢文孺撰。自號黃山。大定二十二年進士。《金史》入《文藝傳》。《中州集》錄其詩三十首。文載《泰安府志》者，有《王榆山先生墓表》；載《山西通志》者，有《太原府學文廟碑》；若見《金文最》者，又有《濟州普照禪寺照公禪師塔銘》，則爲石刻拓本。

劉中文集

左司都事漁陽劉中正夫撰。《中州集》有詩二首，《小傳》引《屏山故人外傳》云："正夫爲人，短小精悍，滑稽玩世，中明昌五年詞賦經義第。詩清便可喜，賦甚得《楚辭》句法。尤長于古文，典雅雄放，有韓、柳氣象。教授弟子王若虛、高法颺、張履、張雲卿，皆擢高第。學古文者翕然宗之曰劉先生。"則集雖不傳，而其長可知矣。

虛舟居士集

孟州防禦使路鐸宣叔撰。《中州集》云："宣叔文最奇，尤長于詩，精緻温潤，自成一家。"錄詩凡二十六首。余從《續夷堅志》得其逸詩一首，于《蒲州志》得《爽心亭記》文一篇。

坡軒集

安陽酈權元輿撰，見《中州集》。有詩十六首，權，《金史》無傳。

屏山內外藁

李純甫撰。《歸潛志》："晚自類其文，凡論性理及關佛、老二家者內藁。[1] 其餘應物文字，如碑誌詩賦號外藁。蓋擬《莊子》內外篇。"案，屏山文字，傳世絕少，其見《中州集》者，有詩二十九首。余從盛如梓《庶齋老學叢談》得《水龍吟》佚詞一闋，錄入《全金詞》。至《新修雪庭西舍碑》、《重修面壁庵碑》

---

[1]　"者"後，《四庫全書》本《歸潛志》卷一有"號"字。

諸文,見《嵩書石刻》者,亦僅五、六篇。劉祁氏有言:"南渡後
文風一變,文多學奇古,詩多學風雅,由趙閑閑、李屏山倡
之。"乃其文所可觀者如此,豈不惜哉!

澹軒遺藁

同知汾州事京兆史蕭舜元撰。《金史》無傳。今見《中州集》,
凡録詩三十首。《小傳》云:"天資挺特,高才博學。作詩精緻
有理,尤善用事,古賦亦奇峭。"

蕭貢文集十卷

蕭貢撰。見《中州集》,録詩凡三十二首。《小傳》云:"博學能
文,不減前輩。"蔡正甫考其文見《涇陽縣志》者,止有《京兆府
涇陽縣重修北極宮碑》一篇。

瑩禪師詩集

白寶瑩撰。蕭貢有《讀火山瑩禪師詩卷》詩,自注:"禪師懊州
白氏、岐山令君舉樞判文舉之弟,自幼日有詩名河東。嘗有
詩云:'十日柴門九不開,松庭雨後滿蒼苔。草鞵挂起跏趺
坐,消得文殊更一來。'歸寂後,客有示其集者,因題其上。"

洹水集

金史藝文略

（初稿本）

孫德謙 撰

張 雲 王正一 郭偉宏 整理

經　部

楊雲翼　象數雜説
趙秉文　易叢説十卷
吕豫　易説
袁從義　易略釋
馮延登　學易記
單渢　三十家易解
雷思　易解
王天鐸　易學集説
張氏　易解十卷
張特立　易集説
劉因　易繫辭説
薛微之　易解
　　右易

趙秉文　尚書無逸直解
吕造　尚書要略
王若虛　尚書義粹三卷
　　右書

李之純　中庸集解一卷
趙秉文　大學解　中庸説一卷
楊雲翼　周禮辨一篇

　　右禮

苗彥實　琴辨　此入藝術。　　本朝樂曲　《金史·樂志》。
杜瑛　律吕律曆禮樂雜志三十卷
　　右樂

楊雲翼　左氏賦一篇
利鑾孫　春秋握奇圖一卷
杜瑛　春秋地理源委十卷
李之純　杜氏春秋遺説
　　右春秋

白賁　孝經傳
　　右孝經

趙秉文　删集論語解十卷
王若虛　論語辨惑五卷
杜瑛　論語旁通二卷
　　右論語

趙秉文　删集孟子解十卷
劉章　刺刺孟一卷
王若虛　孟子辨惑一卷
杜瑛　語孟旁通八卷
　　右孟子

王若虛　五經辨惑四十卷　四書辨惑一卷

馬定國　六經考

移剌履等　五經講義

劉因　四書精要三十卷　四書語錄

　　　右經總

韓孝彥　四聲篇海十五卷

韓道昭　五音集韻十五卷　五音增定并類聚四聲篇十五卷

党懷英　鐘鼎篆韻

張天錫　趙昌世　草韻

鄭昌時　韻類節事

劉因　小學語錄

　　　右小學

完顏希尹　太祖女直大字　熙宗女直小字　補小學。

王琢　次韻蒙求　《十七史蒙求·序》。

大定重較類篇十五册　補小學。

平水新刊韻略　《文最》有。許古。①

史　部

蔡珪　南北史三十卷

蕭永祺　遼史七十五卷

蕭貢　史記注一百卷

---

　　①　據《續修四庫全書》本《金文最》卷二十一，此處是指許古的《平水新刊韻略·序》。

党懷英　遼史①

完顏孛迭　中興事迹　此入雜史。

耶律貞　遼史

王若虛　史記辨惑十一卷　諸史辨惑二卷　新唐書辨惑
　　三卷

　　　右正史

續資治通鑒　楊雲翼、趙秉文等。

張師顏　金人南遷錄一卷

龜鏡萬年錄　仝上。②有《聖孝》等二十篇，見《金》本傳。

王寂　北遷錄

傅慎微　興亡金鏡錄一百卷

張特立　歷年係事記

　　　右編年

金始祖以下十帝實錄三卷

太祖實錄

太宗實錄

睿宗實錄

海陵庶人實錄

世宗實錄

章宗實錄

衛王事迹

---

① 此條目有刪除符號。

② 據文淵閣《四庫全書》本《千頃堂書目》卷四，"仝上"指《龜鏡萬年錄》的作者與
《續資治通鑒》仝，爲楊雲翼、趙秉文等。

宣宗實錄

趙端卿修宣宗實錄[①]　《遺山集·奉直趙君墓碣銘》。

楊廷秀　四朝聖訓

熙宗實錄

顯宗實錄十八卷

　　右國史

大遼古今錄

潘希孟　宣宗哀册　宣宗玉册

大遼事蹟

王繪　甲寅通和錄　《禮堂耕叢説》。[②]

大金弔伐錄四卷[③]

張師顔　南遷錄一卷[④]

元好問[⑤]　壬辰雜編　金源野史　金源君臣言行錄　帝王鏡略[⑥]

北風揚沙錄

天興墨淚

君臣政要　趙秉文等。

趙秉文　貞觀政要申鑒　資暇錄十五卷　龜鑑[⑦]

---

① 此條目有删除符號。

② 案,清施國祁有《禮耕堂叢説》,疑"堂""耕"誤倒。

③ 孫氏浮簽云:"《大金弔伐錄》,《守山閣叢書》有刊本,跋云:'張氏據超然堂吳氏本刊入《墨海》,僅分上、下二卷,以文瀾閣本校之。'又:'《提要》從《永樂大典》錄出,今遵閣本。'"原置於吕子羽《吕跛子傳》之後,據其內容,移於此處。

④ 此條目有删除符號。

⑤ 上有眉批:元好問《續古今考》九卷。整理者案,此眉批有删除符號。

⑥ "帝王鏡略"四字有删除符號。

⑦ "龜鑒"二字有删除符號。

完顏勖　熙宗尊號册文

史公奕[1]　大定遺訓

范拱[2]　初政録十五篇

煬王江上録一卷

宇文懋昭　大金國志四十卷

　　　右雜史

宗叙修　天德朝起居注

楊邦基等　世宗起居注

完顏守貞等　章宗起居注

郭長倩　起居注

　　　右起居注

張暐等　大金集禮四十卷　《金史·禮志》："僅《集禮》若干卷。"

楊伯雄　瑶山往鑒

士民須知　《金史·百官志》注。　總格　仝上。　泰和令　仝上。注

云皆不載。　金格　《官志》三。　以上三種入法令。

張珍　歷代世範

張浩　皇制

　　　右故事

金禮纂修雜録四百餘卷　《金史·禮志》。

張暐等　大金儀禮

陳大任　遼禮儀志

---

①　上有眉批：楊廷秀《四朝聖訓》,此與《大定遺訓》入故事。

②　上有眉批：完顏亨迻《中興事迹》。

張行簡　禮例纂一百二十卷　自公記　《金史·禮志》。

楊雲翼校　大金禮儀

　　　右儀注

孫鎮①　歷代登科記

天眷新官志　《金史·選舉志》。　換官格　仝上。

金國官制一卷

大定官制　《金史·輿服志》。　明昌制　仝上。

趙秉文②　百里指南一卷

馮延登　官誥三篇

李世弼　登科記

李俊民　承安登科記

　　　右職官

移剌愷③　皇統制條　大定律例十二卷　上一書《元史藝文志》無撰

人。上一書注明移剌愷撰，今誤，宜改正。

司空襄等　金新定律令敕條格式五十二卷

泰和律義三十卷④　《金史·刑志》。

皇統制　仝上。

正隆續降制書仝上。

金國刑統

正隆元年格

軍前權宜條理　《金·刑志》

---

①　上有眉批：蕭頤定《河南北官通注格》，《金·選志》。

②　上有眉批：此與《漢官儀》同入政書。

③　此三字有删除符號。

④　上有眉批：《泰和律令格式》三册，《篆竹書目》。《泰和新定律義》十六册。

承安律義

李祐之　删注刑統賦

　　　右法令

鄭當時　節義事實

張行簡　清臺記　皇華記　戒嚴記　自公記

韓玉　金元勳傳

王鬱　王子小傳

李之純　屏山故人外傳　屏山居士傳

呂子羽　呂跛子傳

金章宗　飛龍記

徒單公履　張侯言行録①

　　　右傳記

完顏勔　女直郡望姓氏譜

金重修玉牒

徒單公履　張侯言行録②

孔元措　孔氏祖庭廣記

蕭貢　五聲姓譜五卷

孔璟　續編祖庭廣記

阿離合懣修　本朝譜牒

李俊民　李氏家譜

元好問③　故物譜④　南冠録

---

　　① 　此條目有刪除符號。

　　② 　此條目有刪除符號。

　　③ 　上有眉批：元好問《千秋録》一篇,《南冠録引》。

　　④ 　"故物譜"三字有刪除符號。

右譜録

蔡珪　晉陽志十二卷　補正水經三卷　燕王墓辨一卷

呂貞幹　碣石志

王寂　遼東行部誌一卷　鴨江行部誌一卷

畢履道　地理新書十五卷①

王子淵　西嶽華山志

李大諒　征蒙古記一卷②

閻子秀　鴨綠行記　正隆郡志　與下仝。

蕭顯之　西湖行記　金初州郡志　《金史·地理志》注。

　　右地理

蔡珪　續歐陽公集録金石遺文六十卷　金石遺文跋尾十卷
　古器類編三十卷

王庭筠　雪溪堂帖十卷③

金石遺文千餘卷

馬定國　石鼓辨④

　　右金石

吳庭秀　十七史蒙求

元好問　帝王鏡略

　　右史鈔

---

① 此條目有刪除符號。
② 此條目有刪除符號。
③ 此條目有刪除符號。
④ 此條目有刪除符號。

子　部

趙秉文① 　揚子發微一卷 　太玄箋贊一卷 　文中子類説一卷
一作六卷。

李純甫② 　中國心學

張特立 　集説

杜瑛 　極學十卷 　皇極引用八卷 　皇極疑事四卷 　《畿輔通
志》。

劉祁③ 　處言四十三篇 　歸潛志十四卷 　《金史》。

劉因 　小學四書語録 　《經眼録》。

毛氏家訓④ 　《遺山集》。

魏德元 　家塾記 　《元文類》姚燧《甄官署令墓誌》。

陳規 　律身日録 　《二妙集補遺》。

董文甫 　論道編 　《歸潛志》。

　　　右儒家

趙秉文⑤ 　老子集解四卷 　金山錢培名《跋》云。 　南華略釋一卷

列子解一卷 　一作《補注》。

李純甫 　老子解 　莊子解

時雍 　道德經全解六卷

---

　　① 　上有眉批：《道學發微》，有《自序》并王序。整理者案，據上圖藏孫氏殘稿本《金
史藝文略》，王序指王若虛《後序》。

　　② 　上有眉批：薛微之《皇極經世圖説》，又《聖經心學篇》。

　　③ 　上有眉批：《歸潛志》在《四庫》小説。

　　④ 　此條目有刪除符號。

　　⑤ 　上有眉批：梁有修《續列仙傳》二十卷，此入神仙。

李霖　道德經取善集十二卷

寇才質　道德真經四子古道集解十卷

劉處玄①　陰符經注一卷 《四庫》道家存目。 道德經注 《金文最》。 黃庭經注 全上，秦道安《宗師道行碑》。②

唐淳　陰符經注二卷 《四庫》道家存目。

王嚞　全真集十三卷　重陽教化集三卷　分梨十化集二卷　金關玉鎖訣一卷　重陽授丹陽二十四訣一卷

馬鈺　金丹口訣一卷　神光燦一卷　洞玄金玉集十卷

王處一　雲光集四卷　華山志一卷 《四庫》道家存目。

太微仙君功過格一卷 又元子編，大定間人。

郝大通　周易參同契簡要釋義 《金文最》。

邱處機　大丹直指 全上。

高守元③　沖虛至德真經四解 全上。

趙抱淵　混成篇 全上。張子翼《延安路本行記》。④

楊雲翼　莊列賦一篇

袁從義　列子章句　莊子略解 以上《元遺山集》。

　　右道家

王若虛　君事實辨二卷　臣事實辨三卷　議論辨惑一卷　著述辨惑一卷　雜辨一卷　謬誤雜辨一卷

---

① 上有眉批：劉氏《道德經注》外，以下當入神仙家。

② 據《續修四庫全書》本《金文最》卷四十二，其全稱爲《長春真人劉宗師道行碑》。作者爲秦志安，此作"秦道安"，當是作者筆誤。

③ 上有眉批：以下當在道家。

④ 據《續修四庫全書》本《金文最》卷十四，其全稱爲《延安路趙先生本行記》。作者爲張子獻，上圖藏孫氏殘稿本《金史藝文略》同，此作"張子翼"，當是作者筆誤。

　　右名家

齊伯顔　大定編制二卷　　《畿輔通志》引《任邱志》。
　　右法家

王庭筠　叢辨十卷　　一作《叢談》。
朱弁　曲洧舊聞十卷　　《四庫》雜家。
趙秉文　資暇録十五卷①
閻子秀　筆録　　《續夷堅志》。
元好問　錦機一卷　壬辰雜編②
許安仁　無隱論　　見《金史》。
李純甫　贅談　《淖南集》。③　　鳴道集説一卷　　《續文獻通考》。
李治　群書叢削十二卷④　泛説四十卷　古今黈四十卷　益
　古衍疑三十卷⑤
蕭貢　公論二十卷
張行簡　爲善記⑥
李仲和　雜著⑦
李仲和⑧　雜著⑨　　《淖南集》。
元好問　續古今考九卷　　《四庫》雜家存目中。

---

① 此條目有刪除符號。
② 此兩條目有刪除符號。
③ "李純甫贅談淖南集"八字有刪除符號。
④ "群"，上圖藏孫氏殘稿本《金史藝文略》作"壁"。
⑤ "益古衍疑三十卷"七字有刪除符號。
⑥ 此條目有刪除符號。
⑦ 此條目有刪除符號。
⑧ 上有眉批：入集部。
⑨ 此條目有刪除符號。

　　右雜家

楊圃祥　百斛珠
李之純　贅談　　《歸潛·周嗣明傳》：“屏山《贅談》，晦之序也。”
元好問　續夷堅志四卷　　《四庫》小説存目。
　　右小説

張守愚　平遼議三篇
馬餌　北新子
　　右兵家

成無己①　注傷寒論十卷　傷寒明理論三卷　　以上《國志》。
　論方一卷　《四庫》醫家。
劉完素②　傷寒直格三卷　運氣要旨論一卷　精要宣明論五
　卷　治病心印一卷　河間劉先生十八劑一卷　素問要旨
　論八卷　□□□□□　原病式二卷　一作一卷。　宣明方論
　十五卷　《國史·志》，又《述古》。　傷寒標本心法類萃二卷　傷
　寒直格論方三卷　傷寒醫鑒一卷　《原病式》、《宣明方論》、《直格
　方》及《類》，《四庫》皆有《提要》。又據《醫鑒》有《六經傳變直格》一部。
張從正　汗下吐法　有六門二法之目。　治病撮要一卷　傷寒
　心鏡一卷　祕録奇方二卷　儒門事親十五卷　張氏經驗
　方二卷　《國史·志》。　直言治病百法二卷　十形三療三卷

———————————

　　①　上有眉批：陶九成《輟耕録》、歷代醫家入金人，《四庫》亦辨正，故成無己當
列金。
　　②　上有眉批：《述古》有《直格》六卷五本，作□上一卷。《素問旨》阮元以爲金刊，
見陸心源《跋》。□□《宣明》不言卷數，《原病式》亦不言卷。□以王庭□與□□題《原病
式》一卷。

附《雜記》一卷。　　元聖濟總録二百卷①

李慶嗣　傷寒纂類四卷　改證活人書二卷　傷寒論三卷

《絳雲》有。　　鍼經一卷　醫學啓元

紀天錫　集注難經五卷　一作三卷。

張元素②　注叔和脈訣十卷　《國史·志》。　潔古本草二卷　仝
上。　潔古老人醫學啓源三卷　《述古》抄。　病機氣宜保命
集三卷　一名《治法機要》。　難經注　《絳雲書目》。　潔古珍珠
囊《四庫》醫家。

趙大中　風科集驗名方二十八卷　趙素訂補。《述古》有元抄本，不書
作者，《絳雲》同。《儀顧》有跋。

李杲③　辨惑論三卷　蘭室祕藏六卷　一作五卷。　脾胃論三
卷　東垣試要效方九卷　《國史·志》。　內外傷寒辨三卷
仝上。　用藥法象一卷　傷寒會要　醫學發明九卷　《畿輔通
志》。　此事難知二卷　前三種見《四庫》醫家。《四庫》王好古《湯液本草》
提要云：「上卷《東垣藥類法象》、《用藥心法》。」

盧昶④　醫鏡五十篇　傷寒片玉集三卷⑤　《元遺山集》。

袁從義　雲庵妙選方　仝上。

元好問　元氏集驗方　仝上。

王輔之　素問注疑難二十卷　本草歌括一卷　傷寒歌括一
卷　《莊靖集》。

---

① “元聖濟總録二百卷”八字有刪除符號。

② 上有眉批：《脉訣》《述古》有抄一卷，《保命》《絳雲》□□無卷數，□□《東垣珍珠
囊》二卷（“珍珠”原誤作“珍珍”）。

③ 上有眉批：《祕藏》五卷，《脾胃論》□卷，見《國史·志》。《述古》抄《祕藏》一卷。
李杲《校評崔真人脈訣》一卷，《提要》。《東垣外科精義》二卷，《四庫》引孫一奎《赤水玄
珠》。

④ 上有眉批：趙秉文《素問標注》，《歸潛》卷三。張真人《傷寒類證》，卷前有宋雲
公《序》。

⑤ 此兩條目有刪除符號。

竇太師^①　標幽賦注一卷　<small>仝上，抄。</small>　　流注通玄指要賦一卷

<small>《述古書目》。</small>　流注八穴　<small>《金文最》。</small>

魏存惠　重修證類本草^②　<small>《金文最》。</small>

陳文中　小兒痘疹方論一卷　<small>仝上。</small>

楊用道　附廣肘後方　<small>仝上，《四庫》醫家。</small>

何若愚　流注指微鍼賦　<small>仝上，作一卷。</small>　指微論三卷

王好古^③　醫壘元戎十二卷　<small>《四庫》引《自跋》，書成辛卯。</small>

封仲堅　注素問　<small>《二妙集》。</small>

　　右醫家

楊雲翼　懸象賦一篇　五星聚井辨一篇

岳熙載　天文精義賦三卷　天文祥異賦一卷　天文主管釋
　義三卷　注李淳風天文類要四卷　<small>《四庫》天文存目，《賦》三卷作四
卷，《提要》謂《天文占書類要》，未見。</small>

張翼^④　天象傳

武亢　校正天文主管一卷　<small>《四庫》子部術數存目。</small>

　　右天文家

金大明曆十卷　<small>《書錄解題》作一卷。尤《遂初目》作《金國大明日曆》，多一</small>
　<small>"日"字。</small>

楊級　大明曆　<small>《金史·曆志》。</small>

_____

<small>①　上有眉批：竇太師《鍼經指南》，《絳雲》有《標幽賦注》□□□□□□□，《篋竹》
有《指南》一册。</small>

<small>②　此條目有刪除符號。整理者案，"魏"、"存"之間補寫一字，不可辨識。據文淵
閣《四庫全書》本《證類本草》提要及麻革《重修證類本草·序》，此人實名張存惠，字
魏卿。</small>

<small>③　"王好古"前原有"醫鏡"二字，被作者删去。</small>

<small>④　上有眉批：《驪子》，閑閑有跋，見《文最》。陰陽家。</small>

趙知微　重修大明曆　《金史·曆志》。

張行簡　改定太一新曆

耶律履　乙未元曆　揲蓍說　《元文類》遺山《墓銘》。

楊雲翼　句股機要　積年雜說

李治　測圓海鏡十二卷　益古衍段三卷

杜瑛　律曆志十卷

王輔之　算術一卷　《莊靖集》。

元好問　如積釋鎖細草　《四元玉鑑·序》。

　　　右曆算家

楊雲翼　象數雜說①

楊雲翼　氣數雜說

張居中　六壬無惑鈐六卷　《四庫》術數存目作一卷。《湛然》有序。

丞相兀欽②　注青烏子葬經一卷　《四庫》術數存目。

張謙　新校地理新書十五卷

張行簡　人倫大統賦一卷　有刊本，元人□□序。③

劉因　櫝蓍記④

徐次賓　大六壬玉連環一字訣　《金文最》。

金德運義一冊　《菉竹書目》。

　　　右五行家

---

①　此條目有刪除符號。

②　"兀欽"，文淵閣《四庫全書》本《千頃堂書目》卷十三同。《四庫全書總目》與上圖藏殘稿本《金史藝文略》並作"兀欽仄"。

③　案，上圖藏孫氏殘稿本《金史藝文略》，《人倫大統賦》有元人薛延年壽之序并注。

④　此條目有刪除符號。

品第法書名畫記五百五十卷　　王庭筠、張汝芳修。

王庭筠　雪溪堂帖十卷　《元遺山集》。

苗①　琴辨　《湛然》有序。

蔡珪　續歐陽文忠公集録金石遺文六十卷　古器類編三卷
　金石遺文跋尾十卷②

馬定國　石鼓辨③

金石遺文千餘卷④　《滏水集》;《寶墨堂記》。

元好問　故物譜

　　右藝術家

節事⑤　《中州集》。

鄭當時⑥　群書會要　韻類節事⑦

泰和編類陳言文字二十卷⑧　完顏綱、喬宇、宋元吉等修。

節事⑨　《元遺山集》。

常彦修　增廣兩漢策要　《金文最》。

王朋壽　增廣類林十五卷　仝上。

　　右類纂家

---

① 　據上圖藏殘稿本《金史藝文略》,《琴辨》作者爲苗秀實。
② 　此條目有删除符號。
③ 　此條目有删除符號。
④ 　此條目有删除符號。
⑤ 　此條目有删除符號。
⑥ 　上有眉批:《絳雲》有目,不言鄭作。
⑦ 　"韻類節事"四字有删除符號。
⑧ 　此條目有删除符號。
⑨ 　此條目有删除符號。

李純甫① 楞嚴經解　金剛經別解　鳴道集說② 成都大悲
　寺集三卷 《國史經籍志》。 屏山翰林佛事 《歸潛志》。

張珣　注金剛般若經

淨髮須知二卷

侯先生　常清淨經注 《金文最》。

僧德普③　彌陀偈 《歸潛志》。

王彧　決定歌 《中州集》。

昭禪師語錄 《元遺山集》。

武狀元朝宗禪林記④ 仝上。

　　右釋家

巨然⑤　秋山晚渡

李思訓　江山漁樂

陸瑾　溪山風雨

郭忠恕　飛仙故實 樗軒題。

董元　寒林

貫休　大阿羅漢

伯時　女孝經

張符　牧牛圖

張萱　鼓琴仕女圖

尉遲乙僧　有餘菩薩 南麓跋。

---

① 上有眉批:《鳴道集說》《四庫》在雜家存目。

② "鳴道集說"四字有刪除符號。

③ "僧德普"和"王彧"兩條目有刪除符號。

④ 上有眉批:《西夏賀宗壽密呪圓因往生集》,《文最》。

⑤ 自"巨然"至"其年十五歲"二百零一字爲浮簽,且自"巨然"至"圖籍類"一百三
十九字有刪除符號。

王維　維摩示疾圖

黃華　雪山寫照

胡懷　番部卓歇①　黃華以及題、跋外，餘俱注"明昌"字。

以上見鮮于樞《困學齋雜録》云："喬仲山家。"考古目録家不及圖譜，爲鄭樵所斥，今取之以入子部圖籍類。

方董山《靜居畫論》、董元《溪山高隱》上有金章宗"明昌御覽"巨印。

《輟耕録》記《全真教》云："章宗泰和四年，元學士作《紫微觀記》，所載詳悉。"元學士謂遺山也，其年十五歲。

集　部

完顏璹②　如庵小稿六卷

完顏勗集　有《諫索户口疏》，《最》八。③

完顏永成　樂善居士集

韓玉　應制集

徒單鎰④　宏道集六卷

閻詠　復軒集

---

① "胡懷"，文淵閣《四庫全書》本《困學齋雜録》作"胡瓛"。

② 上有眉批：有《全真》、《長真》二碑。整理者案，據《續修四庫全書》本《金文最》卷四十一，其全稱爲《全真教祖碑》、《長真子譚真人仙跡碑》。

③ 據《續修四庫全書》本《金文最》卷八，其全稱爲《諫索女直逃入高麗户口疏》。

④ 上有眉批：有《通上下情疏》、《論爲政疏》。整理者案，據《續修四庫全書》本《金文最》卷八，其全稱爲《乞通上下之情疏》、《論爲政之術疏》。

劉豫①　曹王集

宇文虛中文集②

張行簡文章十五卷

鄭子聃詩文二千餘篇③

吳激　東山集十卷④

張斛　南游北歸等詩⑤

蔡松年文集⑥

蔡珪文集五十五卷⑦

高士談　蒙城集⑧

馬定國　薺堂集

祝簡　嗚嗚集

朱之才　霖堂集

---

①　上有眉批:有《報伐宋書》、《報元帥府書》、《曹王謝表》。整理者案,據《續修四庫全書》本《金文最》卷二十八和卷七,其全稱爲《報元帥府議伐宋書》、《宋徐文來降報元帥府書》、《封曹王謝表》。

②　上有眉批:有《本草跋》。整理者案,據《續修四庫全書》本《金文最》卷二十四,其全稱爲《證類本草跋》。

③　上有眉批:有《汝州禪師銘》。整理者案,據《續修四庫全書》本《金文最》卷五十五,其全稱爲《汝州香山觀音禪院慈照禪師塔銘》。

④　"集"後有"東山樂"三字,被作者删去。

⑤　此條目下有一浮簽,其内容爲:陶九成《輟耕録》:"蘇小小見諸古、今吟咏者多矣! 而世又圖寫以玩之,一何動人也如此哉。余嘗記《虞美人》長短句云,亦蘊藉可喜。乃元遺山先生所作也。"

⑥　上有眉批:有《太白卷跋》。整理者案,據《續修四庫全書》本《金文最》卷二十四,其全稱爲《蘇文忠公書李太白詩卷跋》。

⑦　上有眉批:有《太白卷跋》。整理者案,據《續修四庫全書》本《金文最》卷二十四,其全稱爲《蘇文忠公書李太白詩卷跋》。

⑧　此條目下有一浮簽,其内容爲:《經眼録》:"《四聲篇海》、《五音集韻》二書惟成化十年官刊本。成化丁亥,僧文儒有合刻本,稱《篇韻類聚》,其《篇海》題云'改併五音類聚四聲篇海',其《集韻》題云'改併五音集韻'。"整理者案,據其内容,當入經部小學。

施宜生^①　三住老人集

趙可^②　玉峰散人集

劉汲　西巖集　《中州集》屏山有序。

劉瞻　攖寧居士集

劉蹟　南榮集

劉仲尹　龍山集

郝俁　虛舟居士集

張公藥　竹堂集

史旭詩一卷

耶律履^③　文獻集十五卷

董師中^④　漳川集

王寂　拙軒集六卷

李仲略^⑤　丹源釣徒集

劉迎　山林長語

党懷英　竹溪集十卷

趙渢^⑥　黃山集　《歸潛》八有論。

---

　　①　上有眉批:有《漁陽宣聖碑》、《太白卷跋》。整理者案,據《續修四庫全書》本《金文最》卷三十四和卷二十四,其全稱爲《漁陽重修宣聖廟碑》、《蘇文忠公書李太白詩卷跋》。

　　②　上有眉批:有《蒲城丞喬公誌》。整理者案,據《續修四庫全書》本《金文最》卷四十五,其全稱爲《華州蒲城丞喬公墓誌》。

　　③　上有眉批:有《天竺三幢記》。整理者案,據《續修四庫全書》本《金文最》卷五十五,其全稱爲《天竺三藏吽哈囉悉利幢記》。

　　④　上有眉批:有《雞澤廟碑》、《諫北幸疏》。整理者案,據《續修四庫全書》本《金文最》卷三十九和卷八,其全稱爲《雞澤縣重修廟學碑》、《再諫北幸疏》。

　　⑤　上有眉批:有《應州重建廟學碑》。整理者案,參《續修四庫全書》本《金文最》卷三十九。

　　⑥　上有眉批:有《王楡山表》、《濟州照公塔銘》、《太原廟碑》。整理者案,據《續修四庫全書》本《金文最》卷四十五、卷五十六和卷三十八,其全稱爲《王楡山先生墓表》、《濟州普照禪寺照公禪師塔銘》、《太原府學文廟碑》。

王庭筠①　翰林文集四十卷

趙秉文　滏水集三十卷　閑閑外集　有□序,見《歸潛》八。

劉中文集

路鐸　虛舟居士集

酈權　披軒集

李純甫②　内稿　外稿　《歸潛》八有論□一則。

史肅　澹軒遺稿

蕭貢文集十卷③

史公奕　洹水集

楊雲翼集　見《歸潛》四。

馮延登　橫溪翁集

王若虛　滹南遺老集四十五卷　傭夫集

劉從益　蓬門集

張建④　蘭泉老人集

毛麾⑤　平水集

---

　　①　上有眉批:有《涿州昭烈碑》、《香林》、《五松》兩記,□《李山詩跋》。整理者案,據《續修四庫全書》本《金文最》卷三十六、卷十二、卷二十四,其全稱爲《涿州重修漢昭烈帝廟碑》、《香林館記》、《五松亭記》、□《李山風雪松杉圖詩跋》。

　　②　上有眉批:有《司馬不喜佛辨》、《程伊川論辯》、《自贊》、《栖霞》、《面壁》、《雪庭》之碑。整理者案,據《續修四庫全書》本《金文最》卷三十、卷十一和卷四十一,其全稱爲《司馬溫公不喜佛辨》、《程伊川異端害教論辯》、《李翰林自贊》、《栖霞縣建學廟碑》、《重修面壁庵碑》、《新修雪亭西舍碑》。

　　③　上有眉批:有《北極宮碑》。整理者案,據《續修四庫全書》本《金文最》卷三十八,其全稱爲《京兆府涇陽縣重修北極宮碑》。

　　④　上有眉批:有《崔朝請去賦》、《瑞寶峰頌》、《華州廟碑》、《張公去思碑》。整理者案,據《續修四庫全書》本《金文最》卷十、卷十一、卷三十七,其全稱爲《蒲城崔朝請去思贊》、《瑞沈寶峰頌》、《華州城隍神濟安侯新廟碑》、《高陵縣令張公去思碑》。

　　⑤　上有眉批:有《潞州》、《康澤》兩碑,《沖虛四解》、《清靜經注》、《磻溪》三《序》。整理者案,據《續修四庫全書》本《金文最》卷三十九、卷十九,其全稱爲《潞州儒學碑》、《康澤王廟碑》、《沖虛至德真經四解·序》、《常清靜經注·序》、《磻溪集·序》。

王琢　姑汾漫士集

中孚　清漳集　　蘭泉集

景覃　渭濱野叟集

劉鐸　柳溪集

秦略　西溪老人集

張琚　韋齋集

杜佺　錦溪集

李之翰　漆園集

楊與宗　龍南集

晁會　澶水集

郭長倩①　崑嵓集②

郭用中　寂照居士集

張邦彥　松堂集

王元節　遯齋詩集

王世賞　浚水老人集

桑之維　東皋集

張庭玉集

王敏夫集

辛愿詩數千首

李獻甫　天倪集

元德明　東巖詩集三卷　詩集二十卷③

元好問　遺山集四十卷

---

①　上有眉批：有《文登廟碑》。整理者案，據《續修四庫全書》本《金文最》卷三十五，其全稱爲《文登縣廟學碑》。

②　"嵓"乃"嶔"字之誤。

③　據文淵閣《四庫全書》本《千頃堂書目》卷二十九載，"詩集二十卷"五字當放在下條"遺山集四十卷"之後。

李俊民　莊靖集十卷

曹珏　卷瀾集三卷

曹望之詩集二十卷

李愈①　狂愚集二十卷

張鉉　韋齋集

宗經　雲巖文集

郝太古詩集

譚處端　水雲集

劉靜修先生文集三十二卷

李治　敬齋文集四十卷

趙庭玉　耐辱居士集二十卷

張公渭集

白寶瑩集

相禪師文集一卷

通真子松泉集二十卷

杜仁傑　逃空絲竹集

英粹中　木庵詩集

許汾陽詩集

王輔之　古律詩三百餘篇　雜文四十篇

陳季淵詩集②

王寀　曲全子詩集　　此與下在《拙軒》處。

王礎詩百篇

任詢詩數千首

---

①　上有眉批:有《段季良表》。整理者案,據《續修四庫全書》本《金文最》卷四十五,其全稱爲《段季良墓表》。

②　此條目有删除符號。

馮子翼詩

周德卿　常山集　　有史舜之《序》,見《王從之集》。

張商老文集十五卷　　《文最》:黃久約《碑》。①

岳行甫詩百餘篇

何宏中　成真集　通理集　　《中州集》。

張仲揚詩集　　見《歸潛》八有劉序。

滕秀潁　鳳山思遠記　　詩數百首,《中州集》。

許蛻　子遷集　　見上葉《王敏夫詩》。

無名老人　天游集

王利賓五言詩十數首

邱處機②　磻溪集

邢安國　丹崖集

馬玨③　漸悟集二卷

張溫詩

趙元　愚軒集

孟宗獻詩詞集　　見《歸潛》八。

侯大中詩集

姚孝錫律詩五卷　　集名《雞肋》,《中州集》。

寗明甫　和西遊詩

史學優詩數百首

　　①　據《續修四庫全書》本《金文最》卷四十三,其全稱爲黃久約《朝散大夫鎮西軍節度副使張公神道碑》。

　　②　上有眉批:邱有《覆司古德書》、《博州詩序》、《學仙記》。整理者案,據《續修四庫全書》本《金文最》卷二十八、卷二十三、卷十七,其全稱爲《覆司古德書》、《博州戰姑庭楸詩序》、《學仙記》。其中,《覆司古德書》乃高麗恭孝王文,非邱作。因與丘處機《寄西川同道書》並排,作者因而誤認。

　　③　"玨",當作"鈺"。

侯季書詩

王飛伯詩文集

移剌楚材　湛然居士集三十五卷

撒畢詩集

田特秀賦集

楊鴻　同然集

曹之謙　兌齋文集

李信道集二卷

劉祁　神川遯士集

　　右別集

完顏綱　類編陳言文字二十卷

元好問　唐詩鼓吹十卷　中州集十卷

房祺　河汾諸老詩集八卷

段克己　成己　二妙集八卷

馮清甫　金代文章千餘卷

張彌學　座右銘

金太宗　神射碑

馬天來　屏山真贊

虞仲文　煎餅詩

梁仲新　仙掌承露詩

韓汝嘉　武元聖德神功碑

周馳　亞父撞玉斗賦

賈達之　邀飯帖

趙秉文　明昌辭人雅製　《中州·王礀傳》丁集。

陳規諫槖

雷司直奏牘

梁襄　平賦書　數千言。

商平叔　國朝百家詩略

元好古　望月詩

張行簡　人倫大統賦①

趙承元　周德奐若文王賦

　　　右總集②

元好問　杜詩學一卷　東坡詩雅三卷　錦機一卷　詩文自
　　警一卷

王繪　太白詩注

文伯起　小雪堂詩話

王若虛　文辨　滹南詩話　《歸潛》九一則。

鮑慎由　杜詩注説③

　　　右文史④

董解元西廂記　入詞曲類。《輟耕録》：“金章宗時《董解元西廂記》。”

遺山樂府一册　《篆竹書目》。

桑之維　東皋集

---

①　此條目有刪除符號。

②　在屬於總集的條目上有多條眉批：濟存郵《留奏稿》，金文□史傳。《黨學士詩集》一册，《篆竹書目》。《成趣園詩文》，《文㝡》有初昌紹序。《雲館二星集》。《中州集》。魏道明《百家詩略》。房灝《白雲時議》。《無名人節事》，《中州·路仲宂傳》。劉炳《便宜十事書》。《完顏勖諫表》。許安仁《無隱論》。梁襄《世宗幸金蓮川疏》一卷。許古《章奏》。郭伯英《香山賦》。宇文虛中《綸言集》三十一卷。

③　此條目有刪除符號。

④　在屬於文史的條目上有三條眉批：魏道明《鼎新詩話》，范墂《詩話》，朱弁《曲洧》、《風月堂詩話》。

馮子翼樂府

本朝樂曲

金刊書目

地理新書十五卷 <small>明昌刊本。</small>

重修證類本草三十卷 <small>泰和甲子刊本。</small>

太醫張子和先生儒門事親三卷 直言治病百法二卷 十形三療三卷 撮要圖一卷 附扁華訣病機論三法六門方一卷 世傳神效名方一卷 治法雜論一卷 <small>金刊本,見《士禮居題跋》。</small>

李賀歌詩編四卷 <small>金刻本,仝上。</small>

中州集十卷 <small>金本,仝上。</small>

蕭閒老人明秀集注三卷 <small>影鈔金本,仝上。</small>

尚書注疏二十卷 <small>金刊本,見《鐵琴銅劍樓書目》。</small>

歌詩編 <small>仝上,仝上。</small>

資治通鑒百廿卷 <small>金本,聊城楊氏《海源閣書目》。</small>

李杲 藥性賦二卷 格致叢書本 醫經萃錄本

劉完素 素問元幾原病一卷 河間三書 又六書本 宣明論方十五卷 <small>仝上。</small> 傷寒直格方三卷 <small>仝上。</small> 傷寒標本心法類萃二卷 <small>仝上。</small> 傷寒心要一卷 <small>仝上。</small> 傷寒醫鑑一卷 <small>仝上。自《傷寒直格方》只有《河間六書》本。</small> 素問病機氣宜保命集三卷 三書又六書本 又濟生拔萃

常德傷寒心鏡一卷 河間六書本

張從政 儒門事親十五卷 古今醫統 正脈全書本 <small>明金壇王肯堂輯。</small>

李杲　脾胃論三卷　古東垣十書本　又十書本　蘭室秘藏
　三卷　仝上。　又濟生拔萃本　內外傷辨惑論三卷　東垣
　十書本

成無己　傷寒明理三卷論方一卷　古今醫統本

此事難知二卷　古東垣十書又十書本

河間傷寒三卷　元刊本

潔古雲岐鍼法　珍珠囊　家珍　以上濟生拔萃本　明杜思敬
編刊。

竇太師　流注賦

脾胃論

此事難知　以上濟生

雲岐子注脈訣並方　濟生拔萃

金譯印本

《四庫》醫家《聖濟總錄纂要》二十六卷,《提要》有重刊大
　定說。

易　王弼　韓康伯注

書　孔安國注

詩　毛萇注　鄭玄箋

春秋左氏傳　杜預注

禮記　孔穎達疏

周禮　鄭玄注　賈公彥疏

論語　何晏集注　邢昺疏

孟子　趙岐注　孫奭疏

孝經　唐玄宗注　以上經。

史記　裴駟注

漢書　顏師古注

後漢書　李賢注

三國志　裴松之注

唐太宗　晉書

沈約　宋書

蕭子顯　齊書

姚思廉　梁書　陳書

魏收　後魏書

李百藥　北齊書

令狐德棻　周書

魏徵　隋書

新舊唐書

新舊五代史　以上史。

老子　唐玄宗注疏

荀子　楊倞注

楊子　李軌　宋咸　柳宗元　吳祕注　以上子。

以上見《金史‧選舉志》,于下云:"皆自國子監印之,授諸
學校。"

文子

劉子　以上子。

《皕宋志》:《古清涼傳》金刊本,又有《廣清涼傳》、《續清涼
傳》,皆金刊本。

《四庫》《證類本草》提要稱:"金泰和本。"又張元素《保命集》
言:"金末楊威始刊。"①

① 案,此條原在"學士院進二十六部"八字後,根據內容調至此處。

杜甫集

韓愈集

劉禹錫集

杜牧集

賈島集

王建集

王禹偁集

歐陽修集

王安石集

蘇軾集

張耒集

秦觀集　　以上集。

以上見王圻《續文獻通考》，并云：“學士院進二十六部。”

王子端　捲簾記

元好問　中州樂府一卷　遺山新樂府五卷

韓玉　東浦詞一卷

白璞　天籟集二卷

段克己　菊莊樂府一卷

段成己　遯齋樂府一卷

孫鎮　東坡樂府注

劉因　樵庵詞一卷

元好問　東坡樂府集選

王輔之　長短句二百首

魏道明　蕭閑老人明秀集注三卷

吳彥高詞一卷

馮子翼樂府

劉勳樂府

刁白樂府

張温樂府　以上詞曲。

又李長汾樂府

《直齋書録解題》《釋書品次録》一卷:"題《唐僧從梵集》有黎
　陽張鞏跋,稱大定丁未,蓋北方版本也。"

金刊本①

地理新書十五卷

重修證類本草三十卷

太醫張子和先生儒門事親三卷　**直言治病百法二卷**　**十形**
　三療三卷　**撮要圖一卷**　**附扁華訣病機論三法六門方一**
　卷　**世傳神效名方一卷**　**治法雜論一卷**　以上《士禮居題跋》。

李賀歌詩編四卷　仝上。

中州集十卷　仝上。

蕭閒老人明秀集注三卷　仝上。

尚書注疏二十卷　《鐵琴銅劍樓書目》。

歌詩編　仝上。

資治通鑑百廿卷　《海源閣書目》。

諸葛亮十六策一卷　《四庫》子部兵家存目。

---

　　①　金刊本所包括的條目,除《諸葛亮十六策》一卷外,其它條目已見上金刊書
目下。

二十五史藝文經籍志考補萃編總目